Nefertiti

GUY RACHET

Nefertiti

REINA DEL NILO

Ⓐ **Editorial El Ateneo**

Diseño de interiores: Lucila Schonfeld

© Guy Rachet, 1984
© Edición original: *Nefertiti*
Éditions du Rocher

Primera edición de Editorial El Ateneo
© LIBRERÍAS YENNY S.A., 2003
Patagones 2463 - (C1282ACA) Buenos Aires - Argentina
Tel.: (54 11) 4943 8200 - Fax: (54 11) 4308 4199
E-mail: editorial@elateneo.com

*Para Maud
y para todos los que viven
bajo la deslumbrante luz
de Amarna.*

PRIMERA PARTE

Los jardines
del sol

Capítulo I

Era la época de la inundación, el momento en que la estrella Sotis, que precede la salida del sol, centellea en el horizonte oriental para anunciar a los habitantes de la Tierra Negra la subida de las aguas vivificantes del Nilo. El río divino se había hinchado lentamente; sus aguas desbordadas invadían los campos lindantes para fecundarlos con su limo, dejando asomar sólo unos cerros cenagosos similares al Tatenen, la colina primitiva del Océano Primordial en la que Thot depositó el huevo de oro que brotó del Sol, en los lejanos días de la creación. El calor era denso pues muy alto en el firmamento ya brillaba el sol triunfante. El vaho abrumador de aquel cielo resplandeciente aletargaba a los campesinos en sus viviendas de tierra, amontonadas en las estrechas colinas que en vano las aguas intentaban devorar. La vida parecía haberse refugiado en los bajos y verdosos matorrales de cañas y papiros, lotos y nenúfares que se extendían a lo largo de las orillas del río: una vida secreta y poderosa que se manifestaba mediante rumores sordos, gritos penetrantes de aves, cantos de ranas y rozar de alas. Espantados por alguna extraña intrusión, patos y cercetas, aves de picos planos o puntiagudos, de plumaje azul o gris y alas de delicados terciopelos jaspeados alzaron vuelto de repente de entre las profundas malezas. Poco después, de un canal que serpenteaba entre los flotantes islotes de vegetación, surgió una barca ligera. Era una balsa de forma oblonga, hecha de ramas de papiro entrelazadas que en cada extremo se alzaban y se abrían en forma de amplios abanicos. En la proa se erguía un gato atigrado, erizado, de mirada vigilante, pronto a lanzarse sobre la presa que pasara a su alcance; cerca de él iba arrodillada una adolescente que llevaba, del lado derecho, la larga trenza de la infancia; en la parte trasera de la embarcación, de pie, viajaba otra jovencita, que con mano segura empuñaba el largo bichero con que dirigía la balsa. Ninguna de las dos llevaba otro atuendo que un cinto de tela que les ceñía la cadera. En cambio, tenían las muñecas cargadas de brazaletes, adornadas con pendientes las orejas, y en el cuello, collares de oro y perlas de lapizlázuli. La que manejaba el bichero exhibía una cabellera castaña, larga y opulenta, dividida en miles de finas trenzas, y una diadema ornada con festones sostenía en su frente una flor de loto. Había pasado ya la pubertad; los senos altos y plenos, los hombros redondos, los brazos delgados pero musculosos y las piernas largas y esbeltas anunciaban la joven madurez femenina, mientras que su compañera exhibía aún esas marcas ingratas de la adolescencia: el pecho menudo, los hombros huesudos y las caderas estrechas.

–¡Cuidado! –exclamó la más pequeña mientras las aves espantadas desaparecían detrás de las matas blancas de flores de papiro–. ¡Vas demasiado deprisa! Los pájaros siempre se escapan antes de que nos acerquemos.

–¡Hablas así porque no eres tú la que maniobra! ¿Crees que es fácil mantener la embarcación en esta corriente?

–¿No te parece que nos hemos aventurado demasiado lejos? ¿Estás segura de encontrar el camino en esta espesura? –se inquietó la pequeña.

–No hay nada que temer. Allá, en el cielo, está nuestro guía –respondió la mayor, con la cabeza levantada hacia el sol.

Con un gracioso giro de la cintura empujó el bichero oblicuamente y la barca se deslizó dejando atrás un saliente de altos tallos de papiro; apareció entonces la inmensa extensión del Nilo, que desplazaba sus profundas aguas hacia el gran mar verde.

–¡Mira! –exclamó la mayor–. Todas las aves se han posado allí. Las sorprenderé.

–Kiya –replicó la pequeña, abrazando al gato–, ten cuidado de no dejarte llevar por la corriente. Es lo que siempre nos repite nuestro padre cuando nos lleva en su gran barca a los pantanos a ver cosas hermosas y cazar patos.

–¡Caramba, Muti, eres temerosa como una rana! En cuanto percibes el rabo de un hipopótamo te cubres los ojos, y si pudieras te sumergirías en el fondo del agua para no verlo.

–¡Que Sekhet nos proteja! Tú eres demasiado audaz. Ti tiene razón: deberías haber sido varón; serías un buen soldado de Su Majestad.

–Calla de una vez; espantarás a esas hermosas aves. Y suelta al gato, para que pueda saltar.

Mientras decía esto, Kiya arqueó el cuerpo sobre la vara flexible e impulsó la embarcación por la rauda corriente, que doblaba los tallos de papiro. Se agachó, empuñó una vara corta y curvada y la colocó bajo su axila para poder maniobrar libremente el bichero.

La frágil barca, arrastrada por la corriente, se deslizó entre las malezas. La jovencita se acuclilló para apoyar el bichero, tomó la vara arrojadiza por un extremo y se quedó inmóvil, como una pantera al acecho. A la vuelta de un matorral aparecieron las aves: estátulas de pico largo, posadas en islotes de hierbas flotantes; cercetas y patos que se deslizaban lentamente sobre el agua; abubillas coronadas con copetes purpúreos; pardillos de garganta de fuego; avefrías de plumaje gris como una aurora invernal. La barca se acercó con sigilo; las dos jovencitas permanecieron calladas e inmóviles mientras el gato se agazapaba para saltar. Conteniendo la respiración, las muchachas se deleitaban la vista con las formas y los colores tornasolados de los plumajes sobre la cortina de vegetación hilada por manos divinas, y regocijaban sus oídos con los cantos, los gritos estridentes y los gorjeos de aquel mundo etéreo. El gato fue el primero en reaccionar, sacando las garras; de inmediato las espantadas aves alzaron vuelo entre chillidos y aleteos sordos bajo la mirada pasiva de una garza de color ceniza, el sagrado pájaro benu, adorado en Heliópolis. Kiya se irguió y al mismo tiempo lanzó la vara con gesto rápido, para atrapar en pleno vuelo a una cerceta dorada mientras el gato se arrojaba al agua a capturar una abubilla.

Con movimiento precisos y rápidos Kiya volvió a empuñar el bichero e impulsó con habilidad la embarcación hasta donde estaba el gato; su compañera, Muti, lo atrapó para depositarlo, empapado, en la cubierta de tallos trenzados. En sus fauces sujetaba al pájaro ensangrentado.

–¡Apresúrate, Kiya! –gritó la pequeña–. ¡La corriente se lleva tu pato y la vara!

La muchacha mayor sumergió el bichero en la corriente e hizo avanzar con rapidez la liviana embarcación. Pero los caprichos de las aguas la empujaban a izquierda y derecha, y cada vez, con un movimiento del bichero, Kiya enderezaba el curso vacilante. No obstante, el cuerpo de la cerceta se alejaba aguas adentro, y del mismo modo se dejaba arrastrar la frágil barca.

—¡Kiya, abandona! —exclamó Muti–. ¿No ves que el agua nos está arrastrando al centro del río?

Kiya, apretando los dientes, se obstinaba en su vana persecución. Pero pronto el bichero dejó de tocar el fondo y resultó inútil. La muchacha lo dejó a un lado, se puso en cuclillas y comenzó a remar con las manos; con movimientos enérgicos hacía avanzar la barca –que ahora se hallaba en medio de la corriente– sin prestar atención a los gritos de la pequeña, aterrada al ver que la orilla cubierta de papiros pasaba ante sus ojos a una velocidad que le daba vértigo. Poco después Kiya lanzó un grito de triunfo, tomó la cerceta por el cuello y la sacó del agua.

—Sabía que la atraparía –dijo–. Sekhet me protege.

—Ahora debes invocar a Sobek –replicó Muti–, para que no encontremos cocodrilos...

—¡Y tú deberías ayudarme a remar con las manos para volver a la orilla!

—Kiya, ¿qué será de nosotras? ¡Mira adónde nos ha traído tu audacia! ¿Ves allá? Las malezas son cada vez más tupidas. Es la región donde viven esos boyeros que son peores que los demonios del desierto, según dice Ti. Si vamos hacia allá nos capturarán y nos harán cosas horribles.

—¡Cállate! No les tengo miedo a esos boyeros. Debemos ir hacia esas malezas, porque es imposible remontar la corriente.

—¡Y todo por una cerceta! –exclamó la pequeña con un suspiro, al tiempo que hundía perezosamente la mano en la corriente.

—¡Deja ya de gemir y no finjas dirigir la barca con tu mano! Cuando comamos esa cerceta, nos parecerá más sabrosa que los patos más tiernos que traen nuestros campesinos. El mérito de haberla atrapado será sólo nuestro.

—Antes tendríamos que volver a casa.

Kiya se encogió de hombros y prosiguió:

—Y además, ¿acaso sabemos lo que nos reserva Amón, Señor de la Persea? ¡Tal vez ese pájaro nos ha traído a un mundo desconocido! También podría ser el principio de una aventura maravillosa...

–¡Qué facilidad tienes para soñar! Yo, en cambio, temo que nuestra única aventura sea terminar violentadas por esos boyeros que no se amedrentan ni ante Amón-Ra, el dios de los dioses, ni ante la perra de Osiris.

–¡Cómo me fastidias con tus boyeros!… Mira, ¿no será aquel uno de ellos?

Sobre una loma cubierta por una densa vegetación, entre los papiros de la orilla que se acercaba poco a poco, las jovencitas vieron surgir a un hombre de un matorral. Ninguna vestimenta cubría su cuerpo pesado e imponente; una cabellera larga, pegajosa e hirsuta caía sobre su nuca taurina, y su rostro basto reflejaba algo bestial que provocó un grito de espanto a la pequeña. El hombre avanzó hasta el borde del agua y les hizo señas mientras las interpelaba en una lengua ruda de la que no entendían ni una palabra.

–¡Por la bondadosa Thueris! –exclamó la pequeña, invocando a la diosa hipopótamo, protectora de los nacimientos–. ¡Qué feo es! ¡Oh, Kiya, mira lo que hace! ¡Y viene hacia nosotras!

Una risa tonta torcía los labios hocicudos del hombre, que avanzaba por el río sacudiendo su caña.

–Si nada hasta nosotras, le romperé el bichero en la cabeza –aseguró Kiya con vehemencia.

Se puso a remar con las manos más vigorosamente aún, salpicándose la cara y el cuerpo. El hombre había regresado a su colina y desaparecido en la espesura. Pero les dio la impresión de que trataba de seguirlas por la orilla, porque veían moverse en una larga estela las cabezas inclinadas de los papiros.

–¡Mira, nos está siguiendo! –exclamó la pequeña–. Kiya, tengo miedo…

–¡Deja ya de gemir! Pronto va a cansarse de seguirnos así.

–Quizá, ¿pero cómo haremos para regresar? Tendremos que volver a pasar por esos pantanos, y entonces le resultará fácil atraparnos.

Kiya prefirió ignorar esa eventualidad y se encomendó a Amón, y sobre todo a Ra, el dios Sol, que era la verdadera divinidad suprema, como no se cansaba de repetir su padre, Ay, aunque demostrara gran simpatía por Min, el dios de Coptos y de Khentmin, por la simple razón de que él había nacido en esa ciudad del Alto Egipto, donde su propio padre había sido sacerdote de aquel dios.

Kiya llevó la mano al Ojo Udjat, el ojo de Osiris, de lapislázuli, que le colgaba del collar entre los senos; se sintió más segura bajo la protección mágica de aquel amuleto que alejaba el mal de ojo y los espíritus hostiles.

–¡Eh! –dijo triunfante la pequeña–. No respondes… Te das cuenta de que nos has arrastrado a una aventura espantosa. Y todo por atrapar a esa cerceta, cuando en casa tenemos todos los patos que podemos desear. Además, empiezo a sentir hambre.

–¡Muti, a veces te detesto de verdad! Iremos hasta tierra firme, donde seguramente encontraremos algún campesino que nos dará fuego. Luego regresaremos a casa a pie y mandaremos a alguien a buscar la embarcación.

–¿Qué? ¡No podemos volver así como estamos! Ya ves, con tus ideas estúpidas, dejamos nuestros vestidos y nuestras sandalias cerca del pontón.

–¡Qué importa! Los recogeremos antes de volver a casa.

–¿Y vamos a recorrer todo este camino descalzas?

–¿Por qué no? Bastará con seguir el borde del agua para no lastimarnos los pies con las piedras del camino.

Mientras decía esto, la jovencita se levantó con ayuda de la vara, que había sumergido en el agua; sintió la resistencia del fondo limoso y empujó el bichero para acercarse a los matorrales de papiros. Aunque creía que el hombre había renunciado a seguirlas, no se atrevía aún a adentrarse en uno de los profundos canales que se internaban en las malezas. Así pues, dejó que el esquife siguiera el flujo del agua bordeando aquel muro vegetal. Una brecha ancha y profunda le pareció por fin lo bastante hospitalaria para decidirse a introducir allí la barquilla, que dirigió con firmeza hacia la abertura de un canal. Anchas hojas de nenúfares que daban la impresión de flotar sobre las aguas –que se habían vuelto de repente calmas y lisas como el cielo que reflejaban– servían de refugio a lagartos acuáticos y ranas de mirada inquieta que, al acercarse la embarcación, cesaban bruscamente de croar; después, a la señal de una de ellas, se sumergían en la onda verdosa.

Las dos jovencitas se quedaron en silencio, tanto para no asustar a los pájaros disimulados en los matorrales como por temor a atraer la atención de algún boyero en busca de una buena oportunidad. Sólo se oía el rumor del agua atravesada por el bichero y el roce del esquife contra las hojas de los nenúfares. De pronto se elevó el llamado de una cerceta. Con precaución, Kiya llevó la embarcación en dirección al grito, del otro lado de las malezas que formaban un saliente. Había empuñado otra vara arrojadiza y se mantenía al acecho, lista para lanzarla, cuando, por encima de las flores de los papiros, surgió el ave.

Sin dejarse sorprender, proyectó el arma y la vio caer al mismo tiempo que el animal.

–¡Sekhet está con nosotras! –exclamó con alegría, empujando el bichero.

El esquife pasó rápidamente más allá del matorral, detrás del cual se abría una profunda superficie de agua. Las dos jovencitas lanzaron al mismo tiempo un grito de sorpresa al descubrir otra embarcación de papiros trenzados, en la que había dos muchachos. Sus taparrabos de lino blanco, las joyas que les adornaban los brazos y el pecho, las elegantes pelucas, demostraban su elevado rango social, pero Kiya no prestó atención a nada de eso, ni a su aspecto agradable ni a sus cuerpos ágiles y musculosos; con enfado vio que uno de ellos se inclinaba para apoderarse de la cerceta derribada.

–¡Ladrón! –exclamó–. No eres más que un hipopótamo glotón. ¡Ese animal es mío! Acabo de atraparlo. Mira, mi vara flota cerca de él.

–¡Por la Dorada! –dijo riendo el muchacho–. Eres como la diosa lejana cuando es presa del furor. Mira, mi vara está más cerca de esa ave que la tuya, porque yo la toqué primero.

–¡No es verdad! ¡No es verdad! Vi muy bien cómo caía cuando le di con mi vara. Y si no me la devuelves, te arrojaré al agua con mi bichero… y me encargaré de recuperar ese pájaro. No será para tu fea boca. De veras eres un cocodrilo feo, pero no te tengo miedo.

–Horemheb –dijo con tono burlón el muchacho que estaba en la parte posterior de la embarcación, sosteniendo su propio bichero–, no corras semejante riesgo por un objetivo tan mediocre y dale tu presa a esta terrible leona del desierto.

–Tienes razón, Tutmosis. Capitulo sin condiciones ante un adversario tan temible. Toma, preciosa.

El muchacho le ofreció el ave mientras su compañero acercaba el esquife al de las jovencitas. Kiya esbozó una mueca, tratando de parecer desdeñosa, pero la pequeña se echó a reír y ella no pudo sino imitarla.

–Eres un buen muchacho –le dijo al joven–, pero eso no cambia que yo haya abatido a esa cerceta.

Él levantó las manos, riendo.

–No te la disputo, Maat es mi testigo. Hagamos las paces, si quieres.

–Más aún si no hay guerra entre nosotros –cedió la muchacha.

–Pero dime cómo puede ser que no te hayamos visto antes por aquí, cuando vengo a menudo con mi amigo Tutmosis a cazar en este pantano.

–Nuestros padres tienen su morada río arriba. La corriente nos trajo hasta aquí.

–Sus padres son bastante descuidados al dejar que dos muchachas tan jóvenes se aventuren solas por los pantanos.

–¿Y los de ustedes sí les permiten hacerlo? –contestó Kiya.

–Es que ya no somos niños. Somos egresados de la Escuela de Vida de Menfis, y mi amigo ya es un joven capitán del ejército de Su Majestad. Yo soy oficial de carros, en la fortaleza del Muro Blanco.

–Qué bien. Entonces podrán escoltarnos para remontar el río hacia el sur, a través de los pantanos.

–¡Oh, sí! –encareció la pequeña–. Más arriba encontramos un boyero de aspecto terrible, y yo tengo miedo de volver por allí con la sola protección de mi hermana.

–¿Cómo? ¿Qué puedes temer, con semejante guerrera? –bromeó Horemheb.

–Las acompañaremos –decidió Tutmosis–. Han sido imprudentes al aventurarse en estos pantanos. Aunque esos boyeros no son malos, sólo un poco salvajes.

–¡Eres bueno! –aseguró la pequeña, juntando las manos–. Que Amón, protector de los débiles, te sea favorable.

–Sígannos. Conozco bien estos pantanos –aseguró Tutmosis.

Con un hábil golpe del bichero hizo girar la embarcación y se introdujo en el dédalo de los canales. Kiya empujó su esquife para seguirlos, pero conservaba la expresión de enfado, contrariada por la burla de Horemheb.

–¿Cómo se llaman? –preguntó Tutmosis.

–Yo, Mutnedjemet –declaró la pequeña–, y mi hermana, Kiya.

–¿Kiya? No es un nombre egipcio.

—No, es un nombre extranjero que le puso su madre, porque era una dama de la alta nobleza de su país, lejos, en Asia —respondió la pequeña, levantando la cabeza con orgullo, como si se tratara de ella misma.

—¿Y de qué país era esa ilustre dama?

—De Naharina, un poderoso reino vecino al de los hititas. Era una de las doncellas de la reina Kirguipa, hija del rey Shuttarna, a la que ahora desposó Su Majestad, Vida Salud Fuerza, que reina en el gran palacio de Tebas. Pero el verdadero nombre de mi hermana es Nefertiti.

—¿Por qué dices que era su madre? ¿No es también la tuya, ya que Kiya es tu hermana?

—Somos hermanas por nuestro padre. Su madre fue ante Osiris, al Bello Occidente. Mi madre, Ti, segunda esposa de nuestro padre, Ay, fue su nodriza.

—Muti —intervino Kiya con fastidio—, deja de hablar así. ¿Por qué les cuentas estas historias de familia a unos extraños? ¿Qué podría interesarles?

—Ellos me preguntaron —replicó la pequeña con enfado, acariciando al gato.

La mirada de Nefertiti se dirigió hacia Horemheb. Este guardaba silencio, pero no dejaba de observarla con insistencia, lo cual la irritaba y la halagaba a la vez, pues sentía que el joven no le desagradaba. Él se deleitaba admirando su cuerpo en movimiento, cuya vivacidad no opacaba su gracia, y su piel dorada, empapada con gotitas de agua que brillaban en los hombros, rodaban sobre los senos y se irisaban en el vello enrulado del redondeado pubis. Pecho alto, cintura fina, caderas estrechas, vientre suavemente ondulado, muñecas y tobillos delicados, manos alargadas, ella reunía el ideal de las formas femeninas para un egipcio. Pero, más que todo, le encantaba el cuello particularmente largo, que le confería una elegante fragilidad; el rostro, de rasgos en extremo delicados, cuyos prominentes pómulos le conferían un atractivo singular; la nariz fina, de fosas palpitantes; los labios de diseño perfecto, naturalmente rojos; pero, en particular, los ojos, en los que una línea negra de *kohol* subrayaba la prolongación hacia las sienes y volvía más luminoso el iris oscuro, en el que se reflejaba el cielo.

También ella lo encontró atractivo, como un gran lebrel, se dijo; lo prefería decididamente a su compañero, cuyo rostro expresaba una desidia malsana que la incomodaba. Entre ambos se generó un denso silencio que Horemheb fue el primero en romper.

–Una divinidad favorable, quizás Hathor la Dorada, las trajo hasta aquí para que nuestros destinos se cruzaran.

–Vas demasiado lejos –replicó Nefertiti–. Nuestros caminos pueden cruzarse sin que ocurra lo mismo con nuestros destinos.

–Mi padre posee una finca cerca de aquí, y yo también soy de Menfis. Somos vecinos y, sin embargo, nunca nos encontramos antes.

–Eso es lo que acaba de suceder. Escucha, hace casi quince años que nací en este lugar; con mucha frecuencia he venido con mi padre a cazar y a ver cosas hermosas en estos pantanos, con él fui en carro a capturar bestias salvajes en el desierto de Keraha, donde también ayudé en la cosecha de miel, y además lo acompañé a la gran ciudad de Menfis, al templo de Ptah, pero nunca te vi. De igual modo pueden pasar otros quince años sin que vuelva a verte.

–De nosotros depende no permitir que pasemos tanto tiempo lejos el uno del otro. He oído hablar de tu padre, Ay, porque es escriba y sacerdote de Ptah, como lo era mi propio padre. A mí se me puede encontrar en la hacienda o, si no, en la fortaleza del Muro Blanco, donde también tengo una casa.

–¿Por qué insistes tanto en volver a verme?

–Porque te llamas Nefertiti, "la Bella ha llegado". Es un nombre que te sienta a la perfección y creo que estás predestinada...

Hizo silencio porque acababan de penetrar en una especie de gran lago rodeado de papiros, al fondo del cual se dibujaba la ribera barrosa y en cuyo centro avanzaban dos embarcaciones ligeras tripuladas por hombres que arrojaban al agua una larga red, al tiempo que navegaban hacia la orilla en direcciones opuestas. Mientras ejecutaban esta maniobra, se alentaban y se interpelaban en la misma lengua bárbara empleada por el hombre del que antes habían huido las dos hermanas, una lengua que no parecía tener semejanza alguna con el egipcio refinado que hablaban las hijas del escriba Ay.

Al ver acercarse las dos barquillas, los pescadores comenzaron a hacerles señas y gritarles palabras incomprensibles. Horemheb les respondió en el mismo idioma, lo cual asombró a Nefertiti. Al principio le pareció que discutían, por el tono alto e impetuoso; después, unos se tocaron el bajo vientre, ya que los que no estaban completamente desnudos solo llevaban en la cintura una tela que no les disimulaba el sexo; sus compañeros echaron a reír, y Horemheb compartió su hilaridad.

–¿Cómo es que comprendes el idioma de estos hombres? No son más que roncos gruñidos de bestias salvajes.

–Es el único dialecto que conocen, pues no nacieron en hogares nobles. Estos pescadores, como los boyeros que viven en estos pantanos, casi no ven más seres humanos que los intendentes de las haciendas a las que pertenecen, que vienen a buscar el tributo de peces y bueyes. De modo que han creado un idioma propio, que contiene muchos términos egipcios, pero los deformaron tanto y los pronuncian de una manera tan tosca que un oído poco atento no sabe distinguirlos. Por mi parte, cuando era más joven solía venir a pescar con ellos y a observar la forma en que viven; así fue como aprendí a hablar su lengua. A pesar de su aspecto de brutos, son buenos compañeros; debes perdonarles sus gestos obscenos, porque viven sin mujeres. Cuando ven una, y sobre todo si son tan bonitas como tú y tu hermana, debes comprender que se vuelvan locos de deseo. Pero, con nosotros, ustedes no tienen nada que temer.

–Entonces, dime, ¿qué te decían y por qué se reían?

–Nos preguntaban si eran nuestras mujeres o nuestras hijas. Como mi respuesta fue negativa, nos pidieron cambiarlas por medio buey y algunos peces, lo suficiente para igualar el peso de ambas. Les dije que no eran sabrosas y que sería mejor para ellos comer buey y pescado a la parrilla. Entonces algunos mostraron aquello con lo cual querían comérselas o, mejor dicho, aquello que querían hacerles comer, y eso les causó gracia.

–¿Y tú qué les respondiste?

–Que ustedes no tenían hambre.

–Pero yo sí empiezo a tener hambre –dijo Mutnedjemet con un suspiro–. Con gusto devoraría una de esas cercetas yo sola, sobre todo si está bien asada.

–¡Que no se haga esperar! –respondió Horemheb–. Vamos a abordar aquí mismo y preparar una buena comida. Esta gente tiene en sus chozas lo necesario para hacer fuego.

Capítulo II

El sol estaba bajo en el horizonte occidental cuando las dos hermanas regresaron a casa de su padre. Mutnedjemet iba con la cabeza gacha detrás de su hermana, que caminaba con paso rápido y aire agresivo. Estas actitudes opuestas que habían adoptado, cada una según su temperamento, se debían a que, al regresar al pontón en el que habían dejado sus vestidos para no ensuciarlos en el pantano, no los encontraron. Nefertiti echó pestes, insultando a las hienas malolientes que los habían robado, mientras que su hermana se puso a llorar, por miedo a que la madre la reprendiera.

–¿Cómo vamos a justificarnos? –preguntó Mutnedjemet.

–Diremos la verdad: que fuimos a cazar en los pantanos, que conocimos a dos muchachos apuestos con los que compartimos nuestras cercetas y sus peces… es decir, los peces que les dieron esos pescadores… que hicimos con ellos una linda fiesta en el campo y que unos monos pelados nos robaron nuestra ropa.

Ti era una mujer de origen inferior, que Ay había tomado en su casa para amamantar a Nefertiti. Como acababa de dar a luz a un varón, llamado Nakhtmin, Ti alimentó a los dos niños, que crecieron juntos como hermanos, ya que la madre de Nefertiti había muerto poco después del parto. Ay la había conocido en el palacio que el faraón Nebmare Amenofis, tercer rey en llevar este último nombre en la dinastía, se había hecho construir en la margen izquierda del Nilo, en Tebas, la gran ciudad del Sur, palacio que llevaba el nombre de "castillo que se regocija en el horizonte". En aquel entonces, Ay ejercía allí la función de escriba real, bajo la protección de la reina Tiyi. Esta última no era de sangre real. Su padre, Yuya, era un simple sacerdote del templo del dios Min en Khentmin,* y su madre, Tuya,

* La actual Akhmin, en el Alto Egipto.

era una mujer de origen nubio. Amenofis quedó tan prendado de Tiyi, a la que había visto un día en que se hallaba de visita en el templo de Min, que, no contento con desposarla, la convirtió en su Gran Esposa Real, de manera que esa hija de un sacerdote, mitad egipcia, llegó a ser la primera dama del imperio, en desmedro de princesas como la hija del rey de Mitanni, Gilukhipa, a quien los egipcios llamaban Kirguipa. Hombre débil, el rey Amenofis se dejó dominar deliciosamente por su esposa, cuya poderosa personalidad le fascinaba –más todavía que su aspecto físico–, de manera que Tiyi era la que regenteaba el imperio. Tiyi trasladó los favores reales a su familia: su padre, Yuya, se convirtió en primer profeta de Min y superintendente de sus ganados, y poco después era encargado de los caballos y teniente de los carros del faraón, es decir que era el jefe de los ejércitos imperiales; Tuya, la madre, recibió los envidiados cargos de superiora de los harenes de Min y de Amón, lo cual la convertía en directora de todas las mujeres consagradas a los templos de estas dos divinidades; el hermano de la Gran Esposa, Anen, fue nombrado gran sacerdote de Ra-Atum en Heliópolis. Su primo, Ay, aprovechó el maná real y fue nombrado escriba del palacio y flabelífero* a la derecha del rey, pero su pasión por la madre de Nefertiti le costó el favor real. Tiyi, que quería regentear tanto los asuntos del imperio como los de su familia, pensaba casarlo con una princesa de la realeza, una de las dieciséis hijas que el faraón había tenido de sus concubinas; pero Ay se rebeló contra su prima, que pretendía decidir hasta su matrimonio, y raptó a la doncella de Gilukhipa, a la que llevó a la pequeña finca que poseía entre Menfis y Heliópolis, en la punta del delta. Tiyi no quiso oponerse a esa unión porque sabía que su pariente se negaría a plegarse a su voluntad, pero le hizo saber que no sería bienvenido en el palacio real mientras persistiera en su decisión de conservar a su esposa extranjera. Ay era tan obstinado como su prima, de manera que, después de la muerte de su mujer, no volvió a procurarla, resuelto a no dar el primer paso que habría permitido su restitución. Su naturaleza lo llevó incluso a desafiar una vez más a su real pariente al casarse con Ti –que había perdido a su marido menos de un año después de la muerte de la madre de

* Portador de abanico.

Nefertiti–, a fin de dar a la niña una segunda madre, su nodriza. Un año después nacía de esta unión Mutnedjemet.

Si, a pesar del contratiempo sufrido, Nefertiti caminaba con la cabeza alta, sin manifestar el menor temor por el abandono y el robo de sus ropas, se debía a que era la reina de la casa de su padre, pues este tenía debilidad por su hija mayor; al cariño paternal que sentía por ella se mezclaba un amor más confuso, ya que encontraba en la joven la belleza y el carácter de la madre, por lo que le gustaba llevarla consigo tanto cuando iba a cazar en el desierto como cuando en su carro visitaba a los campesinos de sus tierras, para inspeccionar las cosechas o el estado de los rebaños. Así se forjó entre ambos una relación de sutil complicidad que reforzaba la admiración de Ay por la audacia serena, la inteligencia clara y el espíritu de decisión de su hija.

En cuanto a Ti, no sólo compartía la admiración de su esposo por su hija de leche, sino que manifestaba un afecto pleno de respeto por la hija de una mujer de la alta nobleza de Mitanni. Ti, una campesina menuda y robusta, de cabello negro, había quedado fascinada por la presencia de la madre de Nefertiti, por el porte noble y gracioso –que había heredado la hija– y, sobre todo, por la cabellera dorada de Nubia, a la que Nefertiti debía el color claro de su propio cabello, que se negaba a disimular bajo una peluca, como lo hacían las mujeres egipcias. Así pues, aunque la había alimentado con su leche, la había cargado en su regazo y la había criado, Ti se sentía como un ser ínfimo frente a su hija de leche, que le parecía una criatura animada por un espíritu casi divino, a quien los dioses habían reservado el destino más brillante.

No bien percibió que Ti, bajo el pórtico de la casa, se dirigía hacia ella con los brazos levantados al cielo, invocando a todos los dioses al ver que las dos muchachas regresaban tan tarde y sin sus ropas, Nefertiti tomó la iniciativa del ataque:

–¡Mira! –exclamó–. ¿Ya no hay príncipe en estas tierras? ¿Los ladrones andan por el campo impunemente? ¡Mira, nodriza! Unos bandidos, unos cocodrilos glotones, nos han quitado las ropas que habíamos dejado en la orilla para ir a pasear por los pantanos y ver cosas bellas. Quiero que mi padre vaya a Menfis a ver al príncipe de esta provincia, para que capturen a esos ladrones y los castiguen como corresponde.

–¡Mis pobres niñas! –se condolió Ti–. ¿No las han maltratado?

–¿Qué palabras salen de tu boca? ¡Ni siquiera los vimos! ¡De lo contrario habrían probado mi vara de tiro!

–¿Pero por qué vuelven tan tarde? ¡Pobres pajaritos!

–Volvemos demasiado temprano para mi gusto. Hicimos un lindo banquete en el campo con dos apuestos jóvenes, unos oficiales de carros que están en Menfis.

–¡Que Hathor, protectora de las vírgenes, nos socorra! Se van con los primeros muchachos que encuentran…

–Calla, nodriza; voy con quien me da la gana. No son "los primeros que encontramos", sino unos nobles jóvenes, oficiales de los carros de Su Majestad. Muchas veces hemos visto muchachos en nuestras tierras o en Menfis, pero con ninguno hicimos un banquete. Con ellos fue diferente.

En realidad, Nefertiti sabía por qué Ti se escandalizaba al enterarse de que habían pasado la tarde con dos desconocidos. La nodriza había visto con ojos favorables cómo se establecía una suerte de relación amorosa entre la jovencita y su hermano de leche. Se habían criados juntos con esa gran libertad que permitían las costumbres de aquella época, de manera que nunca habían tenido que disimular el deseo mutuo que consumía sus corazones. Además, Ti alentaba los avances de su hijo pues no le habría disgustado que un casamiento entre Nakhtmin y su hija de leche los conservara a su lado. Por otra parte, tal unión elevaría oficialmente al rango de la nobleza a su propio hijo –cuyo padre era un hombre de oscura procedencia– y lo convertía en heredero de los bienes de Ay. En consecuencia, aquel encuentro de Nefertiti con unos extraños alarmaba a Ti, que temía que la frecuentación de jóvenes nobles confundiera a la muchacha y la alejara de Nakhtmin.

Sin escuchar a Ti, Nefertiti había entrado en el vestíbulo que se abría, mediante tres grandes puertas, a la gran sala central, cuyo cielo raso se elevaba a gran altura sobre cuatro columnas oblongas de madera pintada, con capiteles en forma de palmas y apoyadas sobre basamentos circulares de piedra. Desde allí llegó a sus aposentos privados atravesando una sucesión de habitaciones y galerías. Ella ocupaba el cuarto que había sido de su madre, una estancia de bellas proporciones provista de una alcoba donde se había construido un estrado de ladrillos en el que se amontonaban almohadones de plumas, sábanas de lino fino y mantas de lana de vivos colores. En las paredes se desarrollaban vívidos frescos de motivos agrestes, pintados por un artista cretense, ya que desde hacía algunos años los egipcios se habían prendado del arte de ese pueblo, llamado por ellos *keftiu*, que se complacía en representar escenas tomadas de la naturaleza. Así pues, se veían terneros saltando en una tupida vegetación; monos recogiendo higos en higueras de ramas retorcidas; una jovencita desnuda que dirigía un esquife de papiro entre la maleza, de la que salían volando aves de colorido plumaje; y por fin, en la pared oriental, el disco luminoso del Sol elevándose sobre un mar en el que nadaban peces de vivos colores, bajo la quilla de una larga barca de mástil, impulsada por varios remeros. Aquel paisaje marino siempre había hecho soñar a Nefertiti, que no conocía el mar. Sabía que se trataba de una visión propia del cretense que había pintado esos muros, porque vivía en una isla lejana donde el mar se hallaba presente por doquier. Le gustaba especialmente perderse en la contemplación del panel situado frente a su cama; no sólo simbolizaba para ella un mundo misterioso que ejercía una fascinación singular sobre su espíritu, sino que poseía un carácter divino, por la representación del Sol. Para los egipcios, este astro era una manifestación sensible de Ra, divinidad por excelencia de Heliópolis, pero para Ay había adquirido un brillo nuevo gracias a la influencia de su esposa asiática, para cuyo pueblo representaba una de las divinidades supremas.

Nefertiti se quitó el cinturón y las joyas; luego pasó a una salita contigua, en la que había una especie de ducha que consistía en unas jarras colocadas en el techo, que los servidores procuraban mantener siempre llenas con agua recogida en el estanque del jardín y que el sol calentaba durante el día. Lavó con cuidado su cuerpo sucio de barro y sudor. Después volvió a su habitación y se sentó en un cojín junto a una mesa de ébano en la que se alineaban, dentro de unos cofrecitos con marquetería de marfil, maquillaje, perfumes y joyas. Mientras sostenía en una mano un espejo redondo de bronce pulido, de mango cincelado como un tallo de loto, se maquilló ligeramente los labios, alargó las líneas de sus ojos con un trazo de *kohol* y comenzó a peinarse. En general, Ti acudía a ayudarla con su arreglo, ya que, aunque llevaba una vida relativamente acomodada, no contaba con una sirvienta personal. Desde que su padre, Ay, había dejado la corte, sólo disponía de los ingresos que le proporcionaban sus tierras y, sin bien estos eran suficientes para pagar el servicio doméstico indispensable para el mantenimiento de la casa, no alcanzaban para agregar una criada para las hijas. Los bellos objetos que Nefertiti poseía, sus joyas y adornos, habían pertenecido a su madre; al igual que los escasos muebles lujosos de la casa, representaban los restos de una época, cada vez más lejana, en que su posición en la corte permitía a Ay vivir en la opulencia.

La imagen de Horemheb y las escenas de aquella jornada no dejaban de asaltar a Nefertiti mientras se dedicaba a su arreglo personal. Él se había presentado ante sus ojos en un día de lo más propicio: no sólo le pareció muy agradable, sino que también supo conquistarla con su personalidad, con los poemas de amor que le recitó y con la ambición que demostraba al declarar que, con su compañero Tutmosis, estaba decidido a convertirse en gran oficial de Su Majestad, con el fin de afirmar su cuestionada autoridad en el imperio. Ambos jóvenes aspiraban, incluso, a extender más aún las fronteras del reino, para así recibir los tributos de toda la tierra, hasta el sur de Nubia, el país de Kush, y al norte, hasta las islas situadas en medio del mar. También abatirían el orgullo del rey de los hititas, que se atrevía a levantarse contra la autoridad del faraón en el país de Kharu, al norte de Siria.

Mientras Nefertiti se adornaba con brazaletes los brazos y las muñecas, un golpeteo en el marco de la puerta atrajo su atención. Inmediatamente entró Nakhtmin.

–Llegas justo para ayudarme a anudar mi collar –le dijo ella enseguida.

Aunque su origen campesino se revelaba en la robustez de sus miembros, el joven poseía un rostro bello y alegre, de mentón voluntarioso; la pesada peluca, con un flequillo parejo que le ocultaba casi toda la frente, le daba un aire más retraído, que le confería un encanto infantil, acentuado por una expresión de enfado. La muchacha se levantó y se recogió la cabellera para despejar la nuca. Él se ubicó detrás de ella.

–Parece que hiciste una linda fiesta esta tarde –comentó con indiferencia mientras anudaba los cordoncillos que sujetaban el ancho collar, que formaba, desde la garganta hasta los hombros, una especie de cuello redondeado en el que centelleaban el verde de la malaquita, el azul del lapislázuli, el rojo de la pasta de vidrio y los hilos de oro del soporte.

–Sí, nos divertimos mucho, a fin de cuentas. Muti tuvo mucho miedo. ¿Ella te contó?

–Me dijo que eran dos muchachos apuestos, sobre todo uno... más agradable que yo.

–Diferente...

Se puso rígida al sentir los labios de Nakhtmin sobre su nuca. Se soltó la cabellera. Él la abrazó, apretándose contra su espalda, y le tomó los senos con ambas manos.

–Kiya –susurró–. Mientras Muti me contaba lo que pasó, sentí en mi corazón algo nuevo... No conozco a ese muchacho, pero ya lo detesto.

–¿Por qué, si no lo conoces?

Una de las manos bronceadas del joven se deslizó sobre su torso hasta el vientre; ese cálido contacto provocó en ella una profunda emoción, que le causaba una sensación muy agradable.

–¿No es eso que llaman celos? –le susurró él al oído, y le apretó el lóbulo entre los labios.

Ella se quedó pensativa un breve instante, dejándose invadir por sus caricias; después, con tono grave, respondió:

–Nakhtmin, saca de tu corazón los celos si no quieres sufrir.

–Dime cómo puedo controlar mis sentimientos, Kiya. ¡Tenemos tantas cosas en común, empezando por el seno que nos amamantó no bien salimos a la luz del sol!

–Nakhtmin, deja de acariciarme así. Siento cómo el vigor de Min se apodera de ti y me muerde los riñones.

–Kiya, ¿no somos acaso como esposos? Cada vez que te tomo entre mis brazos siento que el amor de la Dorada me acerca a ti, y que Min, Toro de su madre, me concede su potencia para darte todo el placer que deseas. Soy tuyo, al igual que tú me perteneces.

Ella le aferró la mano, que se había deslizado hasta la bifurcación de sus muslos, y la apartó, al tiempo que se soltaba de él.

–Nakhtmin –le dijo mientras se dirigía hacia un gran cofre, frente al cual se arrodilló–, no sé si eres mío, pero yo no te pertenezco... No pertenezco a nadie, ¿me comprendes? Lo que te he concedido no te da ningún derecho sobre mí.

Después de elegir un vestido tan liviano que parecía tejido con aire, se levantó. Nakhtmin continuaba de pie ante de ella, con el rostro tenso. Sin decir palabra, la tomó por la cintura, la apretó con fuerza contra él y la arrastró a la cama.

–¡Suéltame! –protestó Nefertiti–. Vas a estropear mis adornos.

Sin escucharla, el joven la acostó entre los almohadones.

–Déjame –repitió ella–. Me resultas tan odioso como Seth.

Él apretó los labios contra su boca, acallando sus protestas, paralizándola bajo su propio cuerpo. Nefertiti se defendió sin mucha convicción; muy pronto, él sintió cómo se debilitaba su determinación.

–¡Me estás ahogando! –gimió ella.

No intentó escapar cuando él aflojó la presión. Volvió la cabeza y se quedó inmóvil. Dio un respingo y dejó escapar un suspiro cuando lo sintió dentro de sí; entonces le rodeó el torso con los brazos.

–¡Te detesto! –exclamó un momento después, enderezándose, mientras él se anudaba el taparrabo.

Nakhtmin la contemplaba sonriendo. Ella, con pequeños gestos secos e impacientes, empezó a acomodarse el peinado.

–Realmente, Kiya, eres tan hermosa como Hathor, la Dorada, cuando baja de su lecho después de que Amón-Ra la ha visitado.

Ella se encogió de hombros y pasó a la sala de la ducha.

–No eres más que un babuino feo –gritó desde el otro cuarto–. ¿Crees que te haces amar más con esos modales?

–No hay mejor manera de hacerse amar por las muchachas –aseguró él, asomando la cabeza del otro lado de la cortina de separación–, sobre todo cuando son como tú, ardientes como el sol del mediodía.

La joven le arrojó a la cara el agua de una tinaja; él la rehuyó riendo. Cuando volvió a la habitación, Nakhtmin se había ido.

Se puso un vestido que dejaba transparentar las formas de su cuerpo y el tinte nacarado de su piel. Había adoptado muy pronto esa moda reciente de drapeados traslúcidos que resaltaban las curvas y los accidentes del cuerpo femenino, porque halagaba su sensualidad y su coquetería; sabía que las proporciones de su torso y sus miembros eran hermosas y perfectas, por lo cual consideraba que tales atributos no debían ocultarse a las miradas.

Cuando entró en la gran sala iluminada por numerosas lámparas, cada miembro de la familia estaba sentado delante de su propia mesa cargada de alimentos. El padre ocupaba una silla alta, los pies apoyados en un taburete blando, al lado de Ti, que también tenía derecho a un taburete para los pies.

Bajo la silla de Ti estaba sentado uno de los gatos atigrados de la casa, a la espera de que le arrojaran los restos del festín, mientras que en el respaldo del asiento del amo se había instalado su monito favorito, adquirido a un mercader de Nubia.

Nakhtmin y Mutnedjemet se hallaban frente a ellos, en sillas más bajas. Nefertiti, después de besar a su padre, se sentó entre su hermana y su hermano de leche. Durante toda la comida Ay habló de su jornada, consagrada a una visita al templo de Heliópolis desde el amanecer; luego manifestó su satisfacción porque la crecida había llegado a su nivel más alto y permitía augurar un año favorable para las cosechas.

—Ya era tiempo de que Hapy nos fuera favorable —declaró, evocando al dios del Nilo—. ¡El desborde excesivo del año pasado, tras la escasa crecida que lo precedió, nos causó muchos problemas! Si este año también hubiera sido malo, habría tenido que ir a pedir limosna a mi prima real. ¡Ah, se habría sentido triunfadora! ¡La conozco bien!

Nefertiti apenas le prestaba atención; se preguntaba si Ti habría hablado con su padre del encuentro de aquella tarde. De lo contrario, o si el padre no le hacía ninguna pregunta al respecto, sopesaba las ventajas y desventajas de ser franca con él o si, en cambio, le convenía esperar hasta sentirse más segura de sus futuras relaciones con Horemheb.

Después de comer, en los hermosos días de verano, Ay acostumbraba disfrutar de la tranquilidad del atardecer en el jardín, o bajo el pórtico iluminado por lámparas, en compañía de Ti, sus hijos y la gente de la casa: el administrador de la finca, el jefe de los empleados domésticos y sus familias, y los servidores a los que apreciaba y quería honrar. Pero aquella noche, cuando todos se levantaron para ir afuera, le pidió a Nefertiti que lo acompañara a su habitación. Ella lo siguió de buena gana, pensando que, sin lugar a dudas, Ti le había hablado.

Ay se instaló en un asiento.

—¿Quieres servirme vino? —le preguntó, al tiempo que tomaba una copa de alabastro de una mesa situada junto a él.

Nefertiti tomó un frasco de fina alfarería y el colador, que sostuvo sobre la copa para filtrar un hilo de vino espumoso. Ay bebió unos sorbos y luego, palmeándose un muslo, le dijo:

–Ven a sentarte.

Cuando era niña, él solía sentarla sobre sus rodillas para acariciarla y jugar. Más adelante, a medida que la pequeña se convertía en adolescente, comenzó a hacerlo cada vez menos, y hacía más de un año que no había vuelto a repetirlo. Ay la abrazó con ternura y exhaló un profundo suspiro mientras las contemplaba.

–¡Qué hermosa eres! ¡Mucho más que tu madre! Realmente, las Siete Hathores se inclinaron favorablemente sobre tu cuna cuando naciste.

Ella sonrió y pasó un brazo alrededor del cuello de su padre.

–Mi pequeña Kiya –prosiguió Ay–, ahora eres toda una mujer; has llegado a la edad en que las jovencitas buscan esposo.

Nefertiti esbozó un mohín.

–Para elegir, primero hay que conocer gente joven. Y aquí, además de los campesinos de la finca y Nakhtmin...

–Nakhtmin es agradable y sé que te quiere mucho.

–Yo también lo quiero mucho.

–Pero aun así no querrías casarte con él.

–Tengo otras ambiciones.

–¿Quizás el joven al que acabas de conocer?

–Quizá.

–¿Cómo se llama?

–Horemheb. Sus padres poseen una finca cerca de la nuestra, río arriba.

–Conozco a esos vecinos. Son de noble estirpe, pero tienen pocos bienes.

–¡Basta con que tengan el favor de Su Majestad!

–Nada me asegura que ese joven lo obtendrá. Escucha, estoy dispuesto a hacer por ti lo que hasta ahora me he negado a hacer por mí. Voy a escribir a mi prima Tiyi, la Gran Esposa Real, y a la reina Kirguipa, que sentía mucho afecto por tu madre. Les pediré que te reciban en la corte; no pueden negármelo. Lo haré con placer porque, si bien me resultaría humillante hacer un pedido para mí, no es lo mismo al tratarse de ti.

–¿Qué haría yo en el palacio?

–Conocerás a ricos y poderosos señores, grandes escribas reales.

Son muchos los que tienen hijos que los sucederán en sus funciones; así podrás elegir al que más convenga a tu corazón.

–A Horemheb no le falta ambición; estoy convencida de que llegará a ser poderoso.

–¿Es posible que ya lo ames, para hablar con tanta seguridad?

–Todavía no lo sé, pero lo deseo y me resulta encantador; su compañía es muy agradable. Padre, permíteme conocerlo mejor. 🔲

–Hija –la interrumpió Ay–, siempre te he dejado hacer lo que deseabas. Ahora temo haber sido demasiado permisivo contigo; veo que has tomado demasiada independencia y que estás dispuesta a abandonarte a tus sentimientos sin preocuparte por el futuro. Yo mismo, arrastrado por una loca pasión, interrumpí una carrera destinada a conducirme a los puestos más elevados, y por mi orgullo me negué a reconocer mi falta ante la Gran Esposa Real. Sólo tu presencia me impide arrepentirme de haber actuado con tanta ligereza, pero no quiero que también tú arruines tu futuro a causa de una aventura tan fútil. ¿Cómo puedes creer que sientes algo por un joven al que has visto tan poco? No, es mi deber impedirte cometer una locura. Así lo he decidido: mañana mismo escribiré a la reina Tiyi para pedirle que te reciba en el gran palacio, entre sus doncellas. Ella sabrá encontrarte un esposo que te convenga, con el que vivirás feliz.

Nefertiti se levantó de las rodillas de su padre.

–No quiero ir a la gran ciudad del Sur...

–Kiya, esta vez me obedecerás.

Le dijo estas palabras con un tono severo como nunca antes, el tono que adoptaba para dirigirse a los servidores indisciplinados antes de ordenar que se los azotara. Nefertiti quedó un instante muda de estupor; luego, sin agregar una palabra, dio media vuelta y se marchó corriendo. En su habitación, adonde fue a refugiarse, se le acercó su joven perra. Era una pequeña lebrel, encantadora y sensible, de pelo claro con tintes leonados en el lomo. Los egipcios llamaban *kebket* a esa clase de lebreles de cuerpo alargado: Nefertiti, que la tenía desde que era pequeñita, le había puesto el nombre de Nebet, "Dama", por la gracia altanera de su porte.

La joven se echó en la cama y dejó que el animal se acurrucara entre sus brazos. Por un instante se abandonó a su pena y derramó abundantes lágrimas; después, jadeando, se reprochó su propia debilidad.

–Nebet, mi gacelita –murmuró entonces, dirigiéndose a la perra, que le lamía las lágrimas del rostro–, no creas que voy a lamentarme por mucho tiempo. Soy muy tonta al tomarme las cosas de este modo. Papá se olvidará, pero si persiste en querer enviarme con la Gran Esposa Real verá que ya no soy una niña que hace todo lo que se le impone.

Capítulo III

Cuando Nefertiti dejó su cuarto a la mañana siguiente, después de pasar una noche agitada, Ay acababa de partir hacia Menfis. En la gran sala se encontró con Ti, que había preparado un desayuno de leche y dátiles.

–Dormiste hasta tarde –le dijo su nodriza–. Sin duda la escapada de ayer te fatigó.

–¿Por qué le informaste a mi padre que había conocido a un muchacho? –atacó la joven de inmediato, con tono furioso.

–Para impedir que hagas una tontería –respondió la nodriza tras cierta vacilación.

–¿Y es asunto tuyo?

–¿No soy un poco como tu madre? Todavía eres muy joven para saber lo que te conviene.

–Lo sé mejor que tú.

–Siéntate y come. Hay leche recién ordeñada.

–No tengo hambre.

Con esta respuesta, lanzada en un tono arrogante, pasó a la sala contigua, donde su padre guardaba en un cofre sus materiales de escriba. Allí se instalaba Ay a escribir, pero aquel era también el recinto donde reunía a sus tres hijos para transmitirles su saber, pues había querido encargarse personalmente de ese aspecto de su educación. No porque deseara que las dos jovencitas se convirtieran en escribas, aunque desde hacía un tiempo se veían cada vez más muchachas que ingresaban en las Casas de la Vida para formarse en esa profesión, sino porque quería que Nefertiti, en especial, fuera, por su saber, digna de casarse con un alto funcionario. En cuanto a Nakhtmin, esperaba que llegara a ser el administrador de su hacienda.

Nefertiti eligió una paleta delicadamente tallada con cañas, unos recortes de rollos de papiro y, así provista de lo necesario, salió de la casa.

–¿Adónde vas ahora, mi pajarito? –le preguntó Ti.

–Adonde me dé la gana.

–Después del peligro que tú y tu hermana corrieron ayer, vuestro padre me ha dicho lo siguiente: "Mi buena Ti, cuida que las muchachas no vayan más en barca mientras baje el río. Está lleno de corrientes peligrosas y de cocodrilos. No quiero que les ocurra una desgracia por nuestra culpa". Y tampoco es mi deseo, así que júrame por Thueris, la buena diosa, que no tienes intenciones de ir a cazar en los pantanos.

–Eres tonta como una oca –contestó Nefertiti, enfadada–. ¿No ves que no voy a ir de caza con mi paleta de escriba?

Y con estas severas palabras se alejó, furiosa por una prohibición que la contrariaba enormemente. Se dirigió a la orilla del río. Allí, en una pequeña elevación, había un bosquecillo de perseas y sicomoros, cuyas ramas frondosas formaban una fresca enramada que era para ella, desde hacía ya un buen tiempo, un agradable retiro. Se sentó a la manera de los escribas –con las rodillas separadas, los tobillos cruzados bajo el cuerpo, la espalda apoyada en la corteza de un árbol– y se quedó un largo momento pensativa. Debido a la decisión inesperada de su padre, más precioso le parecía el encuentro con Horemheb, y cuanto más pensaba en él, más se persuadía de que la llama del amor crecía en su corazón. Su mirada se perdía en la inmensa superficie arremolinada del río, tan extensa a causa de la inundación, que apenas distinguía la orilla opuesta, temblorosa bajo la luz del sol. A su derecha se abría el bosque de papiros y juncos, rebosante de vida. Por ese lado esperaba ella en secreto que surgiera una embarcación conducida por Horemheb, que acudía a visitarla. Varias barcas pasaron a lo lejos, y cada vez su corazón comenzaba a palpitar; después bajaba la cabeza, decepcionada al verlos alejarse. Entonces volvía los ojos hacia la izquierda, en dirección a Menfis; sin duda él estaba allá, en la fortaleza del Muro Blanco. ¿Acaso no le había dicho el día anterior, al despedirse, que con su amigo Tutmosis debía regresar a la gran ciudad al día siguiente?

Mojó la punta de una caña en un pequeño vaso lleno de agua, la raspó contra una pastilla negra, insertada en una salserilla dispuesta en el marfil de la paleta larga y rectangular, y escribió con mano segura:

Mira, mi corazón se alejó en silencio.
Se fue a un lugar familiar,
Hacia el sur, hacia la gran Menfis.
¿Por qué no lo puedo acompañar?
Estoy sentada esperando que regrese mi corazón.
Me dirá cómo es Menfis,
pues no tengo noticias del que amo
y mi corazón vive inquieto.
Ptah, dios de verdad, llévame a Menfis.
Permite que allí lo vea.
Mi corazón sueña el día entero,
Porque mi corazón ya no está en mi cuerpo.

–¡Kiya! ¡Kiya!

La voz de Mutnedjemet la sobresaltó y dejó su cálamo en suspenso.

–¡Ah! ¡Estás ahí! Te buscaba por todas partes.

Su hermana se detuvo frente a ella, con la mano sobre el pecho jadeante.

–¿Qué haces? –le preguntó, tras sentarse a su lado.

–Practico escritura. ¿Por qué me persigues? ¿No puedes dejarme sola un momento?

La pequeña la miró un instante y luego le dijo:

–No te enojes conmigo, Kiya. Mamá me mandó a buscarte. Tiene miedo de que te encuentres con Horemheb en secreto.

–¡Oh! ¡Qué...!

Nefertiti contuvo sus palabras entre los labios.

–Sabes bien que no diré nada –se apresuró a agregar Mutnedjemet–, pero Nakhtmin... Está celoso, ya lo sabes. También te está buscando.

–Sabes tan bien como yo que Horemheb ha ido a Menfis –contestó Nefertiti, recuperada la calma.

–Es lo que le dije a mamá, pero parece que no me creyó.

–¡Peor para ella! ¡Hacerme espiar!... ¡A veces la detesto!

La cólera había vuelto a invadirla. Se levantó bruscamente, recogió su escribanía y las hojas de papiro, y se alejó corriendo hacia la casa.

Durante los tres días siguientes regresó al borde del río con la esperanza de ver aparecer a Horemheb, pero su espera fue en vano. Su hermana iba cada vez a buscarla, enviada por Ti, pero Nefertiti se había asegurado la discreción de Mutnedjemet jurándole que, si Horemheb acudía y la pequeña avisaba a la madre, jamás volvería a dirigirle la palabra.

La noche del tercer día, Ay mostró gran alegría durante la comida, alegría cuya causa Nefertiti conoció, con gran consternación, cuando por fin el padre se decidió a confiársela:

–Alégrate, mi querida niña. Me encontré con Anen, el Gran Vidente de Ra en Heliópolis. Anen debe esta alta función a su hermana Tiyi. Ahora bien, sin duda un dios bienhechor, Amón, Señor de la Persea, ha hecho que nuestros caminos se cruzaran. Le hablé de ti y de lo que me preocupa. Nuestro primo se ha mostrado muy bien dispuesto hacia nosotros. En tres días debe partir hacia Tebas para que Su Majestad lo nombre segundo profeta de Amón, y ha aceptado llevarte con él y presentarte a la Gran Esposa Real y a Su Majestad. Sería imposible encontrar una persona más adecuada para introducirte en la corte, por lo que tengo la certeza de que serás bien recibida por la reina, que te hará conocer jóvenes del entorno real entre los que podrás elegir.

–¡No querré a ninguno! –exclamó la jovencita–. Me niego a seguir a Anen a Tebas.

Ay le lanzó una mirada severa.

–¡Me hablas con demasiada desenvoltura! Me obedecerás, porque sé que luego me estarás agradecida por no haberte permitido un capricho capaz de arruinarte la vida. No quiero que la hija de Ay se convierta en la esposa olvidada de un oscuro soldado. Tengo ambiciones para ti y deseo que brilles con todo tu esplendor en la corte de Su Majestad. Serás la esposa de un alto dignatario flabelífero a la derecha del rey, o incluso de un visir, ¿por qué no? Eres hermosa, inteligente, escribes tan bien como un escriba egresado de la Casa de la Vida, sabes cantar y tocar el laúd; ¿qué noble señor no desearía tenerte por esposa? Más aún cuando gozarás del favor real y todos sabrán que eres la prima nieta de la Gran Esposa Real y que, por parte de tu madre, eres parienta de la reina Kirguipa.

–¡Me río de todos los príncipes! –exclamó Nefertiti–. Quiero quedarme aquí, en el lugar en el que nací, cerca de Menfis, donde está todo lo que amo.

–Kiya, no me irrites. Harás lo que he decidido. Ahora retírate a tu habitación, porque siento que te vuelves insolente y lamentaré tener que obrar con severidad.

El tono de Ay era tan perentorio que Nefertiti no intentó conmoverlo ni discutir. Corrió a su habitación, donde se arrojó sobre la cama repitiendo entre dientes:

–¡No, no obedeceré! ¡Nunca seguiré a ese Anen a la gran ciudad del Sur!

También aquella noche durmió muy mal, pero por la mañana su decisión estaba tomada. Ti, que esperaba verla triste o enfurecida, se asombró al descubrirla sonriente.

–¿Sabes, nodriza? –le dijo Nefertiti–. Ptah vino a visitarme esta noche, en sueños, y me devolvió la prudencia. Sí, mi padre tiene razón y lamento haber sido mala e insumisa. Iré con Anen. Como ves, estoy contenta de ir a la gran ciudad del Sur.

–¡Niña querida! –exclamó Ti, abrazándola–. ¡Cuánto me alegra verte de pronto con tan buena disposición! ¡Tu padre se sentirá feliz!

–¿Crees que me perdonará por lo de anoche?

–¡Te quiere tanto! Seguramente ya se olvidó de todo. Partió temprano a Menfis para comprar todo lo necesario para tu viaje. ¡Ya ves cómo se preocupa por ti! Antes de partir con dos servidores me dijo: "Ti, cuida bien de mi pequeña Kiya. Está impresionada por semejante novedad; hay que comprenderla, porque de repente va a tener que dejar todo lo que ama, todo lo que conoce desde su nacimiento. Pero hago esto por su bien. Pronto se dará cuenta y me lo agradecerá". Ha de haber sido Ptah, ciertamente, quien te dio la prudencia para responder con tanta presteza a los deseos de tu padre.

–Así es, buena nodriza –admitió la muchacha.

–Yo, por mi parte, voy a preparar tus vestidos y todo lo que llevarás para este gran viaje –agregó Ti.

–Muy bien. No olvides mi paleta de escritura ni mi laúd; seguramente van a serme muy útiles.

No bien Ti se alejó, Nefertiti corrió a las cocinas instaladas en el fondo del patio, en la parte trasera de la casa. Aprovechó que las sirvientas estaban ocupadas aplastando galletas de sorgo y dátiles para fabricar cerveza, y llenó una bolsa de mimbre con panes, quesos, dátiles e higos, mientras devoraba un muslo de pato. Fue a esconder todo al pie de un árbol, fuera del cercado de la casa, y regresó a buscar trampas para pájaros y pegamento. Luego se armó con un cuchillo de hoja de bronce bien afilado y algunas varas de tiro.

Esperaba poder alejarse sin ser vista, pero al salir se encontró con Mutnedjemet, acompañada por su hermano.

–¿Adónde vas? –le preguntó Nakhtmin.

–Voy a poner unas trampas para aves; sin duda será la última vez que podré tratar de aumentar los ejemplares de mi pajarera. Espero que la cuides –declaró con seguridad.

–Espéranos, te acompañaremos.

–No te quiero cerca; eres más ruidoso que una oca y espantarás las aves.

–¿Yo sí puedo ir? –preguntó Mutnedjemet.

–Si quieres reunirte conmigo en un rato, iremos a dar un paseo por los campos para ver trabajar a la gente de la finca, y después nos bañaremos en la corriente del río.

Este encuentro la había contrariado pues la presencia de su hermana podía comprometer sus planes, pero supo disimular su descontento y mostrarse agradable. Esperó a que regresaran a la casa y apresuró el paso. Antes de recoger la bolsa llena de alimentos echó una mirada a su alrededor para asegurarse de que nadie la observaba; después se alejó, casi corriendo.

En los campos apenas liberados por la retirada de las aguas, los campesinos, chapoteando en el barro, removían el suelo con sus cortas azadas de madera, seguidos por mujeres que arrojaban semillas, que sacaban de canastas de mimbre colgadas de sus hombros. Detrás de ellos, unos muchachos conducían un rebaño de cabras cuyas finas pezuñas enterraban los granos así dispersados, para que en los fértiles surcos se produjera el misterio de la germinación. Saludaron a la jovencita, que les sonrió al tiempo que agitaba la mano. A menudo solía detenerse a hablarles, pero esa mañana tenía prisa por llegar a la orilla del río.

No bien alcanzó la ribera del Nilo, oyó un ladrido alegre; reconoció a Nebet, que corría hacia ella. Apoyó su equipaje en el pontón de madera donde estaba amarrada la barca de papiro y exhaló un suspiro cuando la lebrel llegó a su lado. La perrita saltaba a su alrededor, ladrando y moviendo su cola larga y curva.

–¡No te me acerques! ¡Estás toda llena de barro! ¡Vas a mojarme el vestido! ¡Oh! ¡Ya está! ¡Mira, me has ensuciado toda la falda!

Estaba a la vez furiosa y feliz; había dejado al animal en su cuarto para que no intentara seguirla, pero debía de haber saltado rápidamente por la ventana y encontrado su pista. Tal prueba de amor y fidelidad la conmovía, pero, por otro lado, no se atrevía a llevarla en la barca, por miedo a que cayera al agua. En general confiaba el cuidado de Nebet a un servidor, pero aquel día había evitado hacerlo para no despertar sospechas, pues no había olvidado la prohibición de ir al río hasta que volvieran a bajar las aguas. Sin embargo, ahora que la perra estaba allí no podía hacer otra cosa que llevarla.

Se despojó de su vestido ligero y lo ató a un tallo de papiro de la barca para que no se lo llevara el viento; después tomó a la perra en los brazos.

–¡Peor para ti! –le dijo con un suspiro–. Tú lo has querido. Te llevaré conmigo, pero tienes que quedarte tranquila.

Volvió a depositarla en el pontón y empujó el esquife al agua. Cargó en él su bolsa, hizo subir a Nebet, empujó la embarcación a la corriente y se ubicó de pie en la parte posterior. Con unos pocos movimientos del bichero se alejó rápidamente y pronto desapareció en el bosque de altos papiros.

Sin temor, se dirigió a las zonas más extensas de los pantanos, las más densas en vegetación, donde vivían los boyeros y los pescadores. Había notado el respeto que estos habían demostrado a Horemheb y confiaba plenamente en que, como él le había asegurado antes de que ambos se separaran, en adelante podría ir por allí sin correr el menor riesgo. Además, Nefertiti era tan audaz e independiente que, aun sin tener tal certeza, habría buscado refugio entre aquellos hombres rústicos para escapar de su padre, a quien había decidido desobedecer. Como se consideraba capaz de asumir su propio destino, no podía admitir que un tercero, aunque fuera su padre y pretendiera actuar por su bien, le impusiera su voluntad oponiéndose a sus propios deseos. En ese momento sólo pensaba en el futuro inmediato, sin preocuparse por las consecuencias de sus actos. De todos modos, casi no había tenido elección: o se sometía o se escapaba. Al haber optado por la segunda alternativa, ¿qué asilo más seguro podía encontrar que el que le ofrecían aquellos matorrales inextricables, entre hombres que nadie habría imaginado que ella se atrevería a enfrentar? Un lugar, en fin, que sabía frecuentado por Horemheb, en quien se concentraban todos sus pensamientos.

Unos bramidos ahogados llamaron de repente su atención. Avanzó con prudencia hasta que, a la vuelta de un alto matorral de papiros, descubrió a un grupo de hipopótamos. Sólo emergía del agua poco profunda la parte superior de los lomos. Nebet comenzó a gruñir suavemente; Kiya se apresuró a cerrarle el hocico con las manos, arrodillada a su lado para impedir que ladrara. Mientras decidía si ir río adentro, corriendo el riesgo de que la arrastrara la corriente, ya que le parecía imprudente irritarlos al pasar cerca de ellos, vio aparecer dos largas barcas de papiro, cada una tripulada por tres hombres. Estos no vieron a la joven, que se mantenía apenas disimulada detrás de una ligera cortina de cañas; toda su atención se centraba en los mastodontes fluviales, hacia los cuales impulsaron las embarcaciones.

Para no alarmar a las bestias, los tripulantes guardaban silencio y se comunicaban entre sí por medio de señas. Uno de los esquifes tomó la delantera y se deslizó hacia los hipopótamos; en la proa se irguió un hombre, armado con un arpón con punta de bronce, unido a una larga soga cuyo extremo sujetaba con la mano izquierda. Su cuerpo, de músculos marcados, bronceado por el sol, exhalaba un vigor impresionante. Detrás de él, un compañero empuñaba otros dos arpones, mientras el tercero, con gestos precisos, impulsaba la barquilla directamente hacia los monstruos caballunos. Uno de los animales, inquieto por la cercanía de los humanos, se volvió lanzando un fuerte bramido. Al ver que, lejos de perturbarse ante esta manifestación de poder, los recién llegados seguían deslizándose hacia él, el hipopótamo abrió grandes las fauces, dejando ver los dos largos y amenazadores dientes de la mandíbula inferior. Sin duda era lo que esperaba el arponero; su cuerpo se distendió bruscamente al tiempo que lanzaba la estaca acerada, que fue a incrustarse en la garganta del animal. Este cerró la boca con un aullido sordo y se sumergió a medias en el agua, formando olas espumosas que sacudieron la frágil embarcación. Pero ya el arponero había empuñado una segunda arma, que proyectó con mano segura hacia el flanco de la bestia; el hipopótamo se agitó con violentas sacudidas y se esforzó por escapar, pero arrastraba consigo las barcas de sus atacantes, que no habían soltado las sogas atadas a los arpones. Sorprendidos por el tumulto, los otros paquidermos se alejaron chillando, multiplicando los remolinos.

Nefertiti, fascinada, observaba en silencio la cacería, que repetía la guerra de los servidores de Horus contra los partidarios del dios Seth, encarnados en los hipopótamos. Así distraída, no se percató de que la ligera corriente había arrastrado poco a poco el esquife más allá del abrigo de las malezas. Cuando de pronto se dio cuenta de que los hipopótamos que huían se dirigían directo hacia ella, en vano trató de alejarse con ayuda del bichero; ¡el lecho era ya demasiado profundo para poder utilizarlo! La lebrel se puso a ladrar furiosamente a uno de los monstruos que se les acercaban a tanta velocidad que, antes de poder reaccionar, la muchacha sintió que el piso de la barca se meneaba y se elevaba, hasta que fue arrojada a la corriente. Lanzó un grito, se hundió en el agua y, con un movimiento de la cintura, volvió a la superficie. El hipopótamo ya se alejaba, mientras la barquilla se perdía en el torbellino del río. Su primer pensamiento fue para Nebet, que se debatía con la cabeza fuera del agua. Nadó velozmente hacia ella y la tomó por el cuello para que no se ahogara.

Mientras tanto, los pescadores de la segunda barca habían lanzado sus arpones contra el hipopótamo herido para consumar la matanza y, después de haber abordado, empezaban a arrastrarlo hasta la orilla. Nefertiti nadaba en dirección a ellos sin soltar a la perra, bajo las miradas sorprendidas de los pescadores del primer esquife, cuando vio que dos fosas nasales y dos ojos engastados en unos párpados escamosos avanzaban hacia ella a gran velocidad; creyó que el corazón iba estallarle al reconocer lo que era: un cocodrilo. Mientras se esforzaba por nadar más deprisa invocó a Sobek, el dios cocodrilo, y a Hapy, amo del río. Nunca lograría llegar a la orilla, pensó con desesperación. En ese mismo instante, el primer hombre en atacar al hipopótamo empuñó el último arpón que todavía conservaba su compañero, se zambulló y nadó con rapidez hacia Nefertiti, que veía que el cocodrilo se aproximaba inexorablemente. El intrépido cazador pasó a su lado salpicando espuma y blandió el arpón al tiempo que se acercaba al monstruo. Esperó a que la bestia abriera las fauces y le arrojó el arma a la garganta. Enseguida, el cocodrilo fue engullido por un remolino de agua ensangrentada. Sin prestarle más atención, el hombre fue a reunirse con la muchacha, que estaba a punto de desfallecer; la aferró con un brazo y así nadó rumbo a la ribera. Nefertiti, que había sentido que sus fuerzas la abandonaban, se entregó a aquel poderoso abrazo sin soltar a la perrita.

Cuando pudo hacer pie, el hombre la alzó en sus brazos y la depositó en la orilla, donde la joven permaneció jadeando un instante.

–Que Amón-Ra y Hathor te colmen de favores –dijo al fin–. Sin tu intervención, esa bestia malvada se habría hecho un festín con nosotras.

–Mi nombre es Mahu –respondió él–. Te vi el otro día, cuando viniste con el señor Horemheb. Le dirás que te salvé de la maldad de Sobek.

–Puedes estar seguro de que le hablaré de ti cuando lo vea.

Se retorció la cabellera empapada y a continuación, sin vacilar, desató su pesado collar y se lo ofreció:

–Tómalo y sé mi protector.

Él recibió la joya con una mirada sorprendida.

–¿Por qué me pides que te proteja?

–Junto con mi barca he perdido todo lo que tenía: mi vestido y mi cesto lleno de provisiones. He quedado despojada de todo, pero quisiera pasar unos días en los pantanos. Te pido hospitalidad.

–La tendrás, la tendrás. Ten la certeza de que aquí nadie te ofenderá, porque todos le temen a Mahu.

Se volvió hacia sus compañeros.

–Ustedes –les dijo en el dialecto de la gente de los pantanos–, descuarticen el animal. Yo me voy con esta muchacha. Y recuerden que la tomo bajo mi protección.

Capítulo IV

Nefertiti abrió los ojos, arrancada de su sueño por gritos y risas. Una luz difusa se filtraba por las hendiduras del encañizado de la choza que, en los seis días transcurridos desde su huida a los pantanos, se había convertido en su vivienda. Una morada frágil y exigua, pero donde se sentía a gusto, a pesar de la dureza del lecho, que consistía en una estera dispuesta sobre un colchón de cabezas de papiros. Mahu, ayudado por algunos boyeros, la había construido en pocas horas para que le sirviera de abrigo, poco después de salvarla. Nefertiti, por otra parte, no cesaba de felicitarse por aquel encuentro provocado por algún dios benévolo. Mahu era el jefe de los habitantes de los pantanos. Pertenecían al templo de Ra de Heliópolis; criaban los grandes bueyes de largos cuernos arqueados a la gente del templo y cortaban los papiros destinados a fabricar el papel que sacerdotes y escribas consumían en abundancia. No podían sustraer ni una sola cabeza de la manada, porque cada animal estaba marcado y censado por los escribas, pero vivían cómodamente de la pesca, de la caza de patos y otras aves y de la recolección de flores de nenúfar, que les servían de alimento.

Durante esos días, Nefertiti había aprendido a admirar a aquellos hombres, que sabían satisfacerse con lo que les procuraba la generosa naturaleza. Allí encontraban abundante alimento y construían reparos con cañas y tallos de papiro. La clemencia de la temperatura les permitía economizar vestimenta, y los que temían el fresco de las noches de invierno se cubrían con pieles de cabra que trocaban en los pueblos vecinos por pescados, aves capturadas y cestería trenzada con juncos y tallos de papiro. Esas mercaderías también les permitían ir de fiesta, de vez en cuando, a los suburbios de Heliópolis o de Menfis, donde encontraban mujeres fáciles que les brindaban placer a bajo precio.

Nefertiti se desperezó despaciosamente; luego giró hacia un lado y abrazó a Nebet, que estaba acostada contra ella. Le dio unos besos y suspiró.

–Un nuevo día comienza –dijo a la perrita, que la miraba fijo con sus tiernos ojos–. Sería perfectamente feliz si tuviera mi laúd y a Horemheb... No comprendo por qué todavía no ha venido a cazar por aquí... ¿Crees que ya se olvidó de mí? Me pregunto qué voy a hacer si no viene... Mi padre debe de estar buscándome por todas partes... ¡Y la pobre Ti debe de estar enloquecida, como una oca fastidiada por un mono burlón!

Esta idea la hizo reír. Se sentó y acarició a la perra, que se había sentado a su lado.

–Bueno –prosiguió–, vamos a quedarnos escondidas aquí unos días más. Después tendremos que resignarnos a volver a casa. Oh, estoy segura de que mi padre habrá comprendido que no podrá imponerme su voluntad. Además, le diré que, si persiste en querer enviarme a Tebas, me escaparé de nuevo, hasta Biblos si es necesario, e incluso hasta Naharina, donde vive la familia de mi madre... ¡Sé que es muy lejos!... Sin embargo, lo haré si me veo obligada... Tengo hambre...

Un agradable aroma a pato asado le hacía cosquillas en la nariz; dilató las fosas nasales para olfatearlo mejor. Se levantó de un salto, anudó el cinturón a su cadera, se peinó brevemente las trenzas con los dedos abiertos, a falta de peine, y salió.

En la plaza de tierra apisonada, circunscripta por algunas cabañas y el oprimente bosque de papiros, unos hombres se ocupaban de preparar la comida de la comunidad; mientras algunos terminaban de desplumar ocas y cercetas, otros, acuclillados alrededor de los fogones de ladrillo, atizaban con abanicos de caña las brasas sobre las que se asaban las aves. Nefertiti, familiarizada con cada uno de ellos, los saludó y fue a sentarse cerca de Mahu, que estaba trenzando una estera mientras vigilaba las preparaciones culinarias.

–Dormiste bien –comprobó Mahu, volviendo la cabeza hacia el sol que se alzaba sobre los copetes de papiro.

Ella hizo una mueca y tomó unas briznas de caña para comenzar a fabricar una cesta.

–Al contrario, dormí mal –replicó–. Me desperté varias veces esta noche. ¿Sigues sin tener noticias de Horemheb?

Mahu meneó la cabeza y sonrió.

–Fue él quien te mantuvo despierta. Ten paciencia; vendrá pronto. ¿Sabes que te están buscando?

–Sospecho que mi padre debe de hacerme buscar por todas partes.

–Esta mañana, cuando fui a los pastizales a visitar las bestias, me encontré con un compañero. Es, como yo, responsable de un pequeño rebaño del dios Ra. Me preguntó si no había visto a una muchacha de cabellos claros. Le contesté que por qué me lo preguntaba, y me respondió que dos días atrás habían pasado dos hombres que lo habían interrogado; le hicieron esa misma pregunta.

–Y tú, ¡qué le respondiste?

–Que no había visto a ninguna muchacha, pero que me alegraría mucho encontrar alguna.

–Gracias, Mahu. No dudes que sabré demostrarte mi agradecimiento por todo lo que haces por mí.

Él le lanzó una mirada tan profunda que Nefertiti volvió la cabeza; se imaginaba demasiado bien la manera en que él esperaba que le expresara su agradecimiento. Sin duda, a pesar de los rudos rasgos de su cara y sus cabellos hirsutos, el hombre del pantano tenía un cuerpo espléndido y una mirada que provocaba en la muchacha una indudable fascinación. La libertad en que la habían criado, propia de las costumbres de su época, sumada a su propia sensualidad, la inclinaban a abandonarse a una unión que en el fondo deseaba y que, según pensaba, le produciría sensaciones diferentes de las que le causaban las caricias de Nakhtmin. Mahu la había protegido de la brutalidad de los boyeros, le había dado techo y alimento, le enseñaba el arte de la cestería y la rodeaba de cuidados constantes, con lo que se había ganado su gratitud. Esto, junto con su curiosidad natural por todo lo nuevo y su gusto por el placer, constituía razón suficiente para concederle lo que él deseaba, y Nefertiti lo habría hecho con gusto de no existir Horemheb, si la imagen del joven no hubiera adquirido, poco a poco, tal importancia para ella que ahora ocupaba todo su espíritu y todos sus sentidos.

–Debes ser prudente cuando te alejes –prosiguió él–. Los pantanos son inmensos, pero es especialmente allí donde deben de estar buscándote los hombres de tu padre. Tarde o temprano llegarán aquí; es inevitable. Ya advertí a mis compañeros: dirán que no te han visto. Pero tampoco deben verte los que te están buscando. Todos corremos el riesgo de recibir una dura paliza si se enteran de que te ocultamos.

–Gracias, Mahu. Puedes asegurar a tus compañeros que todos recibirán algo de mí.

–No lo hacen para que se les pague, sino porque yo se lo ordené... y quizá también porque les agrada tenerte entre nosotros.

Ella lo miró sorprendida.

–¿Por qué les agradaría?

–Porque eres hermosa –respondió él.

La muchacha no pudo disimular una sonrisa y de inmediato buscó una distracción en la llegada de un hombre que cargaba al hombro un palo de cuyos extremos colgaban por las agallas los peces que acababa de capturar en su buitrón.

Nefertiti almorzó un muslo y un ala de pato acompañados con tallos de nenúfar hervidos. Luego se equipó con unas trampas para pájaros que ella misma había confeccionado para reemplazar las que había perdido durante su naufragio y, acompañada por Nebet, que brincaba a su alrededor con la cola empenachada, se internó en las malezas verdosas. Avanzaba muy despacio, deteniéndose aquí y allá, ya para observar a un pájaro de vivos colores posado en la cabellera de un papiro, ya para buscar bajo las plantas que cubrían el suelo algún insecto de grito estridente, ya para sorprender cercetas o garzas cenicientas refugiadas en un estanque encerrado por la vegetación húmeda y exuberante. Le encantaba andar así, al azar, en medio de aquella poderosa naturaleza en la que sentía que participaba profundamente, en la que tenía la sensación de integrarse hasta formar con ella un todo del que no podía disociarse.

Al levantar la cabeza para observar el ruidoso vuelo de unos cormoranes, su mirada se detuvo en una umbela detrás de la cual parecía ocultarse el resplandeciente disco solar. Bajó los ojos, deslumbrada por un instante; después recogió unos brotes de papiro y, alzándolos hacia el cielo, murmuró:

–Levanto mi mirada hacia ti, Ra, que reinas en el cielo, dispensador de toda vida; mis manos están purificadas. Mira, para ti son estos tallos verdes de papiro, plenos de fuerza y vigor. Seme propicio, tú que en verdad eres el más grande entre los dioses.

Con los tallos formó un ramillete que depositó en el suelo, en un punto en el que convergían los rayos del sol, a través del velo formado por el conjunto de umbelas azuladas.

Acababa de reanudar su camino cuando unos gritos y risas le llamaron la atención. Avanzó en esa dirección y desembocó en una especie de estrecho claro. Allí, una decena de hombres, todos boyeros que ella conocía, cortaban largos tallos de papiro con la ayuda de unos hocinos de piedra. Formaban grandes haces que ataban estrechamente, con ayuda de unos cordones cortos, para poder cargarlos con más facilidad. Al ver a la muchacha, los hombres la saludaron con bromas en su dialecto, que ella aún no comprendía. Nefertiti les devolvió el saludo con un gesto de la mano y se alejó en dirección a un estanque que alcanzaba a distinguir a través de una abertura entre las malezas. Allí descubrió lo que buscaba: en la superficie plana de la laguna unos grandes nenúfares desplegaban sus hojas, un manto de vegetación sobre el azul del agua, arrancado del cielo.

–Espérame aquí –le dijo a Nebet, dejando sus trampas junto a ella.

El animal volvió la cabeza con inquietud al ver que su ama entraba en el agua y avanzaba despacio, apartando con las manos las pesadas hojas flotantes. El agua subió hasta sus rodillas, después hasta los muslos, para alcanzar luego su cintura; cuando llegó al centro de la laguna, libre de plantas acuáticas, Nefertiti comenzó a nadar con movimientos desenvueltos y precisos. Se enderezó para frotarse todo el cuerpo con ambas manos, y después la cara. Se agachó y, cuando murieron por fin las olas anulares creadas por sus movimientos, pudo ver su propia imagen reflejada en el espejo huidizo de la onda. Lanzó un suspiro y se dijo que debía de estar muy fea, tan mal peinada y sin nada de maquillaje que le coloreara el rostro. Se dirigió a los nenúfares. Cuando se acercó, una rana acuclillada en una hoja se zambulló en el fondo del agua mientras levantaba vuelo un martín pescador posado en el tallo frágil de una caña.

Recogió unas flores de pétalos de un blanco resplandeciente, que dejaban surgir en su corazón el oro polvoriento de los estambres. Moscas e insectos que habían encontrado refugio allí salieron volando precipitadamente.

De regreso en la orilla, se sentó en un lecho de hojas húmedas y clavó los cortos tallos de las flores sus cabellos para hacerse una corona. Había reservado la más grande para colocarla en lo alto de su frente, sobre la cual el capullo se dobló, exhalando su perfume. Se inclinó sobre el agua para admirar el efecto del tocado, con unos gestos coquetos arregló las flores mal dispuestas y después, satisfecha, se levantó para proseguir su caminata, siempre seguida por la lebrel.

Así erró al azar de su fantasía. De igual modo, todos los días, exploraba aquel territorio movedizo de los pantanos en el que comulgaba con la vida intensa a que había dado nacimiento el matrimonio entre el agua y el sol desde las primeras mañanas del mundo. Para atravesar las capas centelleantes de los pequeños estanques originados en el seno de las malezas temblorosas, tomaba a Nebet en los brazos y avanzaba con paso prudente para que sus pies no se hundieran en el limo del fondo, cuya misteriosa vida perturbaba. Pero cada vez, antes de internarse, escrutaba los alrededores, por miedo a que algún cocodrilo estuviera acechando al abrigo de la densa vegetación que las cubría.

Avanzaba entre una frondosa mata de papiros cuyas radiantes cabezas, que se alzaban altas sobre ella, se balanceaban en la brisa del norte que acababa de levantarse, cuando percibió gritos y llamados. Caminó en esa dirección, apartando con esfuerzo los largos tallos que se cerraban a su paso; pronto distinguió también unos chapoteos en el agua acompañados de risas. Por fin, separando una última cortina de vegetación, descubrió un vasto espejo de agua sobre el que se deslizaban dos largas embarcaciones de extremos graciosamente levantados. Cada una estaba piloteada por varios hombres que se enfrentaban con largas pértigas. Se entretenían con un juego muy apreciado por los habitantes de los pantanos, que consistía en arrojar al agua a todos los ocupantes de la barca contraria. Uno de ellos, que había caído al río de este modo y que por ello debía de haber provocado la risa de los vencedores, se esforzaba por subir a su esquife mientras sus compañeros se defendían de los renovados lances de sus adversarios.

Si el corazón de Nefertiti comenzó de pronto a latir violentamente y le dio la sensación de bajarle a los talones, no fue a causa de aquel espectáculo; acababa de ver una barquilla surgida de un canal que conducía al río, tripulada por un solo hombre que manejaba el bichero con mano vigorosa. Contrariamente a la gente de los pantanos –que iba desnuda o que, a veces, llevaba en la cintura una trenza de tallos de papiro, y que usaba como único adorno un collar vegetal que sujetaba una flor de loto–, este llevaba un largo taparrabo blanco, y de su garganta colgaba un pesado collar. Esto bastó para llamar la atención de Nefertiti, que a pesar de la distancia reconoció a Horemheb.

Volvió a cerrar la cortina vegetal y se ocultó detrás, escuchando atentamente. Se puso en cuclillas y apoyó una mano en la cabeza de la perra, rogándole que no ladrara. Separó algunos tallos para echar una mirada hacia el esquife. El joven ya estaba cerca de la embarcación de los luchadores, a los que saludó; después se puso una mano contra la boca, a manera de megáfono, y les dirigió la palabra en su dialecto. Si bien Nefertiti no comprendió las palabras, reconoció su nombre; no dudó que les preguntaba por ella y se alegró al ver que respondían sacudiendo negativamente la cabeza. Horemheb insistió y luego, como los boyeros se disponían a proseguir con su juego, continuó rumbo al fondo del estanque. Entonces ella comenzó a seguirlo por la orilla, todavía vacilante en cuanto a qué actitud adoptar. Aunque esperaba ese momento desde hacía tantos días, de pronto se sentía tomada por sorpresa y no se atrevía a mostrarse. Tuvo que correr para no perderlo de vista, hasta que el joven abordó al fin, en el extremo de un canal. Después de haber atado el esquife a una mata de cañas altas, se sentó al borde del agua, pensativo.

Nefertiti se había acercado en silencio. Con precaución apartó los tallos que todavía la separaban de él y lo observó un momento antes de decidirse a salir de su escondite. Al verla surgir de repente, el joven quedó por un instante mudo de estupor, pero enseguida sonrió y se puso de pie de un salto.

–¡Kiya! –exclamó–. ¿De veras eres tú? ¿No estoy soñando?

Habló con una exaltación que a la vez la sorprendió y la embelesó.

–No estás soñando, y sí, soy Kiya –le aseguró ella.

Tras un silencio, él prosiguió:

–Te me apareces como una divinidad de los pantanos, pero tan hermosa como Hathor con los bucles perfumados de mirra.

–Entonces te doy la bienvenida a mi reino, Horemheb –respondió ella, riendo.

Nebet fue a olfatearle las piernas y el taparrabo. Horemheb le hizo una caricia mientras decía:

–Te buscaba.

–¿A mí? ¿Querías hablarme?

–Ayer fui a la casa de tu padre, para verte. Allí todos están de duelo pues te creen muerta, ahogada en el Nilo.

–¿Y tú lo creíste?

–Recién, cuando esos campesinos me aseguraron que no te habían visto, comencé a creerlo... Fui a ver a tu padre.

–¿Qué te dijo? ¿Está furioso porque me escapé?

–¿Furioso? ¡Oh, no! Más bien está triste como el alma de un muerto olvidado por los vivos. Me contó que desapareciste hace varios días. Al principio te mandó a buscar por todas partes, hasta en Heliópolis y Menfis. Luego le llevaron tu esquife, que encontraron al norte, encallado entre los papiros; tu vestido estaba enganchado en él. Entonces tuvo la certeza de que te habías ahogado. Pero yo no pude creerlo y vine a buscarte aquí, porque es el único lugar que no visitaron las personas que tu padre envió en tu búsqueda.

–Ciertamente, la sabiduría de Ptah anida en tu corazón, pues no te has equivocado –comentó ella con tono alegre, al tiempo que se sentaba cerca de Nebet.

–¿Por qué te ocultas en estos pantanos como Isis cuando era perseguida por Seth?

–Porque mi padre quiere enviarme ante la Gran Esposa Real para que me encuentren allí un esposo. Y yo no quiero ir.

–¿No quieres un esposo? –le preguntó él, acuclillándose a su lado.

Nefertiti lo miró mientras se ponía una brizna de hierba entre los labios.

–¿Por qué viniste a buscarme? No soy nada para ti. Apenas nos vimos unos instantes hace ya varios días.

–Toda una tarde... Pero incluso unos instantes habrían bastado para que deseara volver a verte.

–¿De verdad?

–Si no, ¿estaría aquí ahora? ¿Pero por qué también tú elegiste este lugar?

–Sabía que no se les ocurriría buscarme aquí. Tienes razón, esos boyeros ignoran los buenos modales y parecen muy groseros, pero en realidad son buena gente cuando se los llega a conocer. Uno de ellos me tomó bajo su protección; un hombre fuerte, un gran cazador de hipopótamos.

La mirada de Horemheb se ensombreció.

–¿Cómo se llama? –preguntó con malhumor.

–Mahu.

–¡Lo conozco bien! Es fuerte como uno de esos hipopótamos que le gusta cazar, pero estúpido como una oca. El pobre es bien feo, un verdadero tosco.

–No comparto tu mala opinión.

Se levantó de un salto, feliz en el fondo de su corazón por haber provocado en Horemheb un sentimiento de celos. Se estiró para hacerle admirar las curvas esbeltas de su cuerpo y después entró en el agua.

–¡Hace tanto calor! Voy a bañarme –dijo entonces, y comenzó a nadar lentamente.

Él la seguía con la mirada; su expresión era taciturna.

–Horemheb, se te ve serio como un escriba gordo, que no se conmueve ni siquiera al ver una hermosa gacela.

El joven sonrió y meneó la cabeza.

–¿Conoces el canto de los amantes al borde del agua? –le preguntó ella, tras regresar junto a él.

Se aferró a un largo tallo inclinado sobre las ondas y se quedó recostada, moviendo suavemente los pies, al tiempo que cantaba con voz suave y melodiosa:

–Mi dios, mi amado, cuán agradable es bañarme ante ti, entre las olas, para que veas mi belleza con mi más fina túnica de lino real. Contigo, por tu amor, entro en el agua. He atrapado un pez rojo, feliz de hallarse entre mis dedos. Tú, mi bien amado, ven y mírame.

Horemheb sonreía al escucharla. Nefertiti calló y rió para esconder su turbación. Él continuó con el canto:

–En la otra orilla está el amor de la amada; el río nos separa y el cocodrilo se agazapa en la arena. Pero me arrojo al agua, nado entre las olas. En las aguas, un gran vigor se apodera de mi corazón y la corriente cobra bajo mis pies la firmeza del suelo. Mi amor por ella me da toda la fuerza, ha hechizado el río. Cuando estrecho a mi bien amada y ella me abre sus brazos, me impregno de perfumes; es como si regresara de las orillas balsámicas del Ponto.

Al terminar este verso, Horemheb se inclinó para tomarla de la muñeca y atraerla hacia él con fuerza irresistible. Nefertiti no supo cómo terminó entre sus brazos, con el rostro muy cerca del suyo, el cuerpo apretado contra él, mientras el joven murmuraba el resto del canto:

–Cuando sus labios se entreabren y yo la beso, soy un hombre embriagado sin haber bebido cerveza ni vino.

También ella se sentía presa de una especie de embriaguez y, aunque había tenido la intención de coquetear y hacerse desear mucho tiempo, se abandonó a aquel abrazo contra el cual se sentía sin fuerzas, incapaz de luchar.

Capítulo V

La fuga había dado mayor seguridad a Nefertiti. Después de pasar en compañía de Horemheb un día y una noche, de los que conservaba un recuerdo maravilloso, él le anunció:

–Es tiempo de que te lleve con tu padre.

–¿Cómo puedes hablarme así tan pronto? –le contestado ella, sin disimular su contrariedad–. ¿Encuentras tan poco placer en mi compañía para ya querer que nos separemos, tal vez para siempre? Porque mi padre se apresurará a enviarme a Tebas.

–Te equivocas; te aseguro que te conservará a su lado y no se opondrá a nuestro amor.

–No puedo creerte. ¿Acaso ignoras que fue precisamente cuando se enteró de que la Dorada había encendido en mi corazón la dulce llama del amor por ti cuando tomó la súbita decisión de alejarme de Menfis?

–Entre tanto, yo le hablé, encontré las palabras adecuadas para ablandar su corazón, y al fin me dijo: "Si me la traes, podrá quedarse aquí y hacer lo que desee. Lo juro por Ra-Horakhtis, que ve todo lo que está en la tierra y en nuestros corazones". Tu ausencia pesa sobre su alma como una maza de bronce, y lo atormenta la tristeza. Debes regresar deprisa junto a él para devolverle la alegría. Tampoco yo puedo ausentarme por más tiempo de Menfis, donde me reclaman mis tareas de oficial. Debo regresar esta noche y no quiero volver a dejarte aquí, entre estos hombres, cerca de ese Mahu, que te mira con deseo.

Con estas palabras logró convencerla de que lo siguiera. Subieron a la barca y Horemheb la llevó hasta el umbral de la casa, donde la esperaba el padre. Aunque Nefertiti temía que él la colmara de reproches, Ay la tomó entre sus brazos, la cubrió de besos y caricias alabando a todos los dioses, Hapy y Thueris, por haberle devuelto a su hija viva y, tal como había asegurado Horemheb, le dijo que, ya que estaba dispuesta a cometer tales locuras con tal de no ir a Tebas y actuar según su propia voluntad, le permitiría quedarse con él y seguir encontrándose con Horemheb para decidir si deseaba desposarlo, pues, después de meditarlo, veía que el joven representaba mejor partido que lo que le había parecido al principio. Por su parte, Ti se deshizo en exclamaciones y gemidos, como una llorona en días de duelo.

–¡Mi gatita! ¡Mi querida hijita! ¡Cuántos temores me causaste! Tenía el corazón en la boca y a cada instante creía ver el sombrío color. ¡Temía tanto que Osiris te hubiera llamado ante su tribunal, que un cocodrilo o las corrientes del Nilo te hubieran tragado en sus entrañas!

Así divagó largo rato, mientras la mimaba como a un recién nacido, tanto que la muchacha se irritó y la reprendió duramente:

–¡Mi buena Ti, deja de lloriquear de ese modo! Estoy viva, y alégrate de una vez, porque si sigues importunándome con tus lamentaciones volveré a irme e incluso me arrojaré al Nilo para no oírte más.

La única que no parecía emocionada era Mutnedjemet.

–Yo me imaginaba que te habías escapado a los pantanos –le dijo–. Fue muy astuta tu idea de abandonar la barca con tu vestido para que pensáramos que te habías ahogado, pero yo no me lo creí ni por un instante; sabes nadar demasiado bien. ¡Si hubieras visto la cara que tenían todos en estos días! Eso era lo que más me fastidiaba. ¡La próxima vez, avísame! Sabes bien que puedo coserme la boca en un caso así. Realmente, podrías haber confiado en mí.

Sólo Nakhtmin se mostró arisco y desolado, pues sentía pena al ver rotos todos sus sueños de adolescente y comprobar que Nefertiti se alejaba de él de manera tan rápida como inesperada.

–Así que ya no piensas más que en ese joven que Seth puso en tu camino con voluntad perversa de romper los lazos que nos unían –le reprochó–. En un día has olvidado todo: nuestros sueños y nuestras promesas de amor.

–Nakhtmin –le contestó ella–, bien sabes que sólo eran juegos de niños. Queríamos continuar en la realidad algo que nunca fue más que diversiones entre hermanos. Todo aquello no podía ser serio.

–¿Acaso no llegamos más allá de un simple juego? ¿No fuimos

realmente como dos esposos? ¿No es eso comprometerse totalmente el uno con el otro? Lo que veo es que no me amabas.

–No te engañes: te amaba y sigo amándote, no como a un esposo, sino como a un hermano, aunque te haya dado más de lo que habría debido.

–Entonces no tenías por qué darme tales prendas.

–¿Quieres que me arrepienta?

Nefertiti apoyó la mano en el brazo del joven, pero él bajó la cabeza, exhalando un suspiro.

–No, Nakhtmin, no sientas celos ni amargura. Alégrate pensando que pasamos juntos momentos muy placenteros, que nos dieron mucho gozo a ambos. Pero comprende que esa felicidad, como todo, debía tener un final. Pues debes saber que, de todos modos, mi padre no habría aceptado que me casara contigo. ¿No quería acaso enviarme con la Gran Esposa Real para que me diera un noble esposo, porque consideraba que Horemheb era de origen demasiado oscuro?

–¡Sé muy bien que nací en el barro! –admitió el muchacho con acritud–. Sin duda debo estarte agradecido por haberte dignado concederme tu amor.

–Nunca pensé nada semejante, porque siempre te consideré un hermano. Es a ti mismo a quien lastimas al hablar de ese modo. Nakhtmin, es preferible que terminemos aquí esta pelea, porque no puede darnos nada bueno.

Nefertiti lo dejó solo, sin querer escucharlo más, y desde aquel día él no había vuelto a intentar hablarle de un tema que ella ya no deseaba tocar. Se había convencido de que el enamoramiento de la muchacha no era más que un capricho, una pasión efímera producto del encanto de la novedad, que se le pasaría muy pronto; creía conocerla lo suficiente para estar seguro de esto y, por otro lado, el orgullo le impedía rebajarse a suplicarle, máxime cuando su intuición le dictaba no importunarla con quejas que sólo lograrían alejarla más.

Tres días pasaron sin que Horemheb reapareciera. La mañana del cuarto día, Nefertiti se levantó al alba. Se puso el taparrabo corto propio de las jovencitas, que llegaba hasta las rodillas y se ensanchaba por delante, modelándole la cintura y permitiéndole gran libertad de movimientos. También se peinó con particular esmero, se adornó la garganta con un ancho collar que bajaba hasta el nacimiento de los senos, y los brazos con pesados brazaletes.

Hizo enganchar dos caballos blancos, adornados con penachos entre las orejas, al carro ligero que le había regalado su padre para que lo acompañara en sus paseos por el desierto. Cuando subió, Ti se le acercó corriendo:

–¿Adónde vas a esta hora con tu carro? ¡Que Hathor nos proteja! ¿Qué va a decir tu padre?

–Nodriza, deja de acudir cada vez que yo hago un gesto –replicó secamente Nefertiti–. Debes aceptar que ya no soy una niña apenas capaz de mantenerse sobre sus piernas.

–¿Pero qué le diré a tu padre si pregunta por ti?

–Que fui a Menfis a visitar al que amo. Estaré de regreso esta tarde, antes de que caiga la noche.

Con estas palabras sacudió violentamente las riendas para dar la señal de partida. Los impetuosos animales salieron de inmediato al trote mientras Ti seguía exclamando:

–¡Irse así, sola, una niña! ¡Y esas bestias, que son tan fogosas! ¡Mi esposo es muy débil al permitir todos los caprichos de mi hija de leche!

Siempre era un enorme placer para Nefertiti, cuando iba en carro, llevar los caballos al galope; se embriagaba con la velocidad, con la visión del camino que parecía huir entre las patas veloces de los animales, y experimentaba una verdadera voluptuosidad al sentir el viento que le golpeaba la cara y el cuerpo, haciendo volar su cabello sobre la nuca.

Llegó rápidamente al embarcadero de donde partía la barcaza que la cruzó a la orilla opuesta con su carruaje. Pronto penetró en los suburbios de Menfis. Los animales sólo podían marchar al paso, debido a la multitud que colmaba las calles polvorientas. Sin embargo, los transeúntes miraban con una mezcla de asombro y respeto a aquella muchacha que iba de ese modo en un carro, pues ofrecía un espectáculo fuera de lo común.

–Sin duda es una mujer de alto rango –murmuraban algunos–, por el carro noble en que viaja. Tal vez sea hija de algún príncipe.

–Debe de pertenecer a la corte de Su Majestad –conjeturaban otros curiosos–, pues sólo allí una mujer puede cometer la audacia de ir sola en un carro de guerra. Porque, miren, se trata de un carro de guerra con vainas llenas de flechas y jabalinas en los costados.

Nefertiti proseguía su camino sin prestar oídos a los comentarios de los transeúntes ni reparar en las miradas que le dirigían, pero en el fondo de su corazón se sentía orgullosa por el interés que provocaba en el pueblo. En contadas ocasiones había ido a la gran ciudad del Norte, y siempre en compañía de su padre. Así pues, miraba con curiosidad todo aquel mundo todavía nuevo para ella: campesinos que llevaban al mercado sus aves y legumbres; peluqueros ambulantes que, a la sombra de los sicomoros, afeitaban el cráneo y el rostro de sus clientes, sentados en el suelo, mientras conversaban sobre las últimas noticias; ancianos que jugaban a una especie de juego de la oca llamado "serpiente", o al *senet*, semejante a las damas; salineros venidos de lejanos oasis del desierto de Libia a vender sal y productos del desierto; nómadas ávidos por trocar ovejas, almohadones de cuero y pieles de animales salvajes por armas de bronce y objetos provenientes de los talleres de Menfis. En las puertas de la ciudad, un cerdo perseguido por dos muchachitos estuvo a punto de hacer tropezar a los caballos, que ella contuvo jalando con fuerza de la brida, tras lo cual insultó a los adolescentes que acosaban al pobre animal; ellos le respondieron con muecas y se alejaron corriendo.

Por fin llegó ante la antigua fortaleza del Muro Blanco, que se remontaba a los orígenes de la ciudad pero que, a lo largo de tantos siglos, había sido varias veces reparada y reconstruida. A los guardias que se interpusieron en su camino les dijo:

–Vengo a ver al oficial de carros Horemheb.

Los centinelas la miraron con asombro; después uno de ellos respondió:

–¿Horemheb? No lo conocemos. Si quieres, puedo reemplazarlo yo.

El comentario hizo reír a sus compañeros. La muchacha les lanzó una mirada altanera y exclamó:

–¡No eres más que una oca ignorante! ¿Cómo puede ser que no conozcas a Horemheb, el compañero del capitán Tutmosis? Ambos son mis amigos.

Apenas terminaba de decir esto cuando un hombre que llevaba un bastón, signo de su alta posición, se apresuró a ir a su encuentro y se inclinó al tiempo que alzaba los brazos hacia el cielo:

–Perdona a este soldado, puesto que es nuevo aquí. El señor Tutmosis y Horemheb salieron por la mañana temprano para ir a cazar.

–¿A cazar? –preguntó ella, decepcionada.

–Sí, y no volverán hasta la caída del sol.

–Dime, ¿adónde han ido a cazar?

–Al desierto occidental, del otro lado de la necrópolis de Sokaris.

–Te agradezco –repuso la joven, e hizo dar la vuelta a los caballos.

–¡No irás allá sola! –exclamó su interlocutor.

–Sin embargo, esa es mi intención.

–No es seguro que los encuentres, y han ido a cazar leones. Puede resultar peligroso.

–Tus palabras no me harán renunciar. No será la primera vez que participe en una cacería.

Se alejó al galope. Pronto se dibujó en el cielo, de un azul resplandeciente, la silueta de la pirámide de Dyeser, que dominaba la necrópolis. Al acercarse, distinguió a un sacerdote del culto en la ciudad de los muertos y le preguntó si había visto pasar unos soldados en carro que iban al desierto a cazar.

–Sin duda te refieres a la cacería conducida por Tutmosis, el gran sacerdote de Ptah.

–¿Había entre esos hombres un joven capitán llamado Tutmosis?

–Así es. Vino esta mañana muy bien acompañado y, después de ofrecer un sacrificio a Sokaris y a la diosa Sekhmet, fue hacia el norte, al otro lado de las pirámides de Khufui y sus hijos…

Sin esperar más detalles, la muchacha se alejó en una nube de polvomientras reflexionaba: "¿Quién puede ser ese Tutmosis, para combinar el cargo más alto del ejército con el de gran sacerdocio del dios de Menfis? Horemheb no me había dicho que ocupaba una función tan importante en el clero".

Hizo que los animales redujeran la marcha al acercarse a las tres grandes pirámides, cuyos revestimientos calcáreos brillaban al sol y absorbían su claridad como para reflejarla en un resplandor de gloria. El lugar era extrañamente solitario, y de un calor agobiante pues el sol estaba ya cerca del cenit en su navegación diurna. Nefertiti evocó a los demonios hijos de Seth, el dios rojo, que a la hora meridiana salen de sus antros para recorrer el desierto. Su mirada se detuvo en la gran esfinge guardiana de la necrópolis, que alzaba a corta distancia su silueta maciza. En vano trató de distinguir a los cazadores en la luz leonada que parecía temblar en las superficies arenosas.

Con decisión impulsó el carro en dirección a la esfinge, encarnación de Ra-Harmakhis, dios celestial del horizonte. Al acercarse, vio a un hombre sentado contra una de las patas estiradas de la monumental estatua, cerca de la entrada del santuario, situada bajo el portal del león con cabeza humana. Vestía un taparrabo simple y no llevaba joyas: no podía ser ni un sacerdote ni un noble. "Sin duda es uno de los guardianes de la necrópolis", se dijo Nefertiti. Con la esperanza de que pudiera informarle sobre el paso de los cazadores, se detuvo cerca. El hombre no levantó la cabeza, que mantenía gacha, como si estuviera adormecido. Nefertiti lo interpeló para despertarlo; cuando volvió la cabeza hacia ella, le asombró ver que era muy joven. El mentón grueso aunque puntiagudo, los labios carnosos y sensuales, la cara alargada y huesuda, los pómulos salientes, los ojos grandes y rasgados, y la mirada profunda y grave constituían un conjunto de extraña belleza que la sorprendió hasta el punto de preguntarse si no habría nacido en algún país lejano.

–Perdóname por sacarte de tu sueño –le dijo–. ¿Has visto pasar a los cazadores que se dirigían al desierto?

Él entreabrió los ojos y volvió a cerrar los pesados párpados sin responder.

"En efecto, debe de ser un extranjero que no comprende mis palabras", pensó la muchacha. No obstante, no se desalentó.

–Te pregunto si no has visto pasar a unos hombres en carro, soldados de Su Majestad.

El muchacho volvió a abrir los ojos y la miró con tal intensidad que ella se sintió incómoda.

–¿Eres mudo, o no comprendes el egipcio? –exclamó–. A menos que todavía no hayas despertado completamente de tus sueños.

Una ligera sonrisa estiró los labios del joven, lo que irritó aún más a Nefertiti, que bajó del carro y se aproximó.

–Me pareces de lo más insolente. ¿Tengo un aspecto tan despreciable como para que no te dignes siquiera responderme? En ese caso, sabré muy bien enmendar tu prejuicio, aunque sea mujer.

Se mantenía derecha bajo el sol, con las piernas separadas, el pecho erguido, los puños en las caderas, y le lanzaba una mirada furiosa que, sin embargo, no parecía impresionar al joven.

–Veo armas en tu carro –dijo él entonces–. ¿Acaso pretendes ir a cazar con esos jóvenes soldados?

–Sé tirar con el arco e incluso lanzar la jabalina –replicó ella–. Pero te informo que también tengo un látigo para golpear a los insolentes.

El muchacho sonrió y meneó la cabeza.

–Admiro tu audacia. Dime algo más: ¿sabes leer?

–Sé leer y también escribir como un escriba –aseguró la joven, sorprendida por la pregunta.

Con un gesto de la mano el joven señaló una inscripción que había en la puerta del santuario. Ella descifró los cartuchos que rodeaban los nombres reales que coronaban una escena en la que se veía a dos personajes enfrentados que hacían ofrendas a dos leones de cabeza humana echados en las fachadas de unos templos. Luego leyó los jeroglíficos hábilmente grabados en la parte superior. Cuando terminó, volvió a dirigir su mirada al desconocido.

–¿Debo leerte lo que está escrito? –le preguntó, pensando que era un pobre campesino analfabeto.

–Según tu opinión, ¿de qué se trata? –preguntó el joven.

–Es el rey justificado, el padre de Su Majestad que ahora está en el gran palacio de Tebas, Menkheperure Tutmosis, el cuarto en llevar ese nombre real. Declara que un día, cuando no era más que un príncipe, se quedó dormido a la sombra de la estatua. Entonces recibió en sueños la visita de Harmakhis, el Horus del horizonte, que es Amón. El dios le declaró que era su padre y que le concedería la realeza de las Dos Tierras, que haría llover sobre él todos los bienes de Egipto y le daría una larga vida porque es el elegido del Sol, con la condición de que quitara la arena que sepultaba entonces la estatua. Y fue lo que hizo Tutmosis cuando recibió la doble corona. ¿Estás satisfecho, ahora que sabes lo que contiene esta estela? A cambio, responde a mi pregunta.

–En realidad, tú tampoco sabes leer –aseguró el muchacho.

–¿Qué dices? ¿Hace falta que te lea cada palabra, para que te convenzas? ¿Y cómo puedes hablar con tanto aplomo, tú, que no pareces capaz de descifrar ni uno solo de estos signos?

Él meneó la cabeza.

–Me gusta tu impetuosidad, pero no sabes controlar tus sentimientos. Te veo roja de indignación, cuando yo sólo me limito a esclarecer tu espíritu.

–Te burlas de mí; no eres más que un campesino y tengo muchas ganas de golpearte.

–Hazlo, si de veras crees que eso te aliviará.

–No me provoques pensando que sólo soy una muchacha, pues debes saber que no tengo miedo.

–No dudo de tu coraje; de lo contrario no estarías aquí, sola con tu carro, en pleno mediodía, sin preocuparte por las bestias salvajes ni por los beduinos y bandidos. Pero eso no impide que no sepas leer ni dominar tu alma.

–Sé leer, sé leer... Mira, ahí está escrito: "Porque mi cara te pertenece, mi corazón es tuyo, sólo tú eres mío...".

–Crees que sabes leer porque descifras los signos, pero en realidad no los comprendes. Sin embargo, consuélate, porque son pocos los mortales que saben ver las cosas ocultas, que van más allá de las apariencias y cuya mirada penetra en el mundo de los dioses disimulado detrás del mundo de los vivos, porque los vivos son en realidad muertos, y los muertos, vivos.

–¿En qué lenguaje extraño me hablas? –preguntó ella, sorprendida.

–En un lenguaje que no es el tuyo, un lenguaje que no puedes comprender. Pero tampoco el rey Tutmosis pudo penetrar el misterio, pues, en efecto, hizo retirar la arena que sepultaba al monumento divino, sin pensar qué vano era ese trabajo, que el tiempo y los vientos del desierto tardarán poco en destruir. Y de nuevo el templo quedará sepultado: porque vio con los ojos de la carne y no con los del alma.

Nefertiti se sentía tan asombrada por estas consideraciones inesperadas que se olvidó de sus primeras palabras y veía con admiración que, a medida que hablaba, el rostro del desconocido se animaba y parecía brillar con una luz interior. Se acuclilló frente a él.

–Perdóname por haberte hablado tan bruscamente –le dijo–. Tus palabras despiertan en mí algo inquietante. Quisiera seguir escuchándote.

–¿No buscas a tus amigos que salieron a cazar, a Tutmosis y a Horemheb? –replicó él entonces, con una sonrisa dulce.

–¿Cómo sabes que es a ellos a quienes busco?

Pero él, sin responder, cambió nuevamente de tema y, levantando la cabeza hacia el cielo, prosiguió:

–Recién pronunciaste el nombre de Amón. Pero, mira, allá arriba, el Sol en su barca de luz: ese no es Amón.

–Sé muy bien que cuando se encuentra en el cenit, como en este momento, es Ra con sus múltiples esplendores. Y cuando se levanta por el oriente es su hijo Khepri, y por la tarde, cuando baja en el horizonte occidental, es Atum revestido con su sudario de púrpura.

–Bien. Has nombrado las apariencias. Pero detrás de ellas se manifiesta el dios creador, cuyo nombre es Atón.

El asombro que provocaban en Nefertiti las palabras del desconocido se transformaba, a lo largo de la conversación, en una especie de fascinación. Cuando se aprestaba a responder, vio aparecer a un hombre, joven también, con el cráneo afeitado y una piel de pantera echada sobre los hombros, que revelaban su rango de sacerdote de Ra de Heliópolis. Se acercó con paso rápido, lanzó una mirada a la muchacha y, tras detenerse ante el desconocido, le dijo:

–Amenofis, te buscábamos por todas partes. Tu hermano empezaba a inquietarse, pero yo lo tranquilicé pues imaginaba que te habías retirado justamente aquí.

El desconocido suspiró; se puso de pie y se dirigió a Nefertiti:

–Sin duda tú eres Kiya…

Ella asintió, cada vez más sorprendida. Él le tendió la mano.

–Ven, te llevaremos con las personas que buscas.

Nefertiti tomó la mano firme y suave que él le tendía y se dejó acompañar hasta su carro. El joven subió a su lado, sin que ella se molestara por tanta familiaridad, y señaló al sacerdote, que había tomado a uno de los dos caballos por el freno:

–Mi compañero se llama Osarsuf.

Este último guió los caballos hasta el otro lado de la Esfinge, donde Kiya distinguió un carro enganchado a dos caballos, al que el sacerdote subió a su vez.

–¿Vienes conmigo? –preguntó a Amenofis.

–Si Kiya quiere complacerme, y si ya no me toma por un campesino al que le gustaría golpear, le pediré que me lleve en su carro.

–Con gusto te llevaré conmigo –declaró ella, sonriendo–, si no temes que te arroje del carro.

–Estoy seguro de que sabes controlar a los caballos. Sigue a Osarsuf.

Nefertiti sacudió las riendas para colocarse en las huellas del otro vehículo, que el joven sacerdote había hecho arrancar a toda velocidad. Ella se apoyaba contra la barandilla que coronaba la caja torneada del carro, mientras que Amenofis se había colocado detrás, con los brazos separados para sostenerse de ambos lados de la rampa. Lo sentía detrás de sí y, por momentos, con las sacudidas del camino, se acercaba hasta rozarla, lo cual le causaba una extraña sensación. Sin volver la cabeza, con toda su atención puesta en el manejo de los caballos, que marchaban al galope, le preguntó de repente:

–¿Eres sacerdote, como tu amigo Osarsuf?

–Ambos estudiamos en la Casa de la Vida del templo de Ra de Heliópolis, pero yo no soy sacerdote de Ra.

–¿Cómo conoces mi nombre, si nunca me habías visto?

–Horemheb me habló de ti.

–¿De qué manera?

–Halagadora, para la gente común.

–¿Quieres decir que no lo era para él?

–Todavía no lo sé. ¿Lo amas?

Esta pregunta, lanzada abruptamente, la sorprendió. Se volvió hacia él.

–¿Qué te hace pensarlo?

–El hecho de que estés aquí. No habrías venido de tan lejos si no sintieras algo por él.

–Ese hermano al que Osarsuf hizo alusión, ¿es él? –preguntó ella.

–No, mi hermano es Tutmosis. Es un año mayor que yo.

–Se parecen muy poco.

–¿Me parezco más a Horemheb?

–En absoluto. Sinceramente, cuando te vi no pensé que fueras egipcio. No te pareces a nadie.

–Tampoco tú te pareces a nadie, y también se podría creer que no eres de la Tierra Negra.

–Mi madre era de Naharina.

–Lo sé.

–¡Ah! De veras pareces saberlo todo... tanto sobre mí como sobre los dioses –agregó con un toque de ironía.

Sin prestarle demasiada atención, él contestó:

–Eso también es sólo una apariencia. ¿Sueles matar animales?

La forma en que pasaba de un tema a otro, sin duda para no responder ciertas preguntas o para poner fin a una conversación cuyo giro no apreciaba, la desconcertaba.

–A veces, pero no me gusta matar animales.

–Eso es bueno. Los seres humanos y los animales son todos hijos del dios creador. Su espíritu también está colmado por la vida divina... Mira, allá están.

Habían llegado a la cima de una colina baja desde la cual dominaban las rubias extensiones desérticas que se extendían hasta el horizonte infinito. Al pie, vieron tres carros, cada uno tripulado por un solo hombre, que marchaban despacio uno junto a otro. Osarsuf azuzó a sus caballos. Nefertiti sacudió las riendas y chasqueó la lengua; el carro, que había disminuido la marcha, corría ahora a toda velocidad. Cuando frenó a los animales y se detuvo cerca de los tres cazadores, notó que el rostro de Horemheb se ensombrecía, sin duda al verla acompañada por Amenofis. Pero de inmediato sonrió y la saludó con naturalidad.

–Hanis es mi amigo –le dijo enseguida, señalando al tercer cazador, un muchacho robusto y alto que daba la impresión de no temer nada ni a nadie.

–¿No te sorprende verme aquí? –le preguntó Nefertiti.

–Ya nada que provenga de ti me sorprende –respondió Horemheb.

–Esta cacería puede ser peligrosa –advirtió Tutmosis–. Hemos encontrado huellas de leones.

–Mejor. Resultará más apasionante –replicó Nefertiti. Se volvió hacia Amenofis y agregó–: Quédate conmigo; seré tu cochero. Ya has visto que sé dirigir bien mi carro. Mi padre me enseñó a manejarlo hasta con las riendas atadas a la cintura, para mantener las manos libres.

–Admiro que tu padre te haya educado como a un varón.

–Como al varón que le hubiera gustado tener. También por eso me enseñó a leer y a escribir.

Continuaron camino, con la mirada fija en el horizonte. Horemheb fue el primero en distinguir una manada de antílopes; de inmediato lanzó sus caballos al galope, seguido por los otros carros. El de Nefertiti, a causa de la doble carga, quedó detrás. Como ella azuzaba a los caballos para que aceleraran el paso, Amenofis la tomó por un brazo y, con ese movimiento, se apretó contra ella.

–Deja que se adelanten –le dijo, elevando la voz para dominar el ruido de las ruedas y los cascos sobre el suelo duro.

–¡Claro que no! –replicó ella, agitando las riendas–. Quiero demostrar a esos buenos guerreros que una muchacha puede darles ventaja en la cacería.

–Es inútil que nos muestres tu audacia. Me molestaría que mataras a alguna de esas hermosas bestias. Odio la caza y la guerra; hay que evitar matar. El dios creador nos dio su poder para crear y engendrar, pero somos nosotros quienes nos hemos atribuido el de matar; no nos corresponde robar vidas.

–Sin duda, Amenofis –admitió ella, al tiempo que reducía el paso de los caballos–, pero la vida se nutre de vida, y si uno no se defiende de sus enemigos se convierte enseguida en su presa. ¿No nos dieron acaso el ejemplo Sekhmet y la diosa lejana, que en su cólera había emprendido la destrucción de la humanidad? Y Su Majestad en persona, cuando combate en su carro, ¿no destruye a los enemigos de Egipto? ¿No es acaso una guerra justa?

–No hay guerras justas, Kiya. Hay que condenar cualquier guerra, pues incluso los enemigos del faraón son humanos, y su vida les pertenece.

Sorprendida por estas consideraciones, Nefertiti había dejado que los caballos marcharan al paso. Se volvió hacia él; sus rostros se encontraron tan cerca que sintió el aliento del joven en su frente.

–Ameni –le dijo–, tú puedes hablar así porque eres un hombre común. Si fueras el rey, nunca podrías hacer coincidir tus actos con tus pensamientos sin riesgo de conducir tu país a la ruina y arrojarlo como pasto a los bárbaros, a los asiáticos que sólo sueñan con invadir la Tierra Querida.

Él la miró con tal intensidad que ella tuvo que volver la cabeza.

–Nefertiti, yo no soy un simple hombre. ¿Has oído alguna vez hablar a alguien así, como yo lo hago contigo?

–Nunca antes, pero ya mi padre me había hablado de Atón, que adquirió rango en la corte de Su Majestad.

–Sin embargo, todavía no se lo ha reconocido.

A lo lejos, los otros cazadores acorralaban a los esbeltos antílopes. Horemheb, que iba a la cabeza, atravesó con una jabalina a un animal en plena carrera. A su turno, Hanis, cuyo vigor le permitía

lanzar muy lejos su arma, derribó a otro en el instante en que saltaba tratando de evitar el sombrío color.

–Mira –prosiguió Amenofis–, ¿no es un acto abominable golpear
a esas bestias apacibles que los dioses han hecho hermosas para de-
leite de sus ojos?

–Sin duda, y mi corazón también siente dolor. ¿Pero cuántos de
esos animales perecen bajo las garras de los leones?

–Si el dios nos dio un alma que comprende las cosas de la vida y
la muerte, ¿no es justamente para diferenciarnos de las fieras incapa-
ces de ver? Si no, ¿de qué nos sirve poder discernir el bien del mal y
diferenciar entre la vida y la muerte?

–¿Acaso no se sacrifican animales salvajes en los altares de los
dioses? ¿Y acaso no les son agradables esos sacrificios, puesto que les
permiten sustentarse y renovar el mundo cada día?

–Esa es una creencia vulgar, ya que, en realidad, el dios no necesita sacrificios. De lo contrario, no sería un verdadero dios, pues el
mundo le pertenece y la vida le pertenece. La vida es su verdad,
mientras que la muerte es mentira e ilusión. El dios vive de la vida,
no de la muerte, y toda vida es su propia realidad. Derramar sangre,
soporte de toda vida, es para él una abominación.

Así le habló durante largo rato y, cuanto más develaba su pensamiento, más admiración sentía ella por aquel hombre que, aunque
muy joven, apenas un poco mayor que ella, daba pruebas de una
profunda sabiduría.

Los cazadores se habían detenido a recoger las presas, que arro-
jaron en sus carros. Horemheb regresó hacia Nefertiti con una sonrisa de triunfo en los labios y la mirada resplandeciente de orgullo por
sus proezas. Creía seducir a la muchacha, pero se afligió al ver que
ella lo recibía con frialdad y lo felicitaba con tono irónico.

–En verdad, Horemheb, tú y tus amigos son guerreros valientes
y admiro que con tanto coraje hayan enfrentado a bestias tan peligrosas, monstruos ante los cuales habrían temblado los cazadores
más intrépidos.

–Kiya –replicó él, herido en su amor propio–, ¿por qué te muestras de pronto tan despectiva? Habríamos atacado del mismo modo
si hubieran sido leonas cazadoras. No es coraje lo que se necesita, sino un gran dominio de nuestros caballos y, sobre todo, suma habilidad para lanzar la jabalina. En cuanto a la audacia, que Su Majes-

tad nos señale a los enemigos de Egipto, ya sea el vil libio o el vencido de Nubia, y sabremos demostrar que tampoco carecemos de ella.

–Horemheb habla con la sabiduría de Ptah en la lengua y la fuerza de Sekhmet en el corazón –declaró a su vez Tutmosis–. La caza es un entrenamiento para la guerra. Algún día verás a Horemheb a la cabeza de los ejércitos de Su Majestad, y sabrá mostrar al asiático el sombrío color, como lo hicimos con estos ágiles animales del desierto. –Levantó la cabeza hacia el cielo y agregó–: El sol baja rápidamente hacia el occidente. Regresemos con nuestro botín; otro día buscaremos a los leones.

Capítulo VI

Sentada a la tibia sombra de un bosquecillo de perseas, Nefertiti soñaba, con un laúd apoyado sobre las rodillas y Nebet echada a su lado. Su mirada se perdía más allá del gran estanque ubicado en el fondo del jardín. Sobre el agua, apenas ondulada por un viento ligero, parecían nadar unas anchas ninfeas, refugio de ranas y arañas acuáticas. Todo alrededor, datileras y palmeras, tamarindos y azufaifas, acacias y moringas formaban una corona temblorosa que ocultaba de las miradas los campos desplegados hasta las ondas leonadas del desierto.

Gritos y risas que prorrumpían a sus espaldas la despertaron de su ensoñación. Mutnedjemet se acercaba en compañía de tres amigas de su edad; las jovencitas saludaron a Nefertiti y después, sin más, se despojaron de sus vestidos livianos y se zambulleron en el agua tibia por el sol, que desde la mañana bañaba en ella su cabellera de luz.

–¡Ven a nadar con nosotras, Kiya! –exclamó Mutnedjemet, salpicando a sus camaradas.

Nefertiti se volvió sin responder; la turbulenta irrupción de su hermana en su mundo interior la importunaba, porque se había retirado a aquel lugar para gozar de una soledad propicia a sus pensamientos. No conforme con ir a buscarla, su hermana había llevado a sus vecinitas, hijas de escribas y administradores de la hacienda, en quienes encontraba compañeras de juego menos caprichosas e imperiosas que Kiya.

Se dispuso a levantarse para refugiarse en el pequeño pabellón de esbeltas columnas, semejantes a altos papiros con capiteles ensanchados, construido en el extremo del pequeño lago, adonde a su padre le gustaba retirarse. Pero entonces vio que aparecía Horemheb bajo la bóveda de palmas. La inesperada visita la contrarió, en lugar de alegrarla; atribuyó esta extraña reacción a la presencia de su hermana y sus amigas. No obstante, quiso ponerle buena cara y le sonrió cuando él se detuvo frente a ella y, tras saludarla, le dijo:

–Mira, logré liberarme de todas mis obligaciones para pasar en tu compañía el fin de esta hermosa jornada. Esto es para ti: aún cargan el perfume de la suave brisa del norte.

Le tendió un ramo de flores: buganvillas, lotos azules, adormideras, acianos y enredaderas, mezclados con arrayanes y hojas de sauce. Nefertiti lo tomó, le agradeció y acercó el ramo a la nariz, mientras él se sentaba a su lado.

–Tu nodriza, Ti, es una verdadera oca, un temible perro guardián –comentó Horemheb, riendo–. Me costó mucho llegar a ti. Parecía muy decidida a impedir que me acercara, pero yo estaba aún más decidido a romper su barrera.

–Ti siente celos de todos los que se me acercan –respondió Nefertiti, aunque sin aclarar que la mujer actuaba así para defender los derechos que su hijo, Nakhtmin, pretendía tener sobre ella.

–Está bien que te proteja. Tu belleza es tanta que todos los muchachos de la vecindad deben de acosar tu vivienda.

Ella no intentó desengañarlo; se limitó a sonreír, aspirando el perfume de las flores.

–Me hubiera gustado ver a tu padre –prosiguió él después de un silencio, mientras apoyaba una mano en el hombro de la muchacha, redondeado y liso como un pétalo de flor de loto.

–¿Para decirle qué? –se sorprendió ella.

–¿No lo adivinas?

–¿Cómo podría saberlo?

–Debemos partir con nuestra tropa de carros hacia las minas del desierto oriental para defenderlas de las bandas de nómadas, viles asiáticos que se han atrevido a robar los bienes de Su Majestad.

–Esa es la tarea de los soldados.

–No pareces muy impresionada.

–Debo alegrarme por ti. ¿No es acaso en la guerra que un oficial merece las recompensas distribuidas por el rey?

–También puede perder la vida.

–¿Será una empresa peligrosa?

–La guerra siempre es un juego peligroso, incluso contra adversarios miserables, ratas que se esconden en los agujeros del desierto

cuando aparecen los valerosos soldados del faraón. Tutmosis co-
mandará la tropa, y yo seré su teniente.

–Regresarás cubierto de gloria.

–Cuento con ello. Pero, antes de partir, quiero pedirte que seas
mi esposa, la dueña de todos mis bienes.

–Horemheb, tu pedido me halaga, pero nos conocemos muy
poco.

–¿Qué importa, si nos amamos? Yo te amo, y tú no te has mostrado indiferente. Si no, no habrías actuado como lo has hecho y no
habrías ido a buscarme hasta el desierto en que cazábamos.

–No niego que has confundido mi corazón –admitió ella.

–¿Solamente? Me parecías más apasionada cuando estábamos en
los pantanos. Creía que mi pedido sería recibido con un poco más de
entusiasmo.

–¡Es que me tomas por sorpresa! Una decisión tan rápida, tan
inesperada...

–Quiero que seas mía antes de que parta. Corro el riesgo de estar mucho tiempo ausente y no quisiera que, mientras tanto, algún
otro ocupe mi lugar.

–Horemheb, ¿qué importa cuánto dure la separación? Si el amor
del ausente está profundamente arraigado en el corazón, nada podrá
arrancarlo. No será un compromiso ante los hombres lo que vaya a
afirmar un amor vacilante.

–¿Así es para ti? Yo, por mi parte, sé que la gran llama de la Dorada arde tan intensa en mi pecho que ni siquiera una larga separación podría extinguirla. Pero a ti... ¿te ocurre lo mismo?

–No lo sé... Lo que siento por ti es tan joven, tan nuevo, que todavía no puedo medir su intensidad. Conviene dejar que se afirme,
que se desarrolle. Sólo entonces podré pronunciarme.

Tomó el laúd e hizo vibrar las cuerdas con sus dedos finos, semejantes a tallos de loto. Horemheb, a su lado, le acariciaba el hombro, luego el brazo. Nefertiti debería haberse sentido colmada, feliz
como cuando se habían encontrado en el bosque de papiros; sin embargo, aquella esperada alegría no la invadía totalmente, pues la
imagen de Amenofis se interponía, la perturbaba hasta lo más profundo de su ser.

–¿Qué es lo que debe afirmarse? –reclamó Horemheb–. ¿Acaso
no nos amamos desde que nuestros ojos se encontraron? ¿No brilla-

ba en lo alto de tu pecho la gran llama de Hathor la Dorada cuando escapaste de tu hogar para refugiarte en los pantanos con el propósito de no alejarte de mí? ¿No me diste entonces la prueba de amor más certera que una mujer puede conceder a su bien amado?

–Quizá me apasioné demasiado deprisa. ¡Tengo tan poca experiencia del mundo! Aquí sólo conozco a toscos campesinos que no podrían agradar a mi corazón.

–¿Ya te arrepientes de tu primer gesto de entrega? No, Kiya, no puedo creerlo. Mira, estoy dispuesto a enfrentar cualquier cosa por tu amor. Si así lo quieres, me convertiré en primer general de Su Majestad; llevaré sus armas hasta los confines de Nubia, hasta los grandes ríos de Babilonia, para conquistar una gloria inmortal y todos los tesoros de Kush y de Damasco, de Tiro y de Babilonia, y los depositaré a tus pies.

Se expresó con tanto entusiasmo que ella no pudo sino sonreír al mirarlo.

–Horemheb –dijo con un suspiro–, no deseo ni el oro de Nubia ni la púrpura de Siria. Además, esos tributos serán del faraón; no serás tú su dueño. Debes saber que mi corazón aspira a otros tesoros, tesoros que no se pesan en las balanzas de los orfebres.

–Estoy dispuesto a ofrecerte todos los tesoros que pueda desear tu corazón.

–Son tesoros que no se conquistan a punta de lanza, al contrario… –Dejó caer el laúd sobre sus rodillas y levantó los brazos hacia el cielo radiante.– El oro del alma –continuó– es el brillo del sol; se lo consigue mediante la unión con Atón, amo del universo, fuente de toda vida.

Su rostro, de frente al sol, parecía cincelado de luz como una joya preciosa, radiante como el oro puro de Nubia. Horemheb la contempló un instante. Un gran silencio los separaba, apenas perturbado por las risas de las adolescentes, que habían nadado hasta el extremo opuesto del estanque.

–Ya sé de dónde proviene tu confusión –declaró Horemheb al fin, con voz grave.

–Estoy prendada del sol. Mi corazón adora a Atón –repuso Nefertiti.

–Es exactamente lo que podía temer –exclamó él, apretando el brazo de la muchacha, con furia mal contenida–. No me equivocaba al sentir que los celos de Seth se apoderaban de mi corazón cuando, el otro día, te vi aparecer en tu carro acompañada por Amenofis. Estaba pegado a ti, tan cerca que parecía que te abrazaba. Y tú... tú estabas feliz, y ya no me veías.

Ante esta evocación, la muchacha, ruborizada, volvió la cabeza.

–Sí –prosiguió Horemheb–. Supo seducirte con sus locas palabras, palabras enigmáticas que entraron en tu corazón como flechas con punta de bronce. Tutmosis me lo repitió varias veces: su joven hermano perdió el sentido común, es como esa gente poseída por algún demonio desconocido que se comporta como loca en toda ocasión.

–No, Horemheb, no es un demonio lo que habita en él, sino un dios. Sí, un dios. Ve más allá de las cosas sensibles, su alma es el espejo de la belleza de Atón.

–¡Por Amón, Señor de la Persea! –exclamó Horemheb, al tiempo que le apretaba el brazo con más fuerza–. ¿Habrán bastado tan cortos instantes junto a él para que te contagiaras su locura?

–¡Suéltame! ¡Me lastimas! –protestó ella, y se liberó con un gesto brusco.

Se incorporó de un salto. El joven se levantó al instante e intentó abrazarla, pero ella lo rechazó con vehemencia.

–¡Calla! Tus palabras me hieren. Debes saber que lo que tú llamas locura no es otra cosa que iluminación del alma.

Tan deprisa como se había dejado llevar por la cólera, Horemheb recuperó la calma y echó a reír.

–¿Son mis palabras las que tanto te divierten? –preguntó Nefertiti.

–De pronto pienso que serás una buena discípula, pero lejana.

–¿Qué quieres decir?

–¿De quién estás prendada: de Amenofis o de sus ideas?

Ella dudó, sorprendida por la pregunta, antes de responder:

–No sé... De sus ideas, sin duda...

Le resultaba difícil reconocer que, en tan poco tiempo, se había dejado seducir por aquel hombre que no era más que un desconocido.

–Eso le gustará. Serás su primer prosélito, junto con Osarsuf. Felizmente, serán sus únicos partidarios.

–¿Tú qué sabes? Pareces muy seguro de ti mismo.

–Su hermano está decidido a hacerlo encerrar en el templo de Amón, donde le enseñarán la verdadera sabiduría.

–¿Con qué derecho Tutmosis podría actuar de ese modo? Supongo que ambos tendrán padre y madre, cuyas decisiones prevalecen sobre las de Tutmosis.

Mientras hablaban, se dirigían a paso lento hacia el pabellón. Nefertiti, absorta en sus pensamientos e interrogaciones, le había permitido la libertad de sujetarla por la cintura y conducirla por los escalones que llevaban al único recinto del cenador.

–Es cierto que su padre es un hombre débil e indolente que deja que su esposa lo decida todo –reconoció Horemheb–. Amenofis es el preferido de la madre, que lo alienta en sus locuras. Pero pronto llegará el día en que Tutmosis tendrá todo el poder para aislar a su hermano y dejarlo solo con sus sueños insensatos.

–Amenofis ya no es un niño. No veo cómo su hermano podría obligarlo a encerrarse en el templo de Amón, o incluso en el de Ptah, del que parece ser el gran sacerdote.

Se habían detenido en medio del cenador, cuyo piso estaba cubierto de alfombras y cojines. La construcción daba al lago por una ancha abertura ornamentada con dos frágiles columnas. Horemheb tomó a Nefertiti de la mano.

–Qué lugar tan agradable... muy propicio para los enamorados.

Se sentaron entre los almohadones, pero cuando él quiso besarla, ella lo rechazó sin delicadeza.

–No has contestado a lo que dije –le reprochó.

–Es posible. ¿Estamos aquí para hablar de Amenofis, o para hacer lo que agrada a Hathor y a los amantes cuando vuelven a encontrarse después de una separación?

–Podemos hacer las dos cosas. Comienza por decirme cómo ese Tutmosis podrá imponer su voluntad a su hermano. Porque, en realidad, Amenofis no es un chiquillo.

–Todos somos chiquillos ante la voluntad del rey.

–El rey es el dios bueno ante el cual nos prosternamos. Pero Tutmosis no es el rey que está sentado en el trono de las Dos Tierras.

–Pues te informo que se acerca el día en que Tutmosis reinará en la gran ciudad del Sur, porque es el hijo de Su Majestad Nebmare Amenofis. Y su propio hermano... o, mejor dicho, su medio hermano, ya que Tutmosis no nació de Tiyi, sino de otra mujer... será entonces su humilde servidor.

Nefertiti le dirigió una mirada llena de estupor. Como él la contemplaba sonriente, encantado por el efecto que había provocado, ella dijo con voz dubitativa:

—¿Qué estás diciendo? ¿Es cierto que Tutmosis es el príncipe heredero?

—Te hablo con la boca de Maat, diosa de la verdad. ¿No sabes, acaso, que todos los príncipes herederos son educados en Menfis, donde aprenden a comandar a los soldados de Su Majestad? Por supuesto, dejan que la gente común ignore su naturaleza divina, que sólo conocen algunos íntimos; por eso no se los ve rodeados de todo el respeto y la pompa que requiere su rango.

—¿Entonces Amenofis y Tutmosis son los hijos de Su Majestad, el rey bueno?

—Tú lo has dicho. ¿Comprendes ahora por qué las ideas de Amenofis resultan locas y peligrosas en el corazón de un hijo real, de un hombre por cuyas venas corre la sangre de Ra y de Osiris?

Ante semejante revelación, la muchacha se sintió mareada, a punto de desfallecer. ¡Entonces el hombre que casi la había tenido en sus brazos era el hijo del faraón, y bastaba que la muerte se apoderara de su hermano para que se convirtiera en el futuro amo de Egipto! Y ella, la simple hija de un escriba, se había atrevido a tratarlo de campesino y hablarle con una arrogancia que de pronto le pareció un sacrilegio. ¿No debía temer su cólera? ¿Qué podía él pensar de ella? La sola idea le provocaba dolor en el pecho. Apenas se percató de que Horemheb la había acostado entre los almohadones y le decía:

—Mírame, soy Horemheb, el favorito de Tutmosis. Se dirige a mí como a un amigo y me prometió que, una vez que esté sentado en el trono de las Dos Tierras, me confiará el mando de todos sus ejércitos para que haga conocer su poder a todos los pueblos del Gran Círculo y los reyes tiemblen al oír su nombre. Todo esto se lo referí a tu padre, Ay; por eso no te reprochó tu huida y te permitió verme tanto como quieras. Porque, en el fondo de su corazón, espera que te despose, para así convertirse en el suegro del hombre más poderoso del imperio después de Su Majestad. Y sobre ti recaerá mi gloria, y tú serás la mujer más respetada de la Tierra Negra después de la

Gran Esposa Real, Tiyi, y de la reina, la esposa de Tutmosis. Porque el príncipe ha sido unido a su hermana, la princesa Satamón, que será a su vez la Gran Esposa Real cuando Tutmosis lleve la doble corona. Y te digo que esto no demorará, pues Su Majestad ya casi no desea gobernar; sólo le interesa vivir cómodamente entre sus concubinas y todas las mujeres del harén, en el gran palacio que se hizo construir frente a Tebas, en la margen occidental del Nilo, el bello palacio de Djarukha. El rey ya no disfruta de las cacerías, que fueron la gran pasión de su juventud. El único deseo que guarda su corazón es vivir en el placer, rodeado de cosas bellas y el amor de mujeres bonitas. De modo que ha decidido elevar al trono a su hijo mayor cuando regrese de su campaña contra el vil beduino, y le cederá las riendas del imperio para que se haga cargo de los deberes de la realeza, tan penosos para un alma delicada y voluptuosa, pero tan agradables para un hombre ambicioso y enérgico.

Mientras así hablaba, con una suerte de fiebre comunicativa, Horemheb había abierto el vestido de Nefertiti y le cubría el torso de caricias, que ella recibía con una pasividad cercana a la indiferencia.

–¿No crees que un dios favorable ha hecho que nuestros caminos se cruzaran? –prosiguió él–. ¿No estás orgullosa de ser amada por un hombre que espera un destino tan elevado? Muchas mujeres querrían secretamente estar en tu lugar, y sé que muchas te envidiarán en la corte de Tebas.

En otras circunstancias, estas consideraciones desbordantes de fatuidad habrían provocado en Nefertiti una reacción de ira y desprecio. Pero se sentía tan agobiada por aquella revelación, que abría entre ella y Amenofis un abismo tan profundo, que permanecía inerte, con el alma paralizada por un entumecimiento que la invadía por completo. Apenas si se dio cuenta de que él se había acostado sobre ella, y cuando lo sintió dentro, cerró los ojos, poseída por un profundo desagrado.

Capítulo VII

Amenofis avanzó con paso firme por la galería rodeada de esfinges con cabeza humana que conducía al gran templo de Ra de Heliópolis. Se detuvo un instante en el umbral del vasto patio, entre los dos imponentes pilones de muros inclinados que formaban la majestuosa fachada del conjunto arquitectónico. Durante esa breve detención, quedó un momento ensimismado y luego levantó los ojos hacia el cielo, donde brillaba el sol en su cenit. Antes de enfrentar el gran misterio y conocer la naturaleza real de los dioses y los humanos, le parecía necesario prepararse hasta último momento, impregnarse de la manifestación luminosa del dios.

Bajo los pórticos que rodeaban el patio estaban de pie los sacerdotes del Sol, vestidos con estrechas túnicas blancas. Cada uno sostenía una palma, que agitaba con movimientos lentos y silenciosos. Amenofis subió los escalones que llevaban a la explanada que precedía el umbral del santuario. Allí se encontró solo ante la alta puerta de bronce, cuidadosamente cerrada sobre los misterios del más allá. Por un instante permaneció inmóvil, como detenido en el tiempo; después levantó el puño y golpeó tres veces contra el panel de bronce moldeado y cincelado por hábiles artesanos.

Entonces, con suave lentitud, hizo girar la puerta sobre sus goznes, sin ruido, en el más profundo silencio.

Frente a Amenofis había un hombre, un sacerdote puro, con el cráneo afeitado, el cuerpo depilado y ataviado con una larga túnica de una blancura resplandeciente: Osarsuf. A su derecha y a su izquierda había otros dos sacerdotes, guardianes de las puertas. Entonces Osarsuf preguntó:

–¿Quién es el que se presenta en la puerta del santuario de Ra? ¿Quién se aproxima a Osiris? ¿Quién avanza hacia esta alma? ¿De

dónde viene el que quiere ir hacia esta alma, oculta bajo una elevada colina, lugar secreto que no se conoce?

–Ábreme, ábreme –respondió Amenofis–. Soy en verdad un alma
que sabe guardar el secreto, un servidor del templo de Ra. Ábreme;
conozco la fórmula mágica. En todas las cosas secretas fui iniciado, y
no las he revelado a los profanos. Quiero acceder al conocimiento supremo, al conocimiento del gran secreto, que guardaré en mi lengua
como un sello.

–Entra, entra con el corazón puro, con el alma pura.

Amenofis dio unos pasos y a sus espaldas los dos sacerdotes em-
pujaron la puerta, que golpeó los marcos. El bronce resonó en la sala de altas columnas semejantes a inmensos tallos de papiro, por
completo cubiertas de signos sagrados que conservaban el recuerdo
de la vida terrenal del dios, amo del santuario. Era una sala similar
a aquellos bosques primordiales que cubrían la Tierra Negra en los
lejanos días de la creación, en aquellos días en que los dioses se hallaban solos en el universo, antes de que estuvieran el hombre y la
mujer, antes de que existieran los animales que pueblan las aguas,
los aires y la tierra.

Amenofis dijo entonces:

–Para mí se abrieron las puertas del cielo, para mí se abrieron las
puertas de la Tierra, para mí se abrieron los cerrojos del dios Gueb.
El que me retenía me ha desatado.

Osarsuf avanzó entre las columnas, las columnas que sostienen
el cielo. Amenofis lo siguió hacia el extremo de la sala, hasta el umbral del santuario que cerraban dos batientes de madera de ébano
con incrustaciones de oro en forma de estrellas.

–Vas a introducirte en el centro de la tierra –declaró su guía–.
Gueb, que es el alma de la tierra, se entreabre para ti.

Las puertas se abrieron a la noche oscura. Amenofis cruzó el umbral; detrás de él volvieron a cerrarse las dos pesadas hojas y sobre
ellos se abatieron las tinieblas, la noche oscura los poseyó como la
muerte que sorprende al alma, el alma que sale del cuerpo en el último suspiro de la vida terrenal.

Entonces se elevaron sonidos misteriosos, vibraciones de arpas
semejantes a llamados de muertos, a los que se mezclaron gemidos
y gritos lentos. De pronto se encendió en el corazón de la noche un
resplandor vacilante, seguido por otra luz similar, y otra, y otra más.

Unos sacerdotes que portaban antorchas avanzaron en procesión. De su pecho brotaban sonidos graves y profundos que se prolongaban y se extendían en ecos, adquirían formas múltiples, cada vez más armoniosas, hasta convertirse en una salmodia de sinuosos impulsos.

Amenofis los vio acercarse con medida lentitud, en dos hileras. Los primeros se detuvieron ante él; en la penumbra del resplandor de las antorchas parecían una serpiente luminosa, una larga serpiente similar al mítico Apofis, el dragón que venció al Sol en su lucha eterna. La serpiente se desgarró en dos partes, todo a lo largo, y en la galería luminosa así formada Amenofis vio avanzar a Anubis, con su cabeza negra de chacal, el dios que está en la montaña, el que introduce las almas en el imperio de Osiris. Llegó hasta Amenofis, le tomó la mano, regresó caminando hacia atrás y lo llevó hasta la tercera puerta; los acompañaban los sonidos de las arpas y las salmodias de los sacerdotes.

Cuando cruzaron la tercera puerta, callaron los cantos y calló la música. Se encaminaron hacia la negra noche de la muerte, penetraron en el silencio de la muerte, descendieron hacia el corazón de la tierra.

Amenofis sentía en su mano la mano del dios, e iba a ciegas, siguiéndolo con total confianza, pero su corazón latía cada vez más rápidamente porque sabía que se acercaba a la antesala del inefable misterio. Entonces se elevó un murmullo: Anubis, conductor de las almas, le habló en las tinieblas, pronunció las palabras sublimes que sólo puede oír el iniciado y, cuando calló, Amenofis exclamó:

–Conozco al dios que reside en el hombre.

Dos veces repitió estas palabras, y luego Anubis dijo:

–Para ti, para ti se abren las Puertas, las Puertas del horizonte del Otro Mundo.

Las hojas de la cuarta puerta giraron sobre sus goznes.

En una luz difusa, impalpable polvo de oro, estaban los dioses, rígidos e hieráticos. Amenofis conocía a cada uno, y conocía sus símbolos. Thot, con cabeza de ibis, el amo de las secretas escrituras; el halcón Horus, protector de las coronas; Khnum, el creador, con el disco solar posado sobre su cabeza de carnero; Ptah de Menfis, en su estrecho sudario; Seth, el dios rojo con rostro de lebrel; y también Amón el tebano, con la cabeza adornada de largas plumas; Amón, que pretendía ser el amo de los dioses; y todos los otros dioses de Egipto, las diosas, sus hermanas y sus esposas: la guerrera Sekhmet, con cara de leona; Nefthis, el ama del castillo, con alas de buitre; Isis, diosa del trono, la gran hechicera; Sekhet, con la cabeza adornada por un escorpión de oro; Maat, encarnación de la verdad y la justicia, y Hathor, con sus cuernos de vaca, Hathor, señora de la belleza, la que preside los destinos de los vivos, la que recrea la vida eternamente por medio de la llama del amor que enciende en los corazones.

Ante Amenofis se presentó el Maestro de los Misterios, el Gran Vidente que conoce todos los secretos de Ra. Sostenía la azuela sagrada, con la que tocó la boca y los ojos de Amenofis mientras pronunciaba estas palabras:

–El encargado de abrir las puertas del cielo te abre la boca y te abre los ojos en la noche divina.

Amenofis se inclinó y, cuando volvió a enderezarse, vio ante él a la diosa Maat, resplandeciente de belleza, que se acercó a él, apoyó la boca contra sus labios y declaró:

–La verdad está en tu lengua. Estás justificado.

A su turno, Amenofis proclamó su justificación:

–Penetré en Maat; ella es la armonía del mundo. Llevo a Maat en mi corazón, soy dueño de Maat.

Entonces surgieron de la oscuridad los sacerdotes, que llevaron a Amenofis hasta un estanque que se abría en el suelo; los reflejos de sus vestimentas claras en el agua negra semejaban espectros provenientes de un mundo infernal. Amenofis sintió una extraña perturbación; permaneció inmóvil un momento, inclinado sobre el estanque. Después, con gestos lentos, se despojó del taparrabos y de todas sus joyas, para quedar desnudo como el día de su nacimiento a la vida terrenal. Bajó al estanque por unos estrechos escalones. Al tocar el agua se estremeció, pero se sumergió en lo más profundo de su centro.

Cuando salió, un sacerdote le secó el cuerpo, otro lo ungió con aceites perfumados, un tercer servidor de los dioses le colocó una túnica blanca y un cuarto le entregó un báculo con incrustaciones de hilos de oro.

Amenofis, de pie ante el Gran Vidente, el Maestro del Misterio, dijo:

–Me he sumergido en estas aguas en las que se baña Ra cuando se ha quitado sus vestimentas en el oriente del cielo. He sido ungido con precioso aceite de pino y he vestido la túnica de lino puro. En mi mano está el báculo de madera divina.

–Puedes ir, eres puro –respondió el Gran Vidente.

Amenofis avanzó hacia la quinta puerta, junto a la cual se hallaban los dioses. Seth y Horus se alzaron ante él, guardianes de la puerta.

–¿Adónde vas? ¿Adónde vas? –le preguntaron.

–Voy por el camino que conozco, hacia la Isla de los Justos.

–¿Qué es? ¿Qué es?

–Es el camino que sigue Atum cuando avanza hacia el bello occidente, allí donde moran los Bienaventurados.

–¿Qué sabes? ¿Qué sabes?

–Sé lo que conoció Siá y los secretos iniciáticos del Gran Vidente.

–Puedes pasar, puedes pasar.

Pasó la quinta puerta. En una sala estrecha había un sarcófago, el lugar santo en el que yacía Osiris, que reina en el mundo de los muertos y en el mundo de los vivos. El dios de rostro verde, acostado en el féretro, parecía muerto, pero estaba vivo. Isis, hermana y esposa de Osiris, fue la primera en seguir a Amenofis y pronunció estas palabras misteriosas:

–Cofre secreto, secreto. Cofre escondido, escondido. Que no se conoce, que no se conoce, jamás, jamás.

Amenofis no respondió nada pero pensó que ese dios y su imperio de muertos no eran más que ilusión, que ilusión. Se le acercó el Gran Vidente, que le habló largo rato al oído y le hizo conocer la verdad que no puede revelarse, que ningún profano puede oír ni ver.

Se detuvieron en el umbral de la sexta puerta y el Gran Vidente habló así:

–Yo era el Todo cuando estaba solo en el Nun, el Océano Primigenio. ¿Quién soy?

–Eres Ra en su gloriosa aparición –respondió Amenofis.

–Soy el dios grande que por sí mismo vino a la existencia, que a sí mismo se engendró. ¿Quién soy?

–Eres Ra.

–Soy aquel al que ninguno de los dioses puede oponerse. ¿Quién soy?

–Eres Ra cuando aparece en el cielo oriental.

–A mí me pertenece el ayer y conozco el mañana. ¿Quién soy?

–Ayer es Osiris, mañana es Ra.

–Soy la cara oculta de las cosas, el innombrable, el que reviste mil formas y que es único.

–Conozco su nombre pero no lo pronunciaré. Se manifiesta bajo la forma del disco solar cuando ha subido en el horizonte y entonces su nombre es Atón.

–Por la puerta santa puedes salir a la luz.

Con estas palabras el Gran Vidente abrió la sexta puerta. El umbral fue invadido por la luz resplandeciente del sol en su cenit, que inundaba un estrecho patio rodeado de pórticos. Amenofis parpadeó y alzó la mirada al brillante cielo.

–¡Yo te saludo, amo del Universo! –exclamó.

Entonces el Gran Vidente dijo:

–Su disco solar es tu disco solar, sus rayos son tus rayos, sus coronas son tus coronas, su belleza es tu belleza, su perfume es tu perfume, su trono es tu trono, su herencia es tu herencia, su saber es tu saber, nunca muere y tú nunca morirás.

–Nunca, nunca. ¡Mía es la eternidad! –exclamó Amenofis con exaltación.

El Gran Vidente lo miró un instante en silencio; luego lo tomó por el brazo y lo condujo al fondo del patio, bajo el umbral de la séptima puerta.

–Vamos –dijo–. Detrás de esta puerta te será revelado el último misterio. Allí pasarás la noche para que recibas la iluminación de dios.

Capítulo VIII

Nefertiti estaba sentada en la proa del barco, a la sombra del ligero resguardo de madera y caña destinado a proteger a los pasajeros de los ardores del sol y permitirles contemplar con comodidad las márgenes verdosas del Nilo. Era una larga nave de madera cuyo casco pintado, de elegante curvatura, se levantaba en cada extremo. La joven había visto a menudo embarcaciones similares y desde su primera infancia soñaba con navegar por el río a bordo de un barco como ese, tan hermoso, tan estable que, impulsado a vela o a remo, surcaba las aguas con una celeridad que la maravillaba, porque cuando se trataba de cruzar de una orilla a la otra, sólo se utilizaban pesados transbordadores capaces de cargar carros y caballos, o bien simples barcazas de pasajeros amarradas todo a lo largo de las márgenes, a la espera de eventuales clientes.

Nefertiti tenía los ojos semicerrados, las piernas dobladas a la manera de los escribas, la espalda apoyada en unos almohadones dispuestos contra la barrera de juncos trenzados tendida entre las cuatro columnas de madera que sostenían el techo del reparo. Con la perra Nebet acurrucada en el hueco de sus piernas, la muchacha se abandonaba a sus ensoñaciones mientras escuchaba los cantos sordos de los remeros apremiados por el patrón. Unos días antes, su padre había recibido una carta de Anen, un pariente lejano, hermano de la Gran Esposa Real, Tiyi, que decía:

"Del Gran Vidente de Ra-Atum, Anen, segundo profeta de Amón, al escriba Ay, su primo, en vida, salud y fuerza, y con el favor de Amón-Ra, rey de los dioses.

"¿Cómo estás? Yo estoy bien; ningún cansancio aflige a mi corazón infatigable.

"En unos días se llevará a cabo la gran fiesta sagrada de Osiris, el dios bueno, en su ciudad, Busiris. Su Majestad ha encargado a su servidor Anen que lo represente durante las ceremonias. Así pues, tras haber asumido mi cargo de Segundo Profeta de Amón en su templo de Tebas, regresé rápidamente a Heliópolis. Allí inicié en los misterios de Ra a un joven cuyo nombre debo callar, aunque también tú conozcas el secreto de Ra, amo del cielo. Ahora es necesario que vengas a Busiris, la ciudad de Osiris, el dios grande, con el fin de presentarte en el santo templo del dios para ayudarnos a recibir en su secreto a este mismo joven. De este modo habrá visto los misterios de Ra y de Osiris, y luego vendrá a la gran ciudad del Sur, al templo de Amón-Ra, rey de los dioses, y se lo iniciará en sus misterios para que así conozca todos los secretos de los dioses.

"Y algo más: te haré enviar una de las hermosas barcas del dios, una de las que pertenecen a su templo de Heliópolis. Te instalarás en ella con tu esposa, tus servidores y todos aquellos a los que ames, y te conducirá a Busiris. Trae también a tu hija mayor, Nefertiti, la que había desaparecido en los pantanos y no pude llevar a Tebas, la gran ciudad del Sur.

"Me alegro de que la hayan encontrado y la hayan devuelto a tu cariño. Haz que venga, porque quiero verla y, además, porque ahora está en edad de participar en las fiestas del dios, Señor del Occidente. Pero deja a tu hija menor encargada de cuidar tu casa."

Ay se regocijó al leer la carta. Enseguida mandó llamar a Ti para ordenarle que preparara todo para el viaje, y después leyó la misiva a Nefertiti.

–Alegrémonos, mi pequeña Kiya –le dijo–, y demos gracias a Amón, Señor de la Persea, a Ra, amo del Cielo, y a Osiris, el dios bueno. Desde que me retiré aquí casi no he recibido cartas de personas cercanas a la corte, y nunca me habían invitado oficialmente a participar en las fiestas de Busiris. Ya ves, quizás un día próximo Su Majestad en persona me pida que vuelva a presentarme en su corte y me dé un puesto digno de mí entre los escribas reales.

Nefertiti se alegró mucho, no sólo por el placer que la carta había causado a su padre, sino también porque tenía la sensación de que el joven en cuestión era Amenofis, por lo que esperaba tener la ocasión de volver a verlo, ya que desde el encuentro en el desierto occidental no había conseguido olvidarlo. En vano había intentado, tras la revelación de Horemheb, ahuyentar de su alma la imagen del muchacho; no podía evitar pensar en él y, cada vez, una especie de tristeza la invadía pues se había convencido de que no era posible que él sintiera algún interés por ella. Estaba destinado a casarse con una de sus dieciséis medio hermanas, con la hija del rey, su padre, y una de sus numerosas concubinas, a menos que antes el hermano lo hiciera encerrar en el templo de Amón o de algún otro dios, como había declarado Horemheb. De manera que la muchacha se obligaba a pensar en este último, a preocuparse por lo que podía ocurrirle durante la guerra, a evocar el placer que sentía cuando se encontraba entre sus brazos, cuando lo oía hablar del amor que sentía por ella, del casamiento de ambos, de su propio futuro, que él pintaba tan brillante. Demasiado brillante, quizá, porque ella tenía la impresión de que él alardeaba para seducirla, y no quería ser víctima de tales argumentos. Así, Nefertiti se sentía dividida, si no desgarrada, entre el deseo que sentía por Horemheb –e incluso una cierta admiración por su fuerza, su seguridad y su confianza en sí mismo– y esa especie de sentimiento inquietante que la arrastraba hacia Amenofis, ese placer indefinido que le provocaba su presencia, esa curiosidad que le despertaban sin cesar los pensamientos del joven, a menudo enigmáticos pero que producían un eco perturbador en lo más recóndito de su alma y le revelaban preocupaciones todavía no explicitadas. Mientras que Horemheb le aportaba certezas y le abría las puertas de un futuro que aseguraba radiante, Amenofis le daba acceso a un mundo moral que ella llevaba en su interior y cuya existencia había sospechado sin llegar a penetrarlo.

Todos estos pensamientos diversos y contradictorios la asaltaban mientras se dejaba acunar suavemente por el balanceo del barco y el ritmo lento de los nautas. Volvieron a su mente las palabras que le había lanzado Horemheb con tono de mordaz ironía: "Tú y Osarsuf serán sus primeros discípulos, pero felizmente serán sus únicos partidarios". ¿No era acaso lo que deseaba, en lo profundo de su ser? ¿Convertirse en su discípula? Mejor aún, ¿en su inspiradora? Porque también ella adoraba al Sol por una inclinación natural de su alma, y porque su padre le había dicho que el disco solar era la apariencia que tomaba Atón. Tal era, por otra parte, lo que se aseguraba en su familia y de lo cual Tiyi, la Gran Esposa Real, había convencido al mismísimo rey, que le había dado un lugar entre Amón y Ra. Así, quizás Amenofis no sólo la tomara como discípula, sino también aceptara su ayuda en esa búsqueda de la verdad que parecía ser el objetivo de su existencia terrenal.

Tras la carta de Anen, llevada por un mensajero, llegó el barco prometido. Cargaron en él el equipaje: arcones con ropa, asientos plegables, escribanías, abanicos y matamoscas, bastones para Ay, cofrecitos con joyas, ungüentos y perfumes, camas plegables, cajas con pelucas, apoyacabezas, cántaros llenos con vinos de la finca, potes de miel, canastas de alimentos, varas de caza y un juego de *senet*, que a Ay le agradaba jugar con su hija. Tanto había llorado Mutnedjemet al enterarse de que no la llevarían, que Ti resolvió quedarse con ella para consolar y mimar a su gacelita –como la llamaba–, al tiempo que se lamentaba por no poder acompañar a su hija de leche, que quedaría abandonada a su suerte. Esta manifestación de afecto, tan intensa, irritó una vez más a Nefertiti; le contestó acremente que podía prescindir de sus cuidados con tanto placer como durante su estancia en los pantanos, y le advirtió que dejara ya de considerarla una niña incapaz de vivir lejos de su sombra protectora.

Una vez cargado, el barco bajó por el brazo sebenítico del Nilo, uno de los principales del delta, por la margen en la que se alzaba Busiris. Tan grande era la concurrencia de los que acudían de todos los rincones del delta, e incluso del Alto Egipto, a participar en los panegíricos de Osiris, que el río estaba colmado de embarcaciones de todo tipo.

Después de la primera jornada de navegación, que condujo el barco hasta las inmediaciones de Athrib, Ay juzgó vano intentar alojarse en uno de los albergues de la ciudad, porque sabía que se hallaban tan llenos que se apiñaban varias familias en una misma habitación. De modo que mandó tender telas y mosquiteros en la orilla, en el linde de un campo, y armar las camas plegables para pasar allí la noche. Nakhtmin, que formaba parte de la expedición, sacó provecho de la situación para ubicar su lecho junto al de Nefertiti. Este intento de acercamiento contrarió a la muchacha, que, para no tener que hablarle, pretextó estar muy cansada; cerró los ojos y simuló un sueño en el que no tardó en sumirse.

Aquel día, el siguiente a la partida, se acercaban por fin al término del viaje. Nefertiti observaba con curiosidad las innumerables embarcaciones que los cruzaban, seguían y precedían. Todas iban colmadas de hombres y mujeres. Los varones maniobraban las bar-

cas o tocaban la flauta, mientras las mujeres, de pie, bailaban o sacudían matracas de bronce, tocaban tamborines, entrechocaban platillos de metal, batían palmas y acompañaban aquellos sonidos divergentes con cantos o ululaciones. La gente de los alrededores, familias
de campesinos, artesanos o comerciantes, que vivían en los pueblos
construidos a escasa distancia, sobre pilones que los protegían de la
subida de las aguas durante la inundación, acudían en grupos y se
alineaban en la ribera para ver pasar las barcas. Los pasajeros de las
embarcaciones más cercanas los insultaban a gritos y los amenazaban con los puños, al tiempo que las mujeres se levantaban los vestidos por encima del vientre. Este comportamiento sorprendió a Nefertiti, que se divertía a la vez que se preguntaba por las causas de
tales disputas entre personas que supuestamente no se conocían.

Nakhtmin fue a sentarse junto a ella y, después de acariciar a la
perra, le dijo:

–Se te ve muy soñadora, apartada de todos los demás. Sin duda
piensas en tu lindo oficial que se fue lejos. Evidentemente, no se
preocupa mucho por tenerte al tanto de su vida.

–Nakhtmin –lo interrumpió ella sin mirarlo–, eres estúpido como una rana de los pantanos y croas en vano, como ellas. Mejor ex-
plícame por qué esa gente se insulta de ese modo.

–¿Puedes ser tan ignorante de las cosas de los dioses? –replicó él,
con tono intencionalmente hiriente.

–¿Acaso tú no sabes más que yo, tú, que estudiaste en la Casa de
la Vida del templo de Ptah en Menfis? Dime, ¿qué tienen en común la
inconmensurable grandeza de los dioses y estas bromas populares?

–Por grandes y poderosos que sean, ¿no crees que los dioses, que
vivieron entre nosotros en el origen de los tiempos, también necesitan de los humanos? ¿Acaso no poseen un lugar que les es propio y
en el cual ejercen su poder? Amón, el rey de los dioses, ¿no reina más
particularmente sobre Tebas y vive a la sombra de su santuario?
¿Acaso los sacerdotes no se ocupan cada día de asearlo y de llevarle
el alimento que le permite sustentarse y así seguir dirigiendo el
mundo y mantenerlo en su estado de equilibrio, haciendo que el sol
se levante cada día desde el Oriente para iluminar la tierra y calen-
tarla con sus rayos vivificantes? ¿No ves que estas personas son servidores de Horus, que por el río de vida vienen a defender el trono
de Osiris contra Seth y sus partidarios? Y sus partidarios, ¿no son

esos que vienen a recibirlos en las orillas de la Tierra del Norte para impedirles el acceso a la ciudad de Osiris, sitiada por los partidarios de Seth? Esos insultos preludian los combates que esta misma noche van a desarrollarse cerca de la ciudad entre los fieles de los dos dioses, hermanos enemigos. Así se repite cada año la guerra primitiva que conoció el triunfo de Osiris y de su hijo Horus; porque si esta guerra y ese triunfo se perdieran en la memoria de los individuos y del tiempo, si su renovación no los trajera con toda su realidad, pronto morirían los dioses y el recuerdo de sus acciones, pronto la tierra y el cielo estarían vacíos de su presencia y el mundo se desmoronaría arrastrando a la humanidad en su caída.

–¡Realmente, Nakhtmin, me cuesta creer que los dioses nos necesiten tanto!

–Sin embargo, es lo que nos enseñan en la Casa de la Vida del templo de Ptah, y debe de ser así, porque los sacerdotes del dios conocen la verdad y hablan con Maat en su lengua. Y sin duda a los dioses les gusta ver que los hombres los imitan en todo y, principalmente, en las acciones antiguas que constituyeron los fundamentos del cielo y de la tierra. Ellos mismos confieren su propio ardor al corazón de esas personas, que de este modo sienten que actúan de acuerdo con las órdenes divinas. De lo contrario, ¿por qué se comportarían de esa manera? Si no se sintieran animados por la pasión del dios, se quedarían tranquilamente en sus casas, pues vanas y pueriles les parecerían tales acciones.

Le habló así durante largo rato, feliz de demostrarle su saber y, al mismo tiempo, marcarle su superioridad con respecto a ese soldado grosero, como consideraba él a Horemheb. Sin embargo, Nefertiti no lograba convencerse de que sus palabras fueran la expresión de una realidad profunda.

Las márgenes vecinas a Busiris se habían vuelto inaccesibles por la cantidad de barcas allí amarradas, a tal punto que las últimas en llegar se dejaban en el río, sujetas contra otras embarcaciones, y había que pasar de una a otra para llegar a tierra firme. No obstante, el barco de Ay se contaba entre los privilegiados que tenían su lugar reservado en los pontones pertenecientes al templo de Osiris.

Nefertiti se puso de pie para asistir al abordaje, con Nebet pegada a sus talones. Dejó que Nakhtmin la tomara de la mano con la intención de prestarle ayuda, que ella consideraba inútil, en el momento de sortear los bultos dispersos sobre la cubierta y saltar sobre las planchas del pontón. Ay, vestido con los dos taparrabos ceremoniales y apoyándose noblemente en un largo bastón de madera de ébano con incrustaciones de marfil –que le había dado el mismo faraón en la época en que estaba en la corte de Tebas–, fue el primero en pisar tierra, pronto seguido por su hija y Nakhtmin. A unos metros de la orilla se alzaba un ligero pabellón de madera, que se desmontaba durante la crecida del río y que el resto del tiempo servía de protección contra el sol a los sacerdotes del templo y a sus huéspedes cuando se aprestaban a embarcar. Mientras Ay avanzaba con paso pretendidamente solemne, ante la mirada de los curiosos que pasaban por allí y de los servidores del templo encargados de cuidar el embarcadero y recibir a los visitantes, un hombre joven y sencillamente vestido, con un taparrabo largo de lino blanco, salió de un pabellón y fue a su encuentro. Al verlo, Nefertiti se sintió presa de una gran excitación y, con un gesto brusco, soltó su mano de la de Nakhtmin. Acababa de reconocer a Amenofis.

El joven se detuvo frente a Ay, levantó los brazos, inclinó la cabeza para saludarlo y le dijo:

–Sin duda tú debes de ser el señor Ay. Anen, el Gran Vidente de Ra, me envió ante ti para recibirte en su nombre. Te espera en el templo, donde está muy ocupado con la preparación de las ceremonias. Mi nombre es Amenofis. Bienvenidos sean tú y tu familia.

Ay lo miró de arriba abajo durante un instante; después le devolvió el saludo con una simple inclinación de la cabeza, dio media vuelta y, señalando el barco con su caña, dijo:

–Tengo mucho equipaje y algunos servidores. ¿Han traído vehículos para transportar todo esto? Supongo que el Gran Vidente, mi primo, ha previsto alojarme en su residencia.

–Todo está preparado para tu satisfacción –aseguró Amenofis–. Este humilde servidor te hará los honores de su modesta vivienda, pues Anen se aloja con su séquito y el príncipe de la provincia lo hace en casa del gobernador de la ciudad, de manera que su palacio está tan lleno como los albergues del lugar.

–No sé cómo es tu morada –replicó Ay con mala cara–, pero no me conformaré con una simple casucha. ¿Eres sacerdote del templo de esta ciudad?

–Reparto mi vida entre Menfis y Heliópolis, pero la casa de mis padres está en Tebas —respondió el joven con una sonrisa que le iluminó el rostro, sin tomar en cuenta el malhumor de Ay.

—Está bien, está bien —refunfuñó Ay—. Vamos a ver a mi primo. Quizás este servidor pueda mostrar a mi gente el camino hacia tu casa, para que lleve allí nuestro equipaje.

Mientras decía esto señalaba a Osarsuf, que se acercaba por detrás de Amenofis.

—Osarsuf es sacerdote lector en el templo de Heliópolis —anunció Amenofis—. Conoce todas las fórmulas, incluso las que se mantienen ocultas, y pronto será jefe de lectores.

—Salud, salud —respondió Ay—. Todavía no nos conocemos, aunque es verdad que no suelo ir mucho al templo de Ra. ¿Por qué el Gran Vidente no se dignó enviar ante mí a su segundo profeta, por lo menos?

—¿Consideras a estos servidores indignos de recibirte? —le preguntó Amenofis.

—No sé, no sé —respondió Ay, molesto—. Pero vamos, las ceremonias deben de haber comenzado... ¡Ah! Esta es mi hija, Nefertiti, y este muchacho, a quien considero mi propio hijo, es Nakhtmin.

Levantaron los brazos para saludarse y Nefertiti bajó la vista al sentir que se ruborizaba ante la mirada penetrante de Amenofis. Se preguntaba cómo era posible que Anen lo hubiera delegado para recibirlos, siendo el hijo del rey; después pensó que se hallaba en Menfis como un simple mortal, sin que nadie supiera quién era en realidad, salvo algunos íntimos. ¿Acaso no le habría resultado normal, si Horemheb no le hubiera revelado la verdad?

—Vamos a ver a mi primo —insistió Ay—. Tú, Nakhtmin, acompáñame, ya que estudiaste en la Casa de la Vida de Menfis. Tú, Kiya, cuida nuestro equipaje y procura que nuestros servidores sean instalados en la residencia de Amenofis.

Detrás del pabellón esperaban unas sillas llevadas a lomo de mula y numerosos asnos acompañados por sus arrieros. Cargaron en ellos el equipaje, mientras Amenofis y sus dos huéspedes, que se habían acomodado, como él, en las sillas, se alejaban.

—Kiya —preguntó Osarsuf mientras iban a lomo de asno en dirección a la casa—, ¿qué piensas de Amenofis?

La pregunta sorprendió a la muchacha, que lo miró un instante antes de responder con prudencia:

–Siento por él la mayor de las estimas. Tuve la sensación de que algún dios habitaba en él.

–Acabas de decir la verdad; en verdad parece que un dios lo inspira, un dios que él llama Atón, pero cuyo nombre real debe mantenerse oculto. Dime otra cosa: ¿sólo sientes estima por él?

–¿Por qué quieres penetrar en los secretos de mi corazón? –replicó ella.

–Kiya, debes saber que Amenofis es para mí como un hermano, incluso más que un hermano, porque nos une una gran ternura.

Nefertiti lo miró sin esconder la sorpresa que le provocaba el tono de su interlocutor. Osarsuf era alto y robusto, como Horemheb, y tenía un rostro más fuerte que tosco, iluminado por unos ojos anchos y oscuros que expresaban gran determinación. No había en él ninguna gracia, ninguna debilidad; contrariamente a Amenofis, era todo fuerza, y su ser emanaba un poder que parecía ajeno a la ternura.

Tras un silencio, Osarsuf prosiguió:

–No sé quiénes son mis padres. Fui encontrado por la tía de Amenofis, la hermana de su padre, cuando sólo tenía unos días de vida, en una canasta de papiro trenzado, en medio de los juncos que rodean el río, al oeste de Tebas. Durante un tiempo esa mujer fue como una madre para mí, pero se unió con su alma cuando yo todavía era pequeño. Entonces me recibieron en la casa del padre de Amenofis. Él ya tenía un hijo de una primera esposa: Tutmosis, al que ya conociste, que partió a luchar contra el vil asiático junto a Horemheb, y que es medio hermano de Amenofis, nacido de la esposa principal. Tengo la misma edad que Tutmosis; mis padres me abandonaron hace veintidós años y aún no sé quiénes eran. Amenofis tiene dos años menos que nosotros, pero ya de niños prefería su compañía a la de su medio hermano. Luego me enviaron a Heliópolis; quisieron que me instruyera en los asuntos divinos, porque yo mismo me mostraba ávido de saber.

–¿Por qué en Heliópolis y no en el templo de Amón en Tebas? –quiso saber Nefertiti, sorprendida.

Él dudó antes de contestar:

–Los padres de Amenofis conocían bien a Anen, que acababa de ser nombrado Gran Vidente de Ra, y prefirieron confiarme a sus cuidados. Además, en la familia de Amenofis se practica un culto nuevo a Ra y a Atón, de manera que yo también prefería servir al dios

Sol antes que a los otros. Unos años después, Tutmosis y Amenofis fueron enviados a Menfis para estudiar en el templo de Ptah. Tutmosis demostró poco gusto por los estudios de escriba y se unió a Horemheb, destinado a una carrera militar, mientras que Amenofis manifestó el deseo de ir a estudiar a Heliópolis junto a Anen. Así nos encontramos y entre nosotros se entablaron los lazos sutiles de una profunda amistad, ya preparada por penas y juegos compartidos durante la infancia. ¿Comprendes, en estas condiciones, por qué demuestro cierto interés por todo lo que concierne a Ameni?

–Yo misma lo conozco muy poco y, sin embargo, no sé qué fuerza me acerca a él –confesó espontáneamente Nefertiti–. Tal vez nuestro idéntico amor por Atón, fuente de toda vida y también, en consecuencia, de todo Amor. Sin embargo, sólo puedo verlo como un discípulo ve a su maestro, y por eso no quiero sentir por él más que estima y admiración, porque estoy comprometida con Horemheb.

–Horemheb parece amarte con una pasión temible. No ha dejado de hablar de ti en términos tan elogiosos y entusiastas que Ameni y yo ya te admirábamos y ardíamos en deseos de conocerte. Quiero decirte que Ameni no se decepcionó al verte.

Esta confesión hizo sonrojar de placer a la muchacha, cuya mirada brilló mientras le preguntaba con una sonrisa:

–Y tú, ¿acaso te sentiste decepcionado?

–Aún no puedo decirlo; apenas si hemos conversado, tú y yo. Pero si Ameni te ha distinguido de ese modo, cuando sólo pasó contigo medio día, es porque tu belleza no es apenas exterior. Sin duda tu apariencia es el reflejo de tu alma.

–Te dejo como único juez de algo que no desearía que me halagara.

–Todavía no puedo juzgarte más que por lo que me han contado de ti, pero creo que alguna divinidad, Ra o Atón, tal vez, me concedió la capacidad de sentir a los seres, de descubrir su realidad interior más allá de su apariencia, ya sea la que se dan o la que en realidad poseen. Te siento sincera y espontánea, capaz de amar apasionadamente y de odiar de igual modo... y también de despreciar. Tal vez me equivoque, pero creo que tu alma es fuerte y luminosa, que el dios le concedió el poder de ver más allá de las cosas sensibles.

–Osarsuf, lamentaría decepcionarte, pero temo que me atribuyes muchas virtudes que no poseo. Me parece estar oyendo a mi padre, a quien le encanta declarar que las Siete Hathores me han colmado con todas sus virtudes; pero él me ve con los ojos de un padre amante, no con los de Maat, que sabe la verdad.

–No creo que tu padre esté equivocado. Tú y yo fuimos creados por Thot con la misma arcilla; por eso tengo la sensación de conocerte y de no equivocarme en mi juicio. Pero debo decirte que ese Horemheb no fue hecho para ti. Es un hombre ardiente, pero está lleno de ambición y sólo sueña con una gloria adquirida en la sangre, por el poder de su lanza. En esto es amigo de los sacerdotes de Amón, adorador de ese dios conquistador.

–¿Amón no es también el protector de los débiles y los pobres?

–Eso dicen, y es lo que aseguran los padres. Pero junto con Sekhmet conduce el brazo vencedor del faraón, somete a las naciones por la fuerza de las armas y no por la gracia de su alma.

–¿Mientras que Atón da la vida y conquista a las naciones con la belleza de su luz? –insinuó ella.

Osarsuf le lanzó una prolongada mirada antes de responder:

–Es el dios quien te inspiró esas palabras. Pero, mira, hemos llegado a la residencia que será la tuya durante estos días.

Se habían detenido ante la puerta de un gran parque cerrado por un alto muro de tierra, al norte de la ciudad. Un servidor fue a su encuentro, y lo siguieron por una galería bordeada de palmeras y perseas. La casa que se levantaba al fondo del jardín era amplia y tenía la fachada adornada con un pórtico de elegantes columnas pintadas, coronadas con capiteles en forma de flores de loto.

–¡Qué hermosa residencia! –exclamó Nefertiti al bajar de un salto de su montura–. ¡Realmente digna de un príncipe! Mi padre no podrá sino alegrarse, pero sin duda se sorprenderá de que un simple sacerdote lector y un servidor del templo se alojen en semejante palacio.

–Rica es la familia de Amenofis, porque esta casa les pertenece.

–Rica debe de ser, porque me parece que pasa aquí poco tiempo y posee más bienes en otras partes.

Osarsuf, sin responder, le mostró las habitaciones destinadas a ellos. Después de haberlas asignado a la gente que la acompañaba, Nefertiti se puso un vestido de lino hilado, pinzado en largos pliegues múltiples todo a lo largo, con mangas amplias que le llegaban hasta la mitad del brazo, y ató a su cuello un ancho collar en que el lapislázuli se entrelazaba con piedras rojas y verdes. Así adornada, pidió a Osarsuf que la llevara con su padre.

Fue necesario que los servidores que escoltaban sus sillas abrieran un camino a bastonazos entre la densa multitud que se amontonaba alrededor del templo de Osiris. Llegaron a una puerta de bronce de doble hoja que se alzaba entre dos imponentes pilones, en lo alto de los cuales flameaban oriflamas. El portal daba acceso al amplio patio del santuario, que estaba lleno de sacerdotes y dignatarios, porque era el momento en que sacarían el pilar *djed*, símbolo de Osiris, del Santo de los Santos. Cerca de la puerta del recinto, de innumerables columnas semejantes a palmeras, en el flanco decorado con escenas misteriosas y textos en caracteres sagrados, había unas mujeres provistas de flautas y tamborines, liras y castañuelas de bronce, y unos sacerdotes puros con el cráneo pulido, que esperaban la aparición del dios.

Osarsuf llevó a Nefertiti a lo largo de uno de los pórticos, detrás de los espectadores apretados entre las columnas.

–¿Adónde me llevas por aquí? –preguntó ella, levantando la voz para hacerse oír entre los clamores y los cantos que se alzaban de la multitud y parecían subir hacia el cielo junto con las pesadas volutas de humo de incienso que se quemaba en derredor.

–Adonde conviene que estés –se limitó él a responder.

Una buena respuesta para despertar su curiosidad; pero juzgó inútil pedirle más precisiones. Se acercaron a la puerta del recinto de las columnas. Osarsuf se detuvo detrás de las mujeres que cantaban y tocaban instrumentos musicales; miró en torno, se puso en puntas de pie para ver por encima de la muchedumbre y luego se volvió hacia Nefertiti.

–Quédate aquí, cerca de esas mujeres –le indicó–. Tengo que dejarte para ir a reunirme con los sacerdotes lectores y participar en la ceremonia.

–Ve, yo sabré arreglármelas sola, no te preocupes por mí –aseguró ella.

Osarsuf se abrió camino a través de las filas de mujeres y desapareció de la vista de Nefertiti, que, a su vez, se puso también en puntas de pie para tratar de ver lo que sucedía en el patio. Pensando que allí ocupaba un lugar poco favorable para observar la ceremonia, se disponía a pasar a las primeras filas cuando sintió que alguien la tomaba del brazo. Se volvió, dispuesta a insultar al audaz, pero vio que era Amenofis quien se hallaba a su lado, con expresión grave.

–Ven conmigo, si quieres ver la llegada del dios –le dijo el joven.

–Te seguiré, Ameni –respondió Nefertiti con voz que intentaba ser firme pero que encerraba una emoción que apenas lograba controlar–. Sin embargo, poco me importa asistir a la llegada de ese dios.

Él le ofrecía su mano tierna pero firme, ligeramente húmeda porque el calor era sofocante entre aquella multitud; el olor a transpiración se mezclaba con las fragancias densas de las resinas aromáticas y el aroma de los conos de perfume que las mujeres llevaban bajo sus pelucas. La muchacha sintió una viva y deliciosa emoción cuando estrechó la mano de Amenofis, cuyos labios se estiraron en una sonrisa que habría terminado de conquistarla, de haber sido ello necesario.

–Su muerte y su renacimiento –respondió él al fin– son una gran esperanza para el pueblo y una profunda verdad para los que saben. Pero tienes razón: poco importa ver su llegada, porque esta no es más que una apariencia. Sólo cuenta lo que está en nuestro corazón, eso que lo volverá más liviano que la pluma de Maat en la balanza divina.

Mientras así hablaba, se abría camino entre las filas de sacerdotes que se desplazaban para permitirle ubicarse delante de ellos, en el umbral del pórtico, frente al patio iluminado por los rayos del sol que declinaban hacia el horizonte oriental. En ese mismo momento se abrieron de par en par las puertas del santuario y salieron los músicos, que avanzaron tocando en sus arpas y sus liras una música grave y triste; las mujeres dispuestas en la parte de afuera les hicieron eco con sus propios instrumentos de viento y de percusión. A continuación, seis sacerdotes tiraban con sogas del pilar *djed*, símbolo de Osiris, un tronco liso de madera, semejante a una columna de tres capiteles, apilados uno sobre otro, en los que estaban pintados los ojos maquillados del dios. Todos sabían que aquel pilar representaba la columna tallada en erica, en las orillas de la fenicia Biblos, en la que se había integrado el ataúd de Osiris, que la corriente había llevado desde el Nilo hasta aquella lejana comarca. Esa columna contenía el cuerpo del dios, asesinado por su hermano Seth y encerrado en el sarcófago por su hermana y esposa, la diosa Isis, a la espera de su próxima resurrección, el retorno del reino de los muertos, aquel país mágico del bello Occidente del cual era amo y juez.

Alrededor del pilar así arrastrado, unas muchachas de cintura ceñida por una faja decorada con piedras –su único vestido y adorno– ejecutaban hábiles danzas acrobáticas y representaban con mímica las aventuras del dios bueno: sus amores con Isis, su ascenso al trono de las Dos Tierras en el amanecer de los tiempos, la traición de su hermano Seth, que lo había matado durante un banquete con la ayuda de setenta y dos conjurados, para luego encerrarlo en un cofre devenido en tumba y abandonarlo en las aguas del Nilo.

Detrás del pilar venía el cortejo de sacerdotes. A la cabeza iba Anen, vestido con una pesada falda que le llegaba hasta la mitad de las pantorrillas, el torso ceñido por una piel de pantera constelada de estrellas bordadas, que dejaba al descubierto ambos brazos y un hombro. Atada a la cintura, por medio de tres cordones, llevaba una pequeña bolsa cuadrada, de cuero, en la que estaba grabado, en su cartucho oblongo, el nombre del rey Amenofis, Nebmare, "Señor de la Justicia de Ra"; sobre su vientre se balanceaba, al ritmo de su paso lento, la cabeza del felino desollado. Entre los sacerdotes y dignatarios que lo seguían, Nefertiti reconoció a su padre, Ay, y a Osarsuf.

La procesión se detuvo en medio del patio. Las bailarinas representaron entonces la búsqueda de Osiris por parte de su esposa, Isis; su llegada a Biblos, donde convenció al rey de entregarle el pilar; y, por último, su regreso a las cercanías de Buto, la ciudad santa de la diosa serpiente, al norte del delta del Nilo, con el cuerpo de su esposo, que escondió en los pantanos vecinos a Chemnis. A continuación se adelantaron dos jóvenes adornadas con pesadas pelucas rizadas y el cuerpo cuidadosamente depilado, como lo prescribía el rito; en los brazos llevaban inscriptos los nombres de las diosas que encarnaban, Isis y Nefthis, la otra hermana de Osiris. Las seguían otras siete muchachas, también ataviadas con tupidas pelucas, pero vestidas con túnicas de lino fino que dibujaban las formas de su cuerpo; eran las lloronas.

Nefertiti desvió la mirada para dirigirla hacia Amenofis; como era algo más alto que ella, tuvo que levantar un poco la cabeza. El perfil del joven se recortaba puro y fuerte, y en sus ojos brillaba aquella extraña llama que la había asombrado la primera vez que lo vio. Le pareció hermoso, con una belleza misteriosa que no era la que hasta ese momento había podido admirar en Nakhtmin, y más todavía en Horemheb; era un encanto que le habría resultado imposible analizar. No sabía qué era lo que podía atraerle de él, pero en ese instante comprendió que ansiaba pertenecerle, vivir por él y para él. Era un sentimiento por entero diferente del que había experimentado por Horemheb, un sentimiento que iba más allá del deseo, que súbitamente le devoraba el corazón como una leona que acaba de atrapar su presa, frágil y tímida gacela bajo su aspecto de corredora esbelta. Sin duda debía de ser la gran llama de amor con la que Hathor la Dorada hacía arder los corazones de los amantes. Por un instante sólo pensó en ese sentimiento que de repente había estallado en su interior, y se olvidó del mundo, se olvidó de Osiris, que yacía entre las lloronas, se olvidó de la grandiosa ceremonia que se desarrollaba frente a ella, se olvidó de que Amenofis era el hijo del rey, personaje sagrado en el que se encarnaba el Horus dorado, y que ella sólo era la hija de un oscuro noble. No hubo más que ella y él, y entre ambos ese amor recién nacido, como nacería una vez más el dios muerto pero siempre vivo, como su amor, por toda la eternidad.

Bruscamente la despertó de su ensoñación aureolada de sol el canto de las lloronas, que, después de una larga salmodia, exclamaron en un estallido de címbalos:

¡Cuán puras son las transfiguraciones de Osiris,
cuán hermosas son las transfiguraciones de Osiris,
magníficas son las transfiguraciones de Osiris!

–¡En paz están el cielo y la tierra! –exclamó con júbilo Anen, al tiempo que apoyaba la mano abierta contra su mejilla.

Tres veces más repitió esta exclamación.

–¡El cielo se regocija por la tierra! –clamó cuatro veces la llorona principal.

–¡Tierra, regocíjate porque viene un dios! –respondió Anen en eco, con la mano junto a la boca.

Y, cada vez, unas mujeres golpeaban sus panderetas, ejecutando pasos de danza, mientras otras sacudían sus sistros con cascabeles de bronce.

Luego se adelantó la joven que llevaba escrito en el brazo el nombre de Isis. Se inclinó sobre el *djed* y, levantando los brazos, cantó:

–¡Ven a tu morada, oh, bien amado! Ven a tu morada para que me veas, hermoso adolescente. Mira, soy tu esposa, la que te ama. ¡No te alejes de mí! Mi corazón te llama, mis ojos te desean, te busco para contemplarte.

Entonces Isis y Nefthis entremezclaron sus cantos y lamentaciones, acompañados por los sonidos de arpas y flautas y ritmados por los golpes de las panderetas y los sistros y las ululaciones de las lloronas.

Varias veces Nefertiti se distrajo de la escena para mirar a Amenofis, que mantenía una inmovilidad tan perfecta que podría haberle parecido total indiferencia, de no haber sentido en todo momento la mano del joven unida a la suya. Ella enlazaba sus dedos vibrantes con los de Amenofis, y mediante esos movimientos apenas perceptibles creía poder expresarle más sentimientos y emociones que los más ardientes poemas.

Cuando terminaron los cantos alternados de las dos diosas se hizo un profundo silencio, apenas perturbado por el trinar de los pájaros en las palmas y en el cielo, que la caída del día pintaba con tintes tornasolados. Nefertiti volvió la cabeza hacia Anen, que había asistido en silencio a la ceremonia, y vio que él la miraba, al igual que su padre, de pie detrás de su primo. Notó que Ay fruncía el entrecejo, sin duda porque acababa de darse cuenta de que ella permitía que Amenofis la tomara así de la mano; sonrió para sus adentros al imaginar la sorpresa de su padre cuando se enterara de quién era en realidad Amenofis. Osarsuf acababa de arrodillarse frente a un altar bajo de alabastro, con forma de mesa y provisto de un pie central, sobre el que depositó ofrendas, trigo y tortas de forma cónica. Al mismo tiempo avanzaba Anen, que tomó el extremo de una de las sogas atadas al pilar, mientras tres sacerdotes, ubicados delante, aferraban los otros tres cordeles con los que lo habían llevado al patio. Se elevaron los cantos graves de los sacerdotes, acompañados por el ruido metálico de los sistros que agitaban las mujeres. Anen y los sacerdotes jalaban de los cordeles para enderezar poco a poco el pilar, sostenido del lado opuesto por un sacerdote que lo dirigía para que no se ladeara. Una vez derecho, vaciló un instante sobre la base, hasta que al fin quedó fijo, en medio de los gritos de alegría de los asistentes.

–Ven –dijo Amenofis, volviéndose hacia Nefertiti.

Se sumergieron en el oleaje movedizo de la multitud que había invadido el peristilo y el patio del templo. Amenofis demostraba un vigor inesperado para abrirse paso, dando codazos y empujando a la gente con una mano, sin soltar la de Nefertiti. Ella sentía el corazón tan liviano que ni siquiera prestaba atención a las manos profanas que se perdían sobre su cuerpo al pasar, arrugando e incluso desgarrando su vestido.

Pronto se encontraron cerca de las orillas del Nilo, carentes de toda actividad ya que el pueblo entero había acudido al templo para asistir a la presentación del dios resucitado y participar, más tarde, en las fiestas que debían durar toda la noche. Sólo les llegaban los rumores lejanos de la población afiebrada y, muy cerca, el canto de los pájaros, que parecían saludar al sol que se sumía en el horizonte occidental en medio de una polvareda de luz purpúrea.

Amenofis se volvió hacia el cielo del poniente, en el que se recortaban las esbeltas datileras, cuyas palmas se balanceaban suavemente a merced de la brisa del atardecer.

–Mira –dijo entonces–, Atón se aleja, Atón nos abandona para llevar su luz al mundo de los muertos, esos bienaventurados justificados. Pero mañana volverá a nosotros, siempre más hermoso, siempre más radiante en su celestial esplendor.

–La noche no hará más que devolvérnoslo más hermoso –añadió Nefertiti.

–La noche es su contrario, es su ausencia, pero no su enemiga. La noche es hermosa como la muerte porque precede al día, anuncia el regreso del sol, que es toda vida, es el camino oscuro que conduce a la luz de la verdad. ¡Qué bello es este crepúsculo! Sin embargo, lo es menos que la aurora, porque uno es un fin, mientras que la otra es un comienzo.

Perturbó el silencio una barca proveniente del sur, que atracaba cerca de ellos. Un grupo de hombres y mujeres descendió de la embarcación riendo, gritando e interpelándose.

–¿Eres de esta ciudad? –preguntó un hombre a Amenofis.

–Estoy de paso, como tú, sin duda –le respondió el joven.

–Entonces eres un servidor de Horus. Únete a nosotros; los combates ya deben de haber comenzado.

–Así lo creo. Vayan adelante; los dioses no soportan esperar, según dicen.

El hombre miró con asombro a Amenofis y se alejó con sus compañeros.

–Mira –dijo entonces Amenofis a Nefertiti–, esa gente que ha venido de todos los rincones de la región va a pasar la mayor parte de la noche peleándose a puñetazos y bastonazos para repetir la lucha entre los partidarios de Seth y los de Osiris. Más tarde sacrificarán asnos que llevarán por la ciudad, porque el asno es el animal de Seth, para significar la victoria de Osiris; después todo el pueblo pasará el resto de la noche divirtiéndose, comiendo, bailando y cantando para festejar el triunfo del dios. ¿Tú crees de verdad que el dios necesite todo eso y pueda sentir placer con esos espectáculos brutales?

–Ameni, yo pienso que atribuimos a los dioses nuestros propios sentimientos y que demasiado a menudo los vemos a través de nosotros mismos, más que en su realidad. Además, dudo que el dios bueno pueda complacerse viendo a esos hombres que así creen honrarlo. Él prefiere la pureza de nuestros sentimientos, que es lo que vale cuando nuestro corazón va a ser pesado en la balanza divina, cuando comparecemos ante su tribunal, después de haber dejado el mundo de los vivos. ¿No es acaso en ese momento cuando nos defendemos de haber cometido injusticias o alguna otra acción que pudiera disgustar al dios?

–Es muy cierto que la realidad profunda de los dioses se mantiene oculta a los mortales y que sólo se los ve a través de apariencias engañosas.

–¿Pero no es cierto también que los mortales necesitan certezas fáciles de adquirir y que las encuentran, precisamente, en el culto a los dioses tal como se lo practica? Y ese mismo culto, ¿no tiene una significación secreta que permanece ignorada por el común de los hombres y mujeres, de tal modo que satisface a todos pues cada uno saca de él lo que conviene a su alma? Porque cada acto del rito nunca es más que la expresión de un símbolo que hay que saber interpretar y, en definitiva, el dios se conformaría con el regalo del alma, expresado simplemente por la ofrenda de flores y perfumes.

Él la miró intensamente y respondió:

–Kiya, veo que tu padre te instruyó en muchas cosas reservadas a los escribas hábiles y que tu mente supera la medida común impartida por el dios a los humanos. Mira, ahora el sol pasó al otro mundo, cediendo su lugar a la noche. Es tiempo de volver a la casa, donde debe de estar esperándote tu padre.

Le tendió la mano, que había soltado un instante. En la penumbra, Nefertiti contempló cómo se dibujaba su silueta, ligeramente encorvada, y cómo brillaban sus ojos de una manera singular, y se sintió atraída hacia él por un misterioso impulso interior, tan violento que estuvo a punto de arrojarse en sus brazos. Sin embargo, se conformó con tomar su mano, que estrechó con más fuerza de la que creía conveniente.

Aunque Amenofis tomó un desvío para evitar la muchedumbre de peregrinos, estos eran tantos que terminaron atrapados en el torbellino de la fiesta, un festejo violento. Mientras las mujeres sostenían antorchas y lámparas para alumbrar, los hombres, algunos armados con palos, buscaban a los partidarios del dios rival, al que pretendían combatir, para pelearse con ellos. Así pues, Amenofis se vio de pronto rodeado por varios hombres. Uno le sujetó el brazo y anunció:

–¡Atrapé a Horus!

–¡Sosténlo fuerte! ¡Sosténlo fuerte! –los alentaron los otros, al tiempo que lo cercaban.

–¡Golpea, golpea! –gritó alguien.

Amenofis, que había soltado la mano de Nefertiti, trató de rechazar a sus atacantes, pero lo acosaban sin escucharlo, pese a que Nefertiti les gritaba que lo dejaran en paz y que era un sacerdote del templo que regresaba a su casa.

–¡Es un fiel de Osiris! –aullaron algunos.

–¡Horus! ¡Es Horus!

–¡Golpea! ¡Golpea! –repitieron a coro.

Un hombre levantó un palo y lo asestó en la cabeza de Amenofis. El golpe, que le dio en la sien, lo hizo tambalear. Nefertiti, presa del miedo y la furia, arrancó un madero de manos de otro hombre y comenzó a descargar golpes sobre el atacante de Amenofis, con tanto vigor que el agresor soltó su vara y escapó corriendo. Otro sujeto, sorprendido por la violencia de su reacción, se acercó a ella y también recibió un golpe tan violento que cayó al suelo. La muchacha, sin soltar el arma, siguió dando golpes y gritando, de modo tan enér-

gico que hombres y mujeres se dispersaban a su alrededor jurando
que debía de ser Isis en persona, o incluso la leona Tefnut, para defender a Horus con tamaña pasión.

–¡Horribles chacales! –exclamó Nefertiti, sin aliento y cubierta de
sudor. Regresó hacia donde se hallaba Amenofis, que se había quedado inmóvil, sin siquiera dignarse limpiar el hilo de sangre que le
caía desde la mejilla hasta el hombro.

–¡Esta gente está enloquecida! ¡Cómo se han atrevido a pegarte!
¡A ti...! –Calló de repente, porque iba a añadir "el hijo del rey" y no
quería que él supiera que ella sabía quién era en realidad.

Del dobladillo de su vestido arrancó un jirón de tela y le limpió
la sangre.

–¿Estás muy lastimado? ¡Ven deprisa! ¡Hay que curarte!

Él le tomó la muñeca y la alejó de su rostro con gesto suave pero firme.

–No es nada. Actuaron como debían, y también me llamaron
como debían. –Con una sonrisa, agregó–: Y tú actuaste realmente como Isis, como la hermana y la esposa amada de Osiris.

Cuando llegaron al palacio encontraron allí a Ay, tan inquieto
como contrariado. Apenas lograba disimular su sorpresa por hallarse alojado en una residencia tan suntuosa, cuando había temido terminar en un desagradable albergue.

–¿Qué pasó? ¿Qué les sucedió? ¿Adónde habían ido? –exclamó
al ver el estado del vestido de su hija.

–Tranquilízate –le respondió Amenofis–. Nos atacaron los partidarios de Seth, pero Kiya los dispersó como el sol disipa las tinieblas
de la noche.

–Amenofis, parece que aquí soy tu huésped; me alegro por ello
y te estoy agradecido. Pero debes saber que Kiya no es más que una
niña y que me comprometí en su nombre con un oficial de los carros
de Su Majestad.

–Ay, buen padre, qué extrañas palabras salen de tu boca. No entiendo por qué quieres hacerme saber esas cosas, que además ya conozco, pues Horemheb no me es desconocido. Respeto a tu hija y
también a ti...

–Y yo –intervino Nefertiti con vivacidad– actúo según mi deseo
y no considero estar particularmente comprometida con Horemheb.
¡Todavía soy libre de elegir, y nadie me impondrá su voluntad! Ade-

más, Ameni y yo sólo dábamos un paseo por la orilla del río, para hablar de los dioses y de las cosas que les conciernen.

Aquella noche se ofreció una hermosa fiesta en la residencia, en la que participaron Anen y el príncipe de la provincia con sus esposas, Osarsuf y los huéspedes de Amenofis, así como varios altos sacerdotes y dignatarios que habían acudido a la ciudad para asistir a las ceremonias de la resurrección de Osiris. Nefertiti estaba sentada junto a algunas mujeres invitadas al banquete, pero su atención se dirigía sin cesar hacia Amenofis, sentado entre Ay y Anen, cada uno delante de su mesa cargada de platos. A tal punto la atención de Nefertiti se centraba en Amenofis, a tal punto su mente se ocupaba de él y de lo que habían hecho y dicho durante esa tarde, que nada recordaba de las palabras intercambiadas entre los comensales, ni los discursos pronunciados, ni la música que ejecutaron las intérpretes, ni los cantos y las danzas, ni los movimientos de la acróbata nubia aplaudida por la destreza de sus saltos y contorsiones, ni de ninguno de los otros sucesos de la velada.

Una vez que se encontró a solas en la habitación que le habían destinado, cuando fue a acostarse en la cama cubierta de almohadones, con la nuca apoyada contra la cabecera, y sopló la última lámpara que había junto a ella, comprendió que amaba a Amenofis con una pasión desenfrenada y extraña, porque consistía en la mutua admiración y en la unión de dos almas, más que en el deseo de los cuerpos.

Pero él... ¿cuáles eran sus verdaderos sentimientos? Sus miradas, sus sonrisas, su mano, que con tanta ternura la había estrechado, todo le permitía pensar que ella no le era indiferente. No obstante, no podía olvidar sus respectivas condiciones sociales, así que comenzó a dudar de la realización del sueño loco al que se atrevía a abandonarse, el sueño de convertirse en la dueña de sus bienes, en aquella a la que él pudiera amar como esposa. Sintió que las lágrimas le mojaban los párpados, y se insultó por su debilidad y su ingenuidad, que la arrastraban a fantasías extravagantes. Entonces dirigió sus pensamientos hacia Horemheb e intentó preocuparse por una ausencia que se prolongaba sin noticias. Al fin se adormeció, sin decidir si debía sentirse feliz o, por el contrario, la más desdichada de las mujeres.

Capítulo IX

Nefertiti se quedó dos días más en Busiris, pero no volvió a tener ocasión de estar sola con Amenofis o, mejor dicho, él no trató de provocar tal ocasión. De tal modo, ella lo vio muy poco, pues al día siguiente él partió muy temprano al templo de Busiris, a fin de prepararse para las pruebas de iniciación. En cambio, Ay fue a reunirse con su hija, que estaba sentada en el jardín a la sombra de un sicomoro, cerca del gran estanque donde nadaban unos patos.

–Mi querida hija –le dijo, tras sentarse a su lado, en uno de los almohadones dispuestos sobre las alfombras–, temo que te enamoras con demasiada rapidez. Reconozco que la culpa debe de ser mía, en la medida en que te mantuve alejada del mundo, aunque permitiéndote, a la vez, una gran libertad.

–¿Por qué vienes a decirme esto, así de repente? –le preguntó ella, con una pizca de impaciencia.

–Mira, empezaste enamorándote de tu hermano Nakhtmin, porque era el único varón que tratabas. Pero no bien viste a Horemheb, te olvidaste de todo y no volviste a pensar en Nakhtim. Y ahora, resulta que te interesas por Amenofis.

–Si hubiera conocido primero a Ameni, no habría mirado a otro hombre –declaró ella con seguridad.

–Pequeña Kiya, es tiempo de encontrarte un esposo, porque es eso lo que te hace falta. Ahora bien, ¿quién es ese Amenofis? Me parece que pertenece a una rica familia, pero no sé por qué Anen no quiso decirme nada sobre él; quizá sea el hijo del visir de la gran ciudad del Sur, o incluso un príncipe real. ¿Por qué no?

Nefertiti volvió bruscamente la cabeza hacia él.

–Eso te sorprende –prosiguió Ay–. Pero si el palacio en el que estamos tan magníficamente alojados pertenece a su familia, de lo cual no se puede dudar, no es un personaje mediocre, como permitiría suponer su sencilla vestimenta.

–¿Por qué me dices esto? –le preguntó Nefertiti–. Si es así, deberías alegrarte de que se haya fijado en mí.

–Por el contrario, temo que te aventures demasiado al creer que se ha fijado en ti seriamente; en tal caso, temo una cruel decepción para ti. Esa es la razón que me lleva a hablarte así. Porque si en verdad es el hijo de un poderoso personaje, sólo le permitirán casarse con una muchacha de su rango.

–¿Acaso nuestra familia es tan mediocre? –se rebeló ella–. Y además, ¿cuánto valen los méritos personales? ¿Cuánto vale un amor que sólo se mide por la opulencia de la familia?

–No te exaltes de ese modo, hija querida. Sin duda, el mérito está recompensado por la benevolencia de nuestro rey, el dios bueno; por eso confío en el futuro de un hombre como Horemheb. Pero, en lo que respecta a los casamientos, a semejanza del faraón, que toma por esposa a su propia hermana o a princesas extranjeras para entablar alianzas, los altos dignatarios buscan para sus hijos muchachas del mismo rango y de igual fortuna, para no debilitar su posición. Por eso vengo a verte y te digo, mi pequeña Kiya, con todo mi amor: si crees sentir algo por ese Amenofis, aléjalo de tu mente y piensa en amar a Horemheb, que te ama y quiere hacer de ti la dueña de sus bienes. Todavía no tiene mucho, aunque me enteré de que su familia también posee tierras en Hatnub, en el centro de la región del Sur, pues es originario de esa ciudad, y tengo buenas razones para pensar que se convertirá en un importante personaje, ¡el favorito de Su Majestad!

–Querido padre –respondió Nefertiti–, no pienses que desdeño tus consejos, pero créeme que pretendo saber hacia quién se inclina mi corazón. Conozco a Horemheb, por cuyo amor me refugié entre los boyeros de los pantanos, pero también conozco a Ameni, mejor de lo que imaginas. Así que puedes estar seguro de que ya tengo edad de conducir mi barca hacia la ribera en que elegí abordar. Y si por casualidad me equivoco o me pierdo, me lo reprocharé a mí misma; tú no oirás ninguna queja de mis labios.

El día de la partida, Amenofis fue a saludarla en el umbral de su residencia, al mismo tiempo que a Ay y a Nakhtmin, pero le pareció tan distante –cuando ella esperaba algún tipo de demostración– que se dijo con melancolía que él no correspondía a sus sentimientos. Quizás el joven sólo había pensado divertirse un rato durante esos pocos días, y la actitud severa de su padre lo había desviado de su intención; o tal vez había sentido curiosidad por sus ideas, que le habían parecido fuera de lo común, pero había agotado en una tarde el deseo de profundizar en su espíritu. Por lo tanto, movida por el resentimiento, Nefertiti demostró cierta frialdad de su parte, hasta comenzó a sentir que lo odiaba. Y habría intentado ahuyentar su recuerdo si Osarsuf, que había acompañado a Ay y a los suyos hasta el embarcadero, no hubiera logrado hablarle a solas, mientras iban sentados en las sillas de las mulas. Ay marchaba adelante, conversando con Anen, que le aseguraba que hablaría con la reina Tiyi en su favor.

–Kiya –le dijo entonces Osarsuf–, te veo dividida entre la tristeza y la ira a causa de Amenofis.

–¿Cómo puedes pensar semejante cosa? ¿Qué interés crees que siento por Amenofis, para alimentar tales sentimientos por él? –respondió ella con tono que pretendía ser indiferente.

–Kiya, no me engañan tus palabras ni tus sentimientos. Escúchame, porque te hablo en mi nombre. No pienses que Ameni está al tanto de esto; sólo actúo por amor a él... y también a ti. Por eso no quiero verlos desdichados, aunque no sepa realmente si lo que ambos desean los hará felices.

–Sinceramente, Osarsuf, hablas con enigmas y no entiendo nada de lo que dices.

–Quiero decirte, simplemente, que Ameni, al verte, sintió nacer en su pecho la llama de la Dorada. Pero no es un hombre frívolo y tampoco es por completo libre en sus decisiones. Esa es la razón por la que evitó encontrarse a solas contigo una vez más: por miedo a flaquear y arrastrarte a una aventura que podría ocasionarte más mal que bien. En poco tiempo regresará a Tebas con su familia y, después de ser introducido en los secretos de Amón, podrá emprender con determinación el camino que haya elegido. En cuanto a ti, te pido una sola cosa: si, entre tanto, viene Horemheb y quiere hacerte entrar en su casa, contemporiza y házmelo saber.

–¿Por qué debería actuar así? Si Amenofis pretende amarme, que lo declare y vaya a pedir mi mano a mi padre. Entonces veré a quién elijo. Pero si permanece callado y distante como lo vi recién, que no me moleste más y me deje entregarme al amor de Horemheb.

–Ya te lo dije: no hablo en su nombre sino en el mío. Te pido que no menciones una palabra de mi gestión a nadie...

No pudo decir más porque se acercaban al embarcadero y Ay había detenido las mulas para esperarlos. Nefertiti, perturbada por las palabras de Osarsuf aunque se negara a admitirlo, concentró su atención en la perrita, acurrucada en sus rodillas, y comenzó a hablarle para demostrar una indiferencia que estaba muy lejos de sentir.

De regreso en la casa paterna, se encontró con Ti, con su hermana y con su vida de antes, pero con ninguna noticia de Horemheb. Su primera preocupación consistió en alejar a Amenofis de sus pensamientos; y, para evitar los momentos de soledad que pudieran permitir que la pena y los recuerdos la asaltaran, multiplicó sus actividades. Cuando no ejecutaba música o practicaba ejercicios de lectura y escritura, iba en su carro a cazar en el desierto; como su padre no podía acompañarla, solicitó los cuidados de Nakhtmin, por demás contento de que ella se mostrara nuevamente amable y abierta con él. Así pues, tiraban juntos con el arco, corrían carreras en sus respectivos carros o cazaban en los pantanos. Con todo ello Nefertiti trataba de aturdirse y, cuando se sorprendía admirando el vigor y la elegancia de Nakhtmin al proyectar su jabalina contra una gacela, se preguntaba si la verdadera felicidad no residía en llevar esa vida libre, con un esposo como él, que la amaba con constancia, que se inclinaba a sus pies ante su menor gesto e incluso ante una simple mirada, que estaba dispuesto a darle el placer que ella deseaba en el momento en que se lo dictara su fantasía. Al contrario de Horemheb o Amenofis, no lo devoraba ambición alguna, no lo obsesionaba ningún deseo por un dios que se ocultaba; o, mejor dicho, tenía una sola ambición y un solo culto: amarla y servirla. Pero pronto Nefertiti ahuyentaba estas ideas de su mente y se decía entre suspiros: "Sí, pero al final debe de ser muy agotador soportar a un adorador tan celoso de su divinidad".

Hacía ya un mes que Horemheb había partido en expedición, y muy lejos se hallaba de los pensamientos de la muchacha que, con los cabellos al viento, las piernas semiabiertas y las rodillas ligeramente dobladas, impulsaba su carro ligero al galope de dos briosos caballos para aventajar a Nakhtmin camino a la finca, después de pasar una jornada en el desierto de Keraha, acosando a los animales que allí vivían y buscando miel silvestre. Nefertiti frenó sus caballos delante de la casa, en una nube de polvo, y saltó del carro mientras Nakhtmin la alcanzaba.

–¡Por el dios bueno! –exclamó Ti, corriendo hacia ella–. ¡Mira, estás empapada de sudor y sucia de tierra! ¡Entra deprisa! ¡Con el frío que baja al caer la noche...!

La nodriza tenía lista una toalla, con la que le secó el torso, pues la muchacha sólo llevaba puesto el taparrabo corto, al igual que su hermano de leche.

–Hay alguien que te espera –prosiguió Ti, mientras le frotaba vigorosamente los hombros–. Un oficial de carros.

–¿Un oficial de carros? –preguntó Nefertiti, y se dirigió a la casa, abandonando a Nakhtmin el cuidado de su carro y de los caballos.

–Oh, no es el que piensas –advirtió Ti.

Nefertiti vio que un joven salía del pórtico rumbo a ella y reconoció a Hanis, a quien había visto en compañía de Horemheb y Tutmosis.

–Kiya –comenzó a decir el muchacho, saludándola con los brazos levantados–, he venido enviado por Horemheb.

–¿Horemheb? ¿No puede molestarse en venir él mismo? No he tenido ninguna noticia suya desde que se fue.

–Perdónalo, pero le resultaba muy difícil enviarte misivas pues nos encontrábamos en medio de un inmenso desierto, ¡completamente rodeados por esos viles beduinos! Debo decirte que ha ocurrido una gran desgracia. Teníamos pocos soldados, o no los suficientes para castigar a esos bandidos. Sin embargo, los vencimos en el transcurso de numerosos combates, y sobre todo en el último, en el que Horemheb luchó como una leona, como las mismas Sekhmet y Tefnut.

–¿Una desgracia, dices? ¿Se trata de él?

–No, quédate tranquila, pero nuestro duelo es inmenso, porque Tutmosis, nuestro joven capitán, vio el color de la sangre durante ese último combate y fue a reunirse con sus ancestros al lado de Osiris, el buen dios. Entonces Horemheb tomó el mando de nuestra tropa y dio la orden de retirada. Tuvimos que rechazar los asaltos de esos vencidos de los Nueve Arcos, luchar contra los animales del desierto y también contra la sed, pero logramos regresar a la Tierra Querida y traer con nosotros el cuerpo de nuestro jefe que, como ya sabes, era también nuestro príncipe, ¡el hijo mayor de Su Majestad! Por eso Horemheb se embarcó hacia la gran ciudad del Sur, a fin de trasladar allí el cuerpo de Tutmosis y dar la terrible noticia a su padre, el rey, tarea tan delicada como penosa. Y a mí me encargó que viniera ante ti para hacerte saber que ha regresado sano y salvo. No bien concluya su misión y quede liberado por Su Majestad, retornará a la tierra del Norte para visitarte y decirte lo que guarda en su corazón.

La noticia dejó a Nefertiti sin habla por un momento. Cuando Tutmosis era el príncipe heredero, ella podía alimentar la esperanza de entrar en la casa del hermano, Amenofis, que no era más que un simple príncipe, a quien todavía no amenazaban las obligaciones del poder. Ahora, en cambio, se convertía en el único heredero del trono. Con ello, la muchacha perdía, definitivamente, toda ilusión de unirse a él algún día, porque sin duda Amenofis iba a casarse con su hermana Satamón, que encarnaba la legitimidad de la sangre real.

–Hanis –dijo al fin–, esta noticia me aterra y el corazón se me sale del pecho, porque quería a Tutmosis como a un amigo y lo veneraba como al futuro rey de las Dos Tierras. Ven, pasarás en esta casa el final de este día y la noche, para que me informes en detalle sobre todas las acciones del príncipe, de Horemheb y de ti mismo.

El relato que Hanis desgranó aquella noche, después de la cena familiar, sobre la campaña y las acciones destacadas de Horemheb, parecía destinado a magnificar al joven oficial, a volverlo más glorioso aún ante los ojos de Nefertiti.

–Con sus hazañas –concluyó Hanis–, Horemheb debería adquirir el favor de Su Majestad, pero también podrían acarrearle desgracia, ya que el rey sentía gran afecto por su hijo mayor y es de temer que atribuya a Horemheb algún tipo de responsabilidad en su muerte, pues la pena puede volver injusto hasta al más justo de los soberanos.

–En ese caso –aseguró Ay–, la carrera de Horemheb corre el riesgo de truncarse definitivamente. De ser así, le convendrá vivir retirado en su hacienda, como yo mismo tuve que hacer por haber desagradado a Su Majestad y a la Gran Esposa Real, nuestra prima.

–En realidad –contestó Hanis–, más vale desagradar al rey que a la reina Tiyi, porque, al fin y al cabo, ella hace prevalecer su voluntad sobre la de su esposo cuando por ventura tienen opiniones divergentes. Horemheb cuenta con su apoyo, pues sabemos que favorece a su hijo Amenofis, que es quien ella quiere hacer subir al trono, para que organice el culto de Atón, que Su Majestad no se atrevió a imponer por miedo al clero de Amón, que ve con malos ojos la preeminencia de un dios rival. Además, la muerte de Tutmosis no puede causarle verdadera pena, e incluso tendrá razones para alegrarse, ya que en adelante no habrá obstáculos entre Amenofis y el trono de las Dos Tierras.

Tras estas consideraciones se produjo un silencio. Nefertiti había palidecido al ver confirmados sus temores, pues el trono se convertía en un obstáculo insuperable para su amor. En cuanto a Ay, dedujo que el Amenofis que lo había hospedado durante su estancia en Busiris era sin duda el heredero del trono, tal como lo había supuesto en aquel momento, aunque sin querer aceptarlo, quizás a causa de la actitud arrogante, e incluso despectiva, que había adoptado para con ese muchacho al que había confundido con un pobre escriba.

Pero pronto Hanis prosiguió:

–Creo poder tranquilizarte, Ay, y también a ti, Kiya, con lo siguiente: si por casualidad Horemheb debiera soportar la cólera de Su Majestad, gozaría aún más de la protección de la reina, debido a que también Amenofis es su amigo y sabrá defenderlo ante su padre.

–No me preocupo en absoluto por Horemheb –contestó Nefertiti–, y menos aún cuanto que nunca me comprometí con él.

Este repentino cambio de humor se debía a la última frase de Hanis. Quizás Amenofis fuera amigo de Horemheb, pero no creía que el sentimiento fuera recíproco, ya que no conseguía alejar de su mente las palabras que le había dicho el oficial de carros sobre el príncipe y la satisfacción que había demostrado al confesarle que Tutmosis, una vez coronado rey, planeaba encerrar a su hermano en un templo bajo la vigilancia de los sacerdotes, para impedirle que realizara un sueño que consideraba insensato y peligroso.

Ay apenas si había escuchado las palabras de su hija, absorto como estaba en sus nuevas deducciones.

–Dime, Hanis –habló a su vez–, tú que pareces conocer a Horemheb y a los hijos reales…

–Muy bien los conozco, porque seguí con ellos mis estudios de escriba y serví en la fortaleza del Muro Blanco a las órdenes de Tutmosis –aseguró Hanis.

–Ese príncipe Amenofis, ¿no será acaso amigo de un tal Osarsuf...?

–¡Es como su hermano de leche, e incluso más!

–Por el dios bueno, ¡lo sospechaba! Mi pequeña Kiya, ¿sabes
quién era nuestro huésped en Busiris? ¿Sabes quién te tenía de la
mano como un esposo? Era el príncipe Amenofis, el mismo que,
ahora que Tutmosis se ha unido a su doble, llevará un día la doble
corona de Egipto.

–Padre –replicó ella–, ya lo sabía, y es eso lo que me desespera,
porque no puedo amarlo.

Tras estas palabras, se levantó y se refugió en su habitación.

Capítulo X

Corría esa estación en que el sol parecía descender cada vez más lejos hacia el sur, para lanzarse en su barca celestial al asalto de las nubes desde el horizonte oriental. Las noches eran largas y frescas, mientras que los días se volvían más y más cortos –como si el dios brillante tuviera prisa por regresar al reino de Osiris e iluminar allí a los bienaventurados en los campos sembrados–, aunque eternamente serenos y de una agradable tibieza.

Amenhotep, hijo de Hapu, aprovechaba la clemencia de la temperatura para consagrar sus días a visitar las obras de Tebas. Iba en silla, pero cuando se apeaba para observar el trabajo realizado, y caminaba bien erguido, ataviado con la peluca que le caía en líneas oblicuas sobre los hombros, y vestido con su largo taparrabo que le llegaba hasta la mitad del pecho, nadie podría creer la edad que tenía. Los hombros todavía redondos; los brazos carnosos; el rostro de pómulos salientes, sin más que unas pocas arrugas en la frente y a ambos lados de la boca; las anchas fosas nasales; el perfil fuerte de mentón voluntarioso, tornaban casi imposible adivinar que había nacido más de un siglo atrás, bajo el reino del dios bueno, el rey justificado Tutmosis, el tercero en llevar ese nombre y el verdadero fundador del imperio egipcio. El hombre divino que había llevado las armas de Egipto desde las orillas del Éufrates hasta los confines de Libia, desde las montañas de Plata, vecinas al país de los hititas, hasta la montaña Pura, cerca de la cuarta catarata del Nilo, en el corazón de la región del oro, la región de Nubia.

Amenhotep había llegado a ser el personaje más poderoso del imperio después del faraón, gracias al apoyo de la reina Tiyi, a la que estaba enteramente consagrado. Así pues, acumulaba las funciones de jefe de los reclutas militares –es decir, comandante en jefe de los ejércitos del faraón– y jefe de los secretos de Kep, lo cual le confería el mando de las relaciones exteriores y poder sobre los hijos de los reyes vasallos que eran educados, a la manera egipcia, en el gran palacio real de Tebas. Estos últimos actuaban como garantes de la lealtad de sus padres, pero también se los preparaba para gobernar sus principados en la observancia de la fidelidad a Egipto. Amenhotep cumplía también la función de director de todas las obras del rey. En el marco de esta actividad, dirigía a los arquitectos encargados de las construcciones reales e iba a verificar el trabajo realizado por constructores y artesanos.

Aquel día hizo detener su silla –rodeada por un flabelífero, un portador de espantamoscas, algunos altos funcionarios y el arquitecto del templo de los millones de años del faraón– cerca de las dos colosales estatuas talladas en dos bloques gigantescos de gres que estaban terminando de cincelar los escultores reales. Símbolos del poderío del imperio, esas estatuas con la efigie del rey se alzaban en medio de los campos, delante del templo funerario real, que los egipcios llamaban "templo de los millones de años". Nunca antes un faraón había pensado en hacerse construir un monumento tan gigantesco, con sus pilones, las decenas de columnas de sus pórticos y sus salas, sus capillas y sus patios. Por ende, aunque iniciado en los primeros años del reinado de Nebmare Amenofis –hacía ya casi treinta años–, todavía no se hallaba terminado, a pesar de la cantidad impresionante de obreros y artistas que en él trabajaban.

Amenhotep siguió con mirada distraída a los escultores que, con ayuda de cinceles de cobre y ligeros mazos, tallaban elegantes jeroglíficos en la base de las dos estatuas que formaban los tronos sobre los que se asentaba el rey, con las manos sobre las rodillas. Oyó las explicaciones del jefe de los escultores, hizo algunas observaciones y luego se dirigió al templo, al que faltaba hacer el techo. No era más que un inmenso montículo de tierra en el que se sumergían muros y columnas, de las que sólo sobresalía la parte superior de los capiteles y los cimacios. Mientras unos hombres arrastraban en trineos de madera, a lo largo de planos inclinados, las anchas losas destinadas a constituir el techo, los escultores tallaban las piedras visibles de los capiteles con figuras geométricas e inscripciones en letras sagradas, que luego los pintores completaban con vivos colores. Una vez colocadas las losas y concluido el trabajo de los escultores, retirarían poco a poco la tierra, por capas, para que los artistas pudieran terminar de revestir, sin dificultad, las paredes y columnas a partir de los modelos dibujados en grandes placas de caliza alisada.

–Lento, este trabajo va muy lento –señaló Amenhotep, volviéndose hacia el arquitecto del templo, mientras subía con paso atento por una rampa.

–Sin duda, señor, pero gigantesca es la obra. Nunca antes se había construido un templo semejante. Y como Su Majestad está haciendo edificar, al mismo tiempo, el nuevo templo del Harén del Sur* y agrandar el templo principal de Amón, rey de los dioses, nos faltan artesanos calificados para trabajar en tantas obras.

–¡Que Amón conserve a Su Majestad mucho tiempo más, para que su templo esté terminado cuando vaya a reunirse con su padre Osiris y con Atón! –respondió Amenhotep–. Pero yo temo no llegar a ver este santuario en todo su esplendor.

–Señor, estoy seguro de que llegarás a la edad de los sabios, que es de ciento diez inundaciones.

–Esperémoslo, esperémoslo. Pero me preocupo más por Su Majestad, al que encuentro muy debilitado. Hace mucho tiempo que ha dejado de disfrutar de los paseos en carro y la caza en el desierto. Ya no le interesa todo aquello que tanto le agradaba antaño; sólo aspira a permanecer en su palacio, entregado a su pasión por su hija Satamón. ¡Todo esto es muy malo! Agradezcamos a los dioses que la Gran Esposa Real haya tomado las riendas del carro del Estado, que conduce con tan grata seguridad. Pero ella se queja de la fatiga y los problemas que tantas responsabilidades le acarrean. La muerte del príncipe heredero ha sido una gran desgracia, sobre todo para Su Majestad, que al parecer no consigue reponerse y ha envejecido más en estos últimos días que en diez años de reinado.

–Felizmente, tiene excelentes ministros en la corte, señor –señaló el arquitecto–, y sin lugar a dudas tú eres el mejor.

–De todos modos, soy muy viejo. Nos hace falta una cabeza joven que soporte el peso de la doble corona.

–¿Acaso no se rumorea que Su Majestad quería designar un corregente en la persona de su hijo, para liberarse, a través de él, del peso del Estado?

* Se trata del templo de Luxor.

–En efecto, así es, pero el príncipe Tutmosis se fue con su padre Osiris.

–Todavía queda Amenofis.

Amenhotep sacudió la cabeza, sin responder; se volvió hacia un carro tirado por dos caballos, que se acercaba a gran velocidad y pronto se detuvo al pie de la rampa. El hombre que lo manejaba saltó del vehículo y corrió hacia Amenhotep. Después de saludarlo le dijo:

–Señor, me he apresurado a venir ante tu presencia. La Gran Esposa Real me ha enviado a buscarte; pide que, sin tardanza, te dirijas a sus pies, pues lo que tiene que comunicarte no puede sufrir demoras.

–Ve adelante y di a la Gran Esposa Real que te sigo, que acudo a su llamado.

Hasta el décimo año del reinado de Amenofis III, la corte había vivido en la margen oriental del río, donde se extendía la ciudad de Tebas, dominada por su gran templo de Amón. Después, el faraón emprendió la construcción de un inmenso palacio en la otra margen, hacia la necrópolis y el valle seco que había elegido para albergar los hipogeos de los esposos reales. El conjunto palaciego, que llevaba el nombre de Djarukha, "la Brisa de la Tarde", constituía una verdadera ciudad real, a escasa distancia del templo funerario del rey. Así pues, Amenhotep demoró poco rato en llegar ante la puerta del recinto custodiado por hombres armados.

La silla del ministro pasó delante del palacio norte –donde se había instalado la princesa real Satamón–, atravesó los jardines –en cuyo fondo se ocultaban, entre palmeras, perseas y sicomoros, la residencia del visir Ramosé y la del propio Amenhotep–, dejó a su derecha el vasto palacio de los dos hijos reales –donde, desde la muerte de su hermano, Amenofis habitaba solo, en compañía de sus amigos y servidores–, después los edificios donde residía el faraón con su harén, y al fin se detuvo frente al palacio, mediano pero de elegantes proporciones –con sus columnatas, terrazas floridas, patios empedrados y peristilos–, que servía de residencia a la reina Tiyi. Cerca de aquel palacio se extendía un vasto estanque, comunicado con el Nilo por un ancho canal que permitía a la Gran Esposa Real caminar sólo unos pasos desde la residencia hasta su barco dorado, *Esplendor de Atón*, con el que podía ir a Tebas o a su palacio cercano en Khentmin, su ciudad natal.

Un escriba, alto dignatario del palacio, condujo a Amenhotep, a través de patios y galerías, hasta la sala en que se encontraba la reina, un amplio recinto de paredes pintadas con escenas agrestes, de acuerdo con la nueva moda. Tiyi estaba sentada en un sillón de brazos, con patas esculpidas en forma de garra de pantera y respaldo tallado y calado. Bajo el asiento se hallaba su gato favorito. La reina llevaba un amplio vestido plisado que le caía hasta los pies y una tupida peluca coronada por un tocado rígido y cilíndrico, plano en la parte superior, decorado con dos largas plumas. El conjunto le empequeñecía el rostro huesudo, de tez aceitunada y labios carnosos y bien delineados, en el cual brillaban unos ojos negros que parecían escondidos tras los pesados párpados. Una gran cantidad de mujeres rodeaba el trono: hijas reales que sostenían contra los hombros el abanico de largo mango de marfil, terminado en forma de flor de loto, con una larga pluma curvada; esposas de dignatarios, y sirvientas. Sentadas a un costado, unas jóvenes intérpretes extraían de sus flautas, arpas y cítaras sonidos melodiosos pero apagados. Ante la reina se hallaba de pie una adolescente que vestía apenas un taparrabo corto, ajustado en la cintura por medio de un amplio cinturón de tela anudada bajo el vientre; un collar ancho adornaba su pecho desnudo, y dos mechones rizados de su peluca caían hasta sus senos firmes y pequeños. En su cabeza descansaba una corona trenzada con tallos verdes y decorada con flores blancas de loto; también ella sostenía contra el hombro izquierdo un abanico de marfil con una pluma de avestruz.

Al entrar Amenhotep, la jovencita se ubicó junto al trono, mientras él se inclinaba, levantando ambos brazos.

–Acerquen un asiento para el señor Amenhotep –ordenó entonces la reina.

Dos mujeres adelantaron un sillón, en el que tomó asiento el hijo de Hapu.

–Amenhotep, te agradezco que hayas respondido tan rápidamente a mi llamado –dijo la soberana.

Después alzó la mano izquierda, ya que en la derecha sostenía la cruz ansada, el *ankh*, símbolo de vida. –Hijas mías, retírense. Quiero quedarme a solas con Amenhotep.

Las mujeres se inclinaron y salieron una detrás de la otra. Sólo se quedó la jovencita, que se había ubicado cerca de la reina, pero esta la miró y le dijo:

–Satamón, puedes regresar a tu palacio, adonde Su Majestad irá a visitarte. Nos veremos mañana.

La jovencita fue a inclinarse ante su madre, que tendió la mano para acariciarle la mejilla.

No bien se hallaron solos, Tiyi tomó la palabra:

–Amenhotep, podemos regocijarnos, porque al fin he conseguido de Su Majestad todo lo que deseo desde hace tiempo: mi amado hijo Amenofis será asociado al trono y coronado para que reine con su padre. En realidad, mi real esposo planea, de este modo, desligarse de un poder que le pesa y como mi hijo Ameni sólo sueña con instaurar el culto de Atón, yo y tú, por mi gracia, seremos los que en verdad reinaremos.

Si Tiyi hablaba de este modo a Amenhotep se debía a que una profunda complicidad los unía desde hacía largo tiempo. Porque a él debía Tiyi su fortuna. Ella provenía de una familia de la pequeña nobleza, cuya madre, Thuya, era originaria de Nubia; su padre, Yuya, era entonces sacerdote del dios Min en Khentmin. La ahora soberana contaba apenas poco más de doce años cuando Amenofis III, que era el príncipe heredero, la vio durante una fiesta de Min que había ido a presidir en Khentmin, bajo la tutela de Amenhotep, que ya ocupaba una elevada posición bajo el precedente reinado de Tutmosis IV. Amenofis III era, en aquel tiempo, un adolescente de quince años, tímido con las mujeres, que combatía su constitución débil entregándose a ejercicios violentos y a la práctica de la caza. Apenas si había reparado en la jovencita, que quedó tan prendada de él que enfermó.

Al enterarse de la causa del mal que tan de repente había abatido a su hija, Thuya y Yuya quedaron aún más consternados, ya que el objeto de su amor parecía por entero inaccesible. Sin embargo, Yuya mantenía relaciones con Amenhotep, a quien confesó la aflicción de su hija. Con fines políticos, Amenhotep pensó que quizá pudiera sacar alguna ventaja de la aventura, más aún cuando consideraba que, a la vez, podría hacer una obra loable. Así pues, habló de Tiyi al joven príncipe en términos elogiosos. El joven sintió curiosidad por conocer a una muchachita capaz de amarlo con tanta pasión. Aceptó acompañar a Amenhotep con total confianza, dado que, además, sentía una admiración por aquel hombre que, ya en el umbral de la vejez, había adquirido la honrosa reputación de sabio. Así fue como, al ver a Tiyi, quedó a su vez tan prendado de ella que pidió a su real padre autorización para desposarla. El rey se indignó tanto que amenazó con desheredarlo y legar el trono a alguien ajeno a la familia, a quien además daría en matrimonio a Tentamón, la mayor de sus cuatro hijas, de veinte años de edad en aquel momento. Amenhotep intervino oportunamente para calmar al rey y hacerle considerar la idea de que Tiyi podría, al menos, figurar como esposa secundaria. Así pues, Amenofis se casó con su hermana mayor y recibió a Tiyi en su harén.

Poco después murió el rey Tutmosis, con lo que Amenofis subió al trono de las Dos Tierras e hizo de Tiyi su Gran Esposa Real, acto que oficializó en todo el imperio, por consejo de Amenhotep, distribuyendo escarabajos en los que se conmemoraban tales acontecimientos. Sin embargo, Tentamón fue la primera en darle un hijo, Tutmosis, que llevaba en sus venas la sangre divina de Ra a través de su madre y, por lo tanto, estaba destinado a ceñir un día la doble corona. Nació un año antes que Amenofis, pero pronto perdió a su madre y, gracias a eso, ya no hubo nadie capaz de hacer vacilar la autoridad de Tiyi ante su real esposo.

Ahora, en el palacio, Amenhotep hizo un gesto con la mano mientras Tiyi proseguía:

–No obstante, el poderío del clero de Amón no deja de inquietarme. A pesar de la elevada posición que le hemos conseguido, mi hermano Anen no logra imponer su autoridad frente al primer profeta, que cuenta con el apoyo de todo el resto de los sacerdotes. Así es que he obtenido del rey que seas nombrado heraldo del dios y maestro de las ceremonias y las fiestas de Amón; estos títulos te permitirán ayudar a Anen a controlar a los sacerdotes del dios y a contener la ambición del primer profeta. Conviene actuar con prudencia y diplomacia, para evitar chocar con él frontalmente; ya has notado la violencia de su·reacción cuando dimos a entender que Anen podría ocupar la cabeza del clero. Ya estaban amotinando al pueblo y pedían la protección de todos los dioses, con la excusa de que la gente de Heliópolis quería despojar a Tebas de sus riquezas y su preeminencia. Hay que emplear la astucia y avanzar sólo a pasos mesurados para no alarmarlos, sitiarlos como a una fortaleza y, lentamente, despojarlos de sus prerrogativas. Cuento con tu habilidad para vencer en esta empresa, pero también tendrás el apoyo total del nuevo rey.

–Mi reina, es preferible que me permitas actuar sin que Amenofis trate de intervenir. Él ostenta en demasía su desprecio por Amón, y los sacerdotes quedaron heridos por su súbito rechazo a ser introducido en los secretos del dios, cuando había venido a Tebas precisamente para eso. Sería un grave error buscarles pleito, pues inmenso es el favor de Amón entre el pueblo y el ejército.

–Lo sé, lo sé, y es por eso que te indiqué la manera en la que creo que hay que proceder. Además, mi hijo me causa algunos problemas, aunque no pueda culparlo por parecerse a su padre.

Amenhotep lanzó una mirada inquisidora a la reina, que continuó:

–Sabes que hay un punto en el que el rey se ha mantenido intransigente: aprovechó la muerte de Tutmosis, a quien estaba destinada Satamón, para declarar que él mismo desposaría a su propia hija, cuando a mí me parecía natural que se uniera a su hermano Amenofis.

–Mi reina, sabes bien que para el rey ese casamiento es la única prenda de su legitimidad. Sin lugar a dudas, confía absolutamente en Amenofis, pero una vez que este sea coronado y asociado al trono, una vez que aquel haya abandonado el poder, sólo Satamón podrá ser su lazo con la estirpe de la sangre de Ra. Si ella se casara con su hermano, Su Majestad no sería para el pueblo más que un rey muerto, ya que su hijo entronizado representaría la única autoridad legítima.

–Eso lo sé, Amenhotep. Sé muy bien que la sangre divina de Ra no corre por mis venas. Y lo que ahora me preocupa, precisamente, es que Ameni parece haberse enamorado de una muchacha de oscuro origen… En fin, quiero decir que no es de sangre real. Yo deseaba que se casara con una de sus medio hermanas, ya que, si bien no son hijas de la Gran Esposa, por parte de padre tienen sangre de Ra… Amenofis va a ser rey; necesita un harén, como su padre, como todos los reyes y los grandes de este país. Incluso he enviado una carta al rey de Mitanni, para proponerle una unión con su hija. Su embajador me habló maravillas de ella; es joven, hermosa y se llama… Espera, tiene un nombre bárbaro…

–Tadujepa, mi reina –precisó Amenhotep.

–Sí, eso es, Tadujepa. Le habríamos encontrado otro nombre, como a su tía Kilguipa. Son muy buenas, esas princesas mitanianas.

Kilguipa nunca me hizo sombra y vive retirada en el harén real sin jamás dar que hablar. Pero Ameni no quiere a ninguna mujer, salvo una; se llama Nefertiti y al parecer es muy hermosa. Conozco bien a mi hijo, tanto como para saber que, si me opusiera a ese matrimonio, rechazaría el trono. Además, le hago esa concesión con agrado, pues la tal Nefertiti es hija de mi primo Ay. Anen me habló muy bien de ella, y también Osarsuf, pero temo que tenga demasiado carácter y trate de evitar mi influencia.

–Mi reina, sé que eres lo suficientemente hábil como para hacer de esa muchacha una cómplice, más que una enemiga.

–Ese es mi deseo, pero ¿cómo saberlo? Parece que es particularmente voluntariosa. Aunque lo que importa, sobre todo, es que no sea ambiciosa en exceso.

Capítulo XI

Cuando Horemheb se presentó ante el faraón para informarle de los acontecimientos que habían precedido la muerte de su hijo mayor, habló con temor a la ira del rey, pero se sintió aliviado al encontrarse con un hombre abatido por la tristeza, que lo despidió sin hacerle ningún reproche. Sin embargo, la reina Tiyi lo convocó para que le diera un relato detallado de la campaña; después, cumpliendo el pedido de Amenofis, le ordenó que se pusiera a disposición de su hijo menor, en adelante el príncipe heredero.

Amenofis lo conservó a su lado, en su palacio, durante todo el tiempo que duraron las maniobras de la madre para que el padre lo designara corregente. Una vez que tuvo la certeza de ser elevado al trono, y después de convencer a la Gran Esposa Real de que le permitiera tomar por esposa a quien él había elegido, llamó a Horemheb a una pequeña sala de paredes blancas –pintada sólo con el disco solar de rayos similares a brazos, cada uno de los cuales terminaba en una mano que portaba la cruz ansada– adonde le gustaba retirarse para meditar o escribir.

Tras invitar a Horemheb a sentarse en una butaca liviana de patas cruzadas, le habló de este modo:

–Horemheb, eras más amigo de mi hermano que mío, pero no por ello te estimo menos, aunque sepa muy bien que ambos juzgaban mal mi amor por Atón, el dios grande que realmente está por encima de todos los dioses.

–Ameni, mi señor –protestó Horemheb–, reconozco que tu hermano temía que tu pasión por ese dios te llevara a cometer algún acto que habría podido importunar al poderoso clero de Amón, pero...

Amenofis levantó una mano, interrumpiéndolo:

–No te defiendas, puesto que eso tiene poca importancia y quiero hablarte de otra cosa. El dios ha querido que una mujer, una muchacha, se colocara en medio de nuestros caminos. Ahora el momento de la elección ha llegado, pero no quiero que esa elección se vea influida por mis orígenes. Por eso te confío una misión que te dará ventaja. Irás a verla a la casa de su padre. Yo te daré una carta que le entregarás en mi nombre, en nombre de Ameni, pero eres libre de conservar esa carta contigo y llevar a la joven a tu casa para que sea la dueña de tus bienes y viva como lo ha hecho su padre, en una feliz oscuridad, lejos de mis ojos. Yo no trataré de quitártela, no enviaré ningún mensajero ni a nadie que te importune. Si no, puedes darle la carta y entonces será ella quien elija. Podrá regresar contigo a este palacio y decirme: "Ameni, soy sensible al amor que me profesas pero no puedo corresponderlo porque amo a Horemheb". Entonces los colmaré con todos los bienes que deseen y te daré un alto cargo en el ejército, pero irán a vivir a Menfis, o al lugar que les agrade, mientras esté lejos de mi vista. También puede ocurrir que ella me diga que en realidad arde por mí en su corazón la gran llama de la Dorada, que es lo que creo en lo profundo de mi alma. Entonces será mi mujer, la Gran Esposa Real, pero tú serás ampliamente compensado por esa pérdida y te convertirás en uno de los personajes más importantes del reino. Aquí está la carta. Tienes entre tus manos tu destino, pero también el suyo y el mío. Ve, Horemheb. Sea como fuere, sé feliz y que Atón te dé su protección.

Horemheb llevó a su frente el rollo de papiro sellado con cera fresca y, aquel mismo día, se embarcó hacia la tierra del Norte. Su corazón rebosaba de una furia secreta contra Amenofis, y en varias oportunidades lo maldijo para sus adentros y lo encomendó a Seth y a la perra de Osiris, que devora las almas cargadas de pecados, pues se veía enfrentado a una elección difícil, cualquiera fuera el resultado. No hacía falta leer la misiva de Amenofis para estar seguro de que en ella declaraba su amor a Nefertiti. Horemheb no dudaba que ella respondería favorablemente a aquella pasión, ya que no había olvidado los últimos momentos que habían pasado juntos, antes de que él partiera en campaña contra los beduinos del desierto. Así pues, tenía que elegir entre su carrera, su ambición y su amor por la muchacha. Estaba convencido de que, si destruía la carta y no le mencionaba una palabra de su misión, ella aceptaría casarse con él, pero en tal caso debería esconder su amor en lo profundo de su finca. Pensaba entonces en sus grandes aspiraciones, en los sueños de gloria y conquista que había compartido con Tutmosis, y su corazón se llenaba de amargura. Cuando el largo y veloz barco fletado por Amenofis para aquella misión amarró en la orilla vecina a la residencia de Ay, la decisión de Horemheb estaba tomada.

Después de vestir una amplia túnica de tupido lino, pues el aire estaba fresco a pesar del brillo del sol, eligió un hermoso bastón de ébano tallado y emprendió el camino a la casa, sin escolta, para no tener testigos indiscretos de su entrevista con Nefertiti. En la entrada del jardín fue acosado por una oca doméstica, a la que espantó con el extremo de su báculo; de inmediato acudió Nebet, que, al reconocerlo, se puso a ladrar y saltar a su alrededor hasta que tuvo que alzarla en sus brazos. Poco después, Mutnedjemet salió a su encuentro.

–¡Horemheb! ¡Qué sorpresa! ¡Qué alegría! ¡Kiya se alegrará de verte! ¿Cómo estás? ¡Hacía tanto tiempo que no te veíamos, que no teníamos noticias tuyas!

–Querida Muti –dijo él después de saludarla–, debes saber que he estado muy ocupado en la gran ciudad del Sur, donde muchos acontecimientos han cambiado el curso de las cosas. ¿Dónde está tu padre? ¿Y tu hermana?

–Mi padre está de visita con mi madre en casa de un vecino, el director de los rebaños de Ptah, que tiene una hacienda cerca de aquí. Mi hermana está con Nakhtmin; van todos los días al desierto, porque es la buena temporada, cuando no hace demasiado calor. Kiya asegura que es allí donde mejor puede adorar a Atón, porque brilla con todo su esplendor… En realidad, antes de conocerlos, a ti y a Amenofis, nunca había ido tan a menudo a cazar en el desierto. ¿No es extraño, cuando pretende que no le gusta matar a las bestias salvajes? ¿Tú qué piensas? Tal vez lo haga para mostrarse digna de ti… o para olvidar a Amenofis.

–Tal vez –murmuró Horemheb, sorprendido por el comentario.

Sin dejar que añadiera una sola palabra, la muchachita levantó la cabeza, examinó rápidamente la posición del sol, que bajaba en el horizonte hacia el sur, y añadió:

–No tardarán en volver. Ven a esperarlos en la casa.

Lo tomó de la mano y lo condujo hasta un patio soleado donde se sentaron sobre almohadones y ella le sirvió dátiles y bebidas. Mientras Mutnedjemet hablaba con locuacidad, de todo un poco, él la observaba con más atención que de costumbre, y la encontró tan encantadora como para pensar que podría ser una esposa agradable, más aún si Nefertiti lo dejaba de lado para elegir a Amenofis y la pequeña se convertía en la hermana de la Gran Esposa Real. La miró entonces con renovado interés y se sorprendió al comprobar que le complacía escuchar su parloteo, que en otro momento le habría resultado más bien fastidioso.

Un chirrido de ruedas y el relincho de los caballos anunciaron el regreso de Nefertiti y Nakhtmin. Al oírlos, Mutnedjemet dio un brinco y corrió a recibirlos. Al enterarse de la visita de Horemheb, Nakhtmin declaró, con tono huraño, que se ocuparía de los caballos, de manera que Nefertiti fue sola a su encuentro y se arrojó en sus brazos. Al principio, Horemheb quedó tan sorprendido que retrocedió.

–¡Oh, perdóname! –se excusó Nefertiti, que interpretó mal su reacción–. Estoy toda sucia de polvo y sudor. Permíteme que vaya primero a lavarme y cambiarme.

–Eso no importa, Kiya –se apresuró él a responder–. He venido enviado por Amenofis.

Ella permaneció un instante muda de estupor; palideció y se sonrojó antes de poder articular una palabra.

–¿Ameni? No comprendo… Explícate con más claridad.

–Ya no es Ameni, sino Neferkheperure Amenofis, asociado al trono del Doble País por su padre, el rey. Y yo no soy más que su humilde servidor y debo eclipsarme ante Su Majestad, pues hay en mi corazón más amor por mi rey y por ti que por mí mismo. Tengo en mi poder una misiva que te envía el príncipe, y es conveniente que te enteres de su contenido antes de oír por mi boca su voluntad.

Nefertiti tomó el rollo de papiro que él le tendía, rompió el sello, lo desenrolló y leyó estas únicas palabras:

Quisiera respirar el perfumado aliento de tus labios,
Deseo contemplar tu belleza,
escuchar el sonido de tu voz, semejante a la suave brisa del Norte.
Por tu amor mis miembros recuperan su vigor.
Dame tu mano; por ella recibiré tu espíritu
y por él viviré.
Llámame por mi nombre, para que viva eternamente.

Dos veces leyó el mensaje, y su mano tembló. Una alegría infinita inundó su corazón y alejó rápidamente los sentimientos de ternura y lástima que experimentó por Horemheb, que sacrificaba su amor por lealtad a su soberano.

–Ahora dame el mensaje de Amenofis –le pidió.

–Primero dime: ¿en verdad lo amas?

–Sí, Horemheb, más de lo que puedes imaginar, más de lo que yo hubiera creído posible.

–Entonces alégrate. Estoy encargado de llevarte ante él, al palacio de la Gran Ciudad del Sur, para que él te presente a su padre, el rey, y a su madre, la Gran Esposa Real, para que te acepten. Después hará de ti la dueña de sus bienes, y tú te convertirás en la Gran Esposa Real.

–¡Por el nombre de Amón, Señor de la Persea! –exclamó Mutnedjemet–. ¡Entonces es cierto que serás reina, la reina de las Dos Tierras, la esposa de Su Majestad! ¡Es increíble! ¡Una locura!

Y para expresar su alegría se puso a bailar; se quitó las joyas y el vestido y los arrojó al aire, riendo y cantando. También Nefertiti arrojó su taparrabo y sus joyas en señal de alegría, e hizo una ronda con su hermana. Después la llevó a la sala vecina y, volviéndose hacia Horemheb, le dijo:

–Hori, mensajero de un dios, espéranos aquí. Ten paciencia, vamos a prepararnos, vamos a arreglarnos para ser dignas de Su Majestad, porque mañana mismo... no, esta misma noche... nos embarcaremos hacia la Gran Ciudad del Sur, hacia el hombre por el que mi corazón latirá de ahora en adelante.

Capítulo XII

La partida no se llevó a cabo esa misma noche, ni tampoco a la mañana siguiente, como lo había deseado Nefertiti en su febril impaciencia, sino tres días después. Porque Ay, al enterarse de la gran novedad, a su regreso, al atardecer, quiso que todo se preparara con el mayor de los cuidados. Decidió acompañar a su hija con la dote que quería asignarle y juzgó necesario llevar con ellos a Ti y a Mutnedjemet. Nakhtmin, que prefería no asistir a un casamiento que mataba en él las últimas esperanzas de unión con la muchacha –reavivadas a causa de la reciente actitud de Nefertiti, que parecía mostrar un renacido afecto por él y un renovado interés por sus juegos adolescentes–, se había ofrecido voluntariamente a velar por los intereses de Ay durante su ausencia. Por su parte, Horemheb se vio beneficiado por aquel cambio de planes, que le permitió ir a saludar a su madre en su finca de los alrededores de Heliópolis y poner algo de orden en sus asuntos, que había descuidado desde su partida a la campaña contra los beduinos, tan desdichadamente concluida.

Aunque la vela se hinchaba con una buena brisa, el barco remontaba el río hacia el sur con una lentitud que desesperaba a Nefertiti, tal era su prisa por volver a encontrarse con Amenofis y asegurarle la inmensidad de su amor. Aquel viaje a Busiris, más aún que el anterior, le parecía como la revelación de un mundo nuevo. Pasaba todo el día a la sombra del palio levantado hacia popa, sentada entre los almohadones dispuestos sobre una gruesa estera. Nebet no la perdía de vista, ya fuera que ella tomara su cálamo para expresar en una fina hoja de papiro sus impresiones y sentimientos o para escribir un poema que brotaba del devenir de sus recuerdos, por el solo placer de trazar aquellos signos elegantes, ya fuera que tomara su laúd para acunarse con una música dedicada a Atón, el dios que amaba Amenofis, o a Hathor, que había acercado sus almas.

Mutnedjemet la acompañaba a menudo; jugaban al *senet* o a la serpiente, antepasado del juego de la oca; si no, charlaban sobre la maravillosa aventura que estaba viviendo Nefertiti. Porque el afecto que Mutnedjemet sentía por su hermana, y su desinterés por cualquier ambición que pudiera justificar su juventud, le impedían sentir envidia alguna; por el contrario, se alegraba: tanto porque aquel matrimonio inesperado liberaba a Horemheb, por quien se sentía cada vez más atraída, como porque esperaba sacar algún provecho de la fortuna de su hermana, de cuya generosidad no dudaba.

En cuanto a Ay, no lograba reponerse de tan prodigiosa novedad y se lo veía agitado como un pájaro atrapado en el pegamento del cazador. No cesaba de ir y venir por la cubierta mientras giraban en su cabeza miles de pensamientos que halagaban su ambición. Por momentos lo agobiaban las dudas, ya que le costaba mucho convencerse de que se convertiría en el suegro del rey y, al día siguiente de la boda, llevaría el título de "Padre divino". Interrogaba ansiosamente a Horemheb, pidiéndole sin cesar que le repitiera las palabras de Amenofis y confesándole sus temores de que el rey, o en especial la reina Tiyi –"¡Ah, bien la conozco, pues es mi parienta! ¿Acaso no me hizo expulsar de la corte por haber seducido a una de las damas del séquito de la reina Gilukhipa?"–, se opusiera al casamiento. Con la misma constancia, Horemheb lo tranquilizaba, le aseguraba que Tiyi accedía a todos los caprichos de su hijo mayor y le garantizaba que Su Majestad estaba tan cansado de reinar que, con tal de ver a su hijo tomar en su lugar las riendas del carro del Estado, estaba dispuesto a dejarle hacer lo que le mejor pareciera en todos los ámbitos.

–Quédate absolutamente tranquilo, mi querido padre –concluía–. Cuando Amenofis me envió a ti, ya tenía el consentimiento de sus padres. Y aunque todavía no esté ungido con la doble corona, ya dispone de todos los poderes que ella confiere, de manera que, en adelante, él es el verdadero amo de las Dos Tierras.

–¡Maravilla! ¡Maravilla! –exclamaba Ay, que enseguida volvía a fruncir el entrecejo para añadir–: Sí, pero ella, ¡mi pequeña Kiya! ¡Es tan caprichosa, tan irrespetuosa, tan infantil todavía! ¿No desagradará a la Gran Esposa Real? Sé que es capaz de dirigirse a ella con tanto aplomo, incluso con insolencia, que mi prima podría ofenderse y echarla. ¿Y no irá a escandalizar a Su Majestad con sus modales altaneros y su desprecio por cualquier clase de etiqueta? ¡Ah! ¡La eduqué muy mal al dejarla libre de actuar a su antojo! ¡Ahora me arrepiento en vano! ¡Y también es culpa de Ti! Es como una mosca alrededor de un pote de miel, como una oca doméstica que se contonea por la casa para dar la impresión de que controla todo, pero no hace más que irritar a todo el mundo. Vivía siempre tan atenta a su hija de leche, que yo me daba cuenta de que la niña se impacientaba y se las ingeniaba para hacer todo lo que podía atormentar a mi pobre mujer. Por ser excesivamente atenta e inoportuna, desarrolló en Kiya ese carácter indisciplinado.

Cansado de tantas quejas y reproches, Horemheb lo interrumpió con fastidio:

–Mi querido padre, no te lamentes por esas cosas del pasado, puesto que las quejas no podrán cambiar lo que está hecho. Pero puedo asegurarte que, por el contrario, son esos defectos que reprochas a tu hija lo que constituye la esencia de su encanto. Precisamente porque es tan diferente de las demás, porque sabe combinar tanta fantasía con una sorprendente seriedad, me enamoré de ella y sedujo al hijo del rey, más que por toda la gracia física que le dio la Dorada, pues hay que reconocer que la diosa fue generosa con las hijas nacidas en los Huertos de Osiris y que, en ese aspecto, a Kiya no le faltan rivales.

–Es verdad, es verdad. Pero dime, mi buen amigo, esta aventura sólo puede provocarte aflicción, pues creo que amabas a mi hija y que estabas firmemente dispuesto a convertirla en la dueña de tus bienes, ¿no es así?

–No he podido alejarla de mi corazón, lo reconozco, pero ¿qué podía hacer contra la voluntad de mi rey?

–Sí, sí... Es verdad que me parecía que ella ya te había olvidado, para sólo pensar en su Amenofis. Así que, aunque no hubiera sido tu rey, habrías tenido que inclinarte ante su elección. Pero, sin duda, si Amenofis te encargó una tarea que puede resultar muy cruel, y si tú la has aceptado, es porque sabrá manifestarte su reconocimiento.

–Me atrevo a esperarlo, más aún cuando sé que cuento con su favor. Tampoco creo que Kiya sea ingrata.

Sin embargo, Horemheb procuraba no encontrarse a solas con Nefertiti. Quería evitar las preguntas que ella habría sentido la tentación de hacerle al reflexionar sobre la manera en que él, artífice inconsciente de su propia desgracia –ya que fue por su intermedio que Nefertiti conoció a Amenofis–, había aceptado ser el mensajero del futuro rey. Temía tener que confesarle que, en cierto modo, ella había sido objeto de una transacción, y soportar que lo despreciara por ello. Pero también temía dejarse llevar por su naturaleza iracunda y hacerle reproches que sólo conseguirían estropear la relación de ambos. Además, no quería dejar en evidencia el resentimiento que ocultaba en lo más hondo de su pecho, porque consideraba indispensable conservar el favor de la futura pareja real, sin el cual se sabía impotente para realizar sus ambiciosos proyectos.

Nefertiti tenía tanta prisa por llegar al término del viaje que habría deseado que navegaran incluso de noche, pero el jefe del barco le había hecho notar, con todo respeto, que disponía de muy poca gente experimentada para efectuar un relevo nocturno en las guardias, más aún cuando estaban en período de luna nueva, en que era aventurado navegar en noches tan oscuras, porque, al querer ir más deprisa, se corría el riesgo de encallar en los bancos de arena o en el fango de las orillas bajas y perder el tiempo ganado tratando de desencallar el navío. Así pues, mientras el sol se hundía más allá del horizonte occidental y la oscuridad invadía las calles, el barco se amarraba junto a la ribera y, para dormir más cómodos, se montaban tiendas cerca de la orilla y se desplegaban las camas portátiles mientras los servidores encendían fogatas para preparar la comida.

Ya hacía varios días que el barco había dejado atrás la ciudad de Menfis, cuando llegó a pocos metros de una orilla alta, bordeada de campos salpicados de palmeras, perseas, higueras, granados y sicomoros, en la margen derecha del río. El sol había superado su cenit hacía poco y todavía tenía un largo trayecto por recorrer antes de hundirse en su lecho nocturno. Nefertiti se sorprendió al ver que la embarcación se acercaba a la orilla y se detenía, mientras los marineros cargaban la vela. La muchacha se disponía a manifestar su fastidio por una detención que le parecía un contratiempo inaceptable, cuando Horemheb fue a su encuentro.

–Kiya –le dijo–, ya veo tu frente enrojecer de furia a causa de este alto que debe de irritar tu impaciencia. Serena tu corazón y piensa que mañana llegará enseguida, que todos caminamos hacia la muerte, que ella estará tan pronto ante nosotros que es inútil apresurar el paso. Dentro de un mes, esta parada de medio día en este sitio no será más que un insignificante recuerdo.

–Hori –respondió ella con un tono que manifestaba la irritación que le provocaba su discurso–, ¿adónde quieres llegar? Dime de inmediato por qué nos detenemos aquí y por orden de quién.

–Por orden mía. Debes saber que en las montañas que ves a lo lejos, del lado del naciente, está la ciudad de Hatnub, que vive de la extracción del alabastro de las canteras vecinas. De allí es originaria mi familia. Ahora bien, hace muchos años que no tengo ocasión de ir allá para obtener noticias de mis abuelos, y no sé cuándo podré volver a pasar por aquí. Por lo tanto, esos servidores bajarán mi carro del barco y lo llevarán a la orilla; en la cala van también los caballos. Gracias a eso, poco antes de que el sol se esconda estaré entre los míos. Regresaré aquí mañana, antes de la aurora, y podremos reanudar nuestro viaje de inmediato. También debes saber que Amenofis, tu futuro esposo, ha hecho que su padre me conceda el sacerdocio de Horus, Señor de esta ciudad, con los ingresos correspondientes a este importante cargo. Traigo conmigo el rescripto real con el fin de hacer valer mis derechos sin tardanza.

–¿Será esa tu recompensa por llevarme junto a Amenofis? –le preguntó ella en un tono aún más sarcástico, a causa de su irritación.

Él la miró con intensidad y respondió:

–En ese sentido, no hago más que obedecer a mi rey, ya que todos somos sus esclavos. Porque, dime, ¿cuál es el precio de un amor traicionado?

Nefertiti palideció. Él le dio bruscamente la espalda y se alejó. Ella se disponía a alcanzarlo para preguntarle qué había querido decir, cuando apareció Mutnedjemet.

–¡Qué lugar maravilloso! –exclamó–. Así es como imagino el bello occidente, el lugar en el que viven en beatitud aquellos cuyas almas fueron justificadas. Parece que vamos a pasar aquí el resto del día y la noche. Estoy encantada. Ven conmigo, hermanita; vamos a pasear bajo las enramadas, por esa hermosa vegetación. Mira cómo

la luz del sol es más brillante que en otros sitios, más dorada, más se-
dosa, como si un dios viviera aquí.

Nefertiti vaciló, esbozó un mohín y luego, mirando a su hermana, dijo simplemente:

–Vamos.

Sólo cuando se internó en un camino ancho y recto, que se perdía entre los campos donde trabajaban unos campesinos, prestó
atención a lo que le había dicho su hermana y sintió, como una súbita revelación, la naturaleza singular de la luz, como si en aquel lugar
privilegiado el sol hubiera tejido un tapiz de hilos de oro y plata. Del
cielo parecían llover unos grandes pájaros blancos o cenicientos;
aves fénix, abubillas o grullas de hermoso plumaje que se desplazaban con paso majestuoso, como el faraón cuando ingresa en la sala
del Trono.

En el linde de los campos cultivados, entre unos bosquecillos de
arbustos, se amontonaban las casas de tierra de los campesinos, al
resguardo de los desbordamientos del río divino. Unos niños desnudos, que jugaban cerca de sus madres, ocupadas en moler el grano y
preparar la pasta para fabricar cerveza, salieron al encuentro de las
dos muchachas y las siguieron de lejos, sin animarse a abordarlas.
Más lejos se extendía el manto leonado del desierto, hasta las montañas erosionadas que cerraban el horizonte hacia el oriente, muro
opalino recortado sobre un cielo de lapislázuli. Avanzaron sobre el
suelo arenoso que resplandecía bajo el sol, en aquella soledad que a
Nefertiti le pareció poblada de espíritus. Una ligera brisa proveniente del norte refrescaba el aire como opacado por el calor que exhalaba la tierra.

Un grito distrajo la atención de las jovencitas del espectáculo
grandioso de los abruptos acantilados que, en la lejanía, unían el
cielo con la tierra: a su derecha pasaba Horemheb azuzando a sus
caballos; les hizo un gesto con la mano y después, al galope, el carro
se alejó sobre el camino polvoriento que conducía a Hatnub, la ciudad de alabastro.

Aquella noche Nefertiti tuvo un sueño como nunca antes. Avanzaba por un camino en un desierto encerrado entre montañas; se sentía liviana, tan liviana que le parecía estar volando más que caminando. No sentía ningún cansancio, no tenía sed ni demasiado calor,
aunque el sol se hallaba alto en el cielo y el día era resplandeciente.

Sin embargo, experimentaba la sensación de estar caminando así desde hacía tiempo, mucho tiempo. Llegó a un caos rocoso, al pie de las montañas nacaradas como el alabastro. De pronto vio ante sí a un hombre joven, que no supo si era hermoso porque, si bien tenía el rostro descubierto, le pareció oculto, pero le impresionó el aura luminosa que dibujaba su cuerpo, semejante a un doble resplandeciente, y el tocado que lo coronaba, una especie de cilindro que se iba ensanchando hacia lo alto y que le ceñía la frente y las sienes. Le recordó la corona que llevaba Amón en las representaciones que había visto del dios, pero era más alta y estaba cruzada por una faja central de piedras alternadas de pórfido y de lapislázuli, cuyo tinte azur contrastaba con el azul oscuro del conjunto del tocado. La parte superior era plana, sin adornos. "Ven –le dijo él–, quiero mostrarte mis dominios." Ella tomó la mano que le tendía y se dejó llevar hacia la planicie desértica. "¿Tus dominios son sólo de arena, polvo y piedras?", preguntó, sorprendida. "Esas son sólo apariencias –respondió él–. Debes saber que mis dominios son los de la realidad de las cosas; es el mundo de Maat, Verdad y Justicia. Con los ojos de la carne sólo puedes ver aquí un desierto, porque el mundo no es más que un desierto para los que no saben ver. Es noche oscura para los ciegos, pero luz divina para los que contemplan la verdad, y esa luz que modela las formas impalpables de mis dominios, esa luz es la manifestación de mi divinidad." Asombrada por sus palabras enigmáticas, ella volvió su cabeza hacia él y vio: tenía el rostro de Amenofis, esa misma gravedad, esa sonrisa apenas esbozada, esos ojos que parecían abiertos a otro universo, más allá del mundo que lo rodeaba; y su mano en la suya tenía la misma ligera humedad, la misma ternura que su mano cuando la había sostenido el día de los misterios de Osiris en la ciudad de Busiris. "Mira –le dijo él entonces–, mi corona es tu corona, mi alma es tu alma, mi doble es tu doble, pero ése es nuestro secreto. No lo reveles a nadie, no le hables de él más que a aquel que de él te hable primero, aquel que desde la noche de los tiempos está destinado a ti, desde la eternidad y por la eternidad." Entonces se quitó el tocado y se lo colocó sobre la cabeza de Nefertiti; luego desapareció como si se fundiera en la pared del acantilado vecino, como si se hubiera disuelto en la luz del sol, al igual que el rocío de la aurora que beben los rayos del astro cuando se levanta en su gloria purpúrea.

Nefertiti abrió los ojos, deslumbrada por el sol naciente. Había dormido fuera de su tienda, bajo un simple velo desplegado para protegerla de los mosquitos y de los insectos, en su cama plegable hecha de juncos trenzados y tirantes colocados sobre un bastidor de madera articulado, con seis patas torneadas. Cerró los párpados, quizá para volver a su sueño, pero ya la vida despertaba a su alrededor, de modo que se decidió a levantarse. Se ató al pecho el vestido corto y liviano, corrió hasta el borde del río, se acuclilló, extrajo agua con las manos para refrescarse y se internó en el camino que llevaba al desierto, a través de los campos verdosos. En el trayecto recogió unas flores silvestres y luego, tras detenerse en un lugar solitario, en el límite con el desierto, tendió hacia el sol sus manos cargadas de flores.

–Eres tú, Atón, el que me visitó en sueños. Me bañaste con tu aliento, me murmuraste tu secreto. Mira, para ti son estas flores nacidas de tu amor por la tierra, estas flores en las que deslicé mi alma con la imagen de la diosa Maat, tu hija, dueña de la Verdad.

Cuando volvió al barco, Horemheb había regresado. Poco después embarcaron.

Desde la partida de Horemheb hacia el Norte, Amenofis sentía el corazón carcomido por la impaciencia. Por mucho que se esforzó por alejar la imagen de Nefertiti y ahuyentar toda idea que pudiera provocarle una ansiedad o una tristeza poco propicias para sus meditaciones, no podía evitar sentirse acosado por el miedo: miedo a que Horemheb decidiera sacrificar su ambición por amor y, después de destruir el mensaje principesco, se casara con la muchacha y la llevara a lo profundo de su propiedad; miedo a que Nefertiti no hubiera alimentado por él más que admiración y prefiriera el amor de Horemheb a una corona compartida con alguien que no le gustaba; miedo, por fin, a que Horemheb no regresara o que sólo lo hiciera para anunciarle el fracaso de su petición. Porque, entretanto, Ay podía haber dado su hija a un pretendiente que se hubiera presentado oportunamente, prefiriendo un partido mediocre pero seguro a la incertidumbre de la unión con un hombre cuyo futuro se desconocía tras la muerte del primer heredero.

Había hecho disponer centinelas en las orillas cercanas a Tebas, río arriba, para advertir el retorno del bajel; varias veces por día subía a la terraza del palacio para observar la navegación en el río en la esperanza de ver surgir la vela roja del barco real. Su madre, a la que iba a visitar cada día, percibió el nerviosismo que apenas podía disimular, e intuitivamente sospechó la causa de su estado; sin embargo, no quiso encararlo y prefirió dejar que confesara por sí solo una pasión cuya intensidad la inquietaba.

–Hijo querido, amado hijo mayor –le dijo un día–, hace un tiempo que te noto muy agitado, como si una gran preocupación perturbara la serenidad de tu alma. ¿Temes acaso que tu padre divino, que el Señor Atón y Ra le conserven la vida, la salud y la fuerza, cambie repentinamente de opinión y no quiera hacer de ti su corregente y no te permita llevar la doble corona? Si es eso, quédate tranquilo. Ayer mismo me preguntó qué esperabas para ordenar la preparación de la ceremonia, porque Amenhotep, hijo de Hapu, sólo aguarda una palabra tuya para organizar tu coronación.

Mientras esto decía, se volvió hacia el viejo consejero, que movió la cabeza en signo de aprobación.

–No es esa mi preocupación, venerada madre –respondió Amenofis.

–Entonces, ¿estás enfadado porque tu padre ha desposado a tu hermana Satamón, prueba de su legitimidad?

–Por cierto que no, y me alegro por mi real padre, aunque a menudo veo triste a mi pobre hermanita, como si hubiera soñado con otro amor y no con el de su divino padre.

–Lo sé, lo sé, mi querido Ameni. Esa es la condición de las princesas reales: no sólo no se les permite elegir a sus esposos, sino que ni siquiera pueden esperar algún consuelo en el amor de un amante, a menos que acepten correr un riesgo muy grave. Agradezco cada día a Hathor, y también a Atón, el haber colocado en mi corazón y en el de tu padre un amor recíproco que me permitió tener un destino que muchas mujeres envidiarían, y con todo derecho. Pero, entonces, dime, ¿qué es lo que tanto te preocupa? ¿Por casualidad temes que la muchacha que pretendes situar a tu lado en el trono de las Dos Tierras, esa Nefertiti, cometa la locura de despreciarte? ¿Tan mal conoces el corazón de las mujeres? Pues, aunque no te amara, ¿crees que desdeñaría una corona? ¿Crees que podría preferir la simple condición de esposa de un hombre oscuro, por quien ardiera en su corazón la gran llama de amor, al título de reina?

–Madre mía, conociendo a Kiya, sé que es muy capaz de despreciar la mayor de las glorias si no conviene a su corazón. Es tan vivaz, tan independiente, incluso tan orgullosa, que no es el destello de una corona lo que podrá modificar su decisión, porque es de esas mujeres que prefieren la gloria de haber desdeñado un trono por amor, a la humillación de haberse entregado por satisfacer una baja ambición.

–Hijo mío, estás desvariando. No existe la baja ambición, sobre todo cuando se trata de un trono. Por lo demás, considero que para ella no es un honor sino una gracia divina el haber sido distinguida por ti para ser elevada a tu altura en el trono de las Dos Tierras.

–Madre, no podrías comprenderme, pues declaro que no soy yo el que la honra, sino ella la que me colma con una felicidad digna de un dios al aceptar ser mi compañera, mi complemento en el cielo, mi propio doble. Pues estoy seguro de que un dios la habita, un dios que es Atón, y él mismo la ha designado para convertirse en el recipiente divino donde ha de crecer el heredero del trono.

Con estas palabras se retiró, dejando atónita a la reina. Tiyi exhaló un suspiro y, volviéndose hacia Amenhotep, exclamó:

–¡Por la vida del rey! ¡Mi hijo parece poseído por un demonio!

–A menos que sea un dios –señaló el hijo de Hapu.

–¿Cómo pudo esa muchacha embrujarlo, para que hable de manera tan insensata?

–En ese caso, basta con decir que está poseído por la llama de Hathor, la Dorada. Eso hace cometer muchas locuras y decir palabras delirantes.

–Entonces podemos temer la influencia de esa Nefertiti sobre mi hijo.

–De nosotros dependerá saber imponernos a ella y manipularla. Después de todo, Amenofis sólo está obsesionado por su dios y con gusto dejará en nuestras manos los otros asuntos del Estado. Basta con dejarlo actuar a su antojo, sin necesidad de alentarlo en su delirio divino. Incluso convendría moderarlo como a un caballo demasiado brioso, puesto que, si bien es útil debilitar el credo de Amón y disminuir su arrogancia cortándole lentamente las alas, sería peligroso atacarlo de frente con demasiada vehemencia, no sea que se rebele como un toro salvaje; porque entonces podría romper las mallas de la red en que deseamos paralizarlo y responder con violencia a la violencia que se le infligiera.

Sentado a la sombra de un pórtico, en el patio de su residencia palaciega de Djarukha, Amenofis trazaba con mano rápida elegantes signos en una larga hoja de papiro, cuando se presentó ante él un mensajero. Antes de que abriera la boca, Amenofis se levantó de un salto, pero enseguida se recompuso y aguardó la noticia: había llegado el bajel real, de velamen rojo.

–Ve adelante. Yo iré en un momento –respondió el príncipe.

Sintió que el corazón le latía con tanta fuerza que experimentó una especie de dolor, al tiempo que su frente se cubría de transpiración. Se mojó con agua, se secó cuidadosamente, ciñó un largo taparrabo por encima del taparrabo corto que ya tenía puesto, llamó a un servidor para que atara en su nuca un gran collar pectoral de oro en el que se engarzaban piedras azules, verdes y rojas, y por último pidió que le alcanzaran un bastón de ébano. Controlando su impaciencia, se dirigió hacia el embarcadero con paso medido, seguido por un flabelífero. Cuando llegó, el navío se hallaba tan cerca que podía distinguir a los pasajeros. Durante un instante escrutó la cubierta, en la que se agitaban los hombres de la tripulación para efectuar la maniobra de abordaje; después su ansiedad se calmó y su rostro se distendió. De pie cerca de la popa acababa de reconocer a Nefertiti, ataviada con un vestido blanco de múltiples pliegues, con la cabeza vuelta hacia el muelle sombreado por las palmeras y los ligeros pórticos de madera y caña.

–¡Cómo, cómo! –exclamaba Ay junto a su hija–. ¿No hay nadie para recibirnos, para recibir a la futura reina de las Dos Tierras?

–Padre –contestó Nefertiti–, ¿acaso necesito una escolta o una multitud que me aclame? El que veo en el embarcadero es todo un pueblo para mí, todo un mundo, todo lo que mi corazón desea ver y adorar.

La graciosa nave se acercaba velozmente al muelle, contra el cual se alineó en una maniobra impecable. No bien los marineros saltaron a tierra para atar las amarras, Nefertiti, sin aguardar un segundo, se abalanzó a la orilla y corrió a arrojarse en los brazos de Amenofis.

–¡Así que viniste, luz de mi doble! –exclamó él, estrechándola contra su pecho.

–¡Ameni, dueño de mi corazón, mi hermano! Si hubiera tenido las alas de un halcón ya estaría entre tus brazos desde hace mucho, porque desde que vi tu belleza y oí tus palabras mi alma sólo vive para ti. En adelante sólo vivirá por ti.

Delante de la gente del barco, delante de los dignatarios y los servidores del palacio que habían acudido uno tras otro a acompañar al príncipe heredero, los enamorados se besaron durante un momento tan prolongado que los demás temieron que no fueran a separarse nunca, como unidos para siempre por sus alientos, como si sus almas se hubieran fundido para conformar una sola.

Ay tomó la iniciativa de acercarse y tosió para manifestar su presencia. Amenofis se decidió al fin a desenlazarse y se volvió hacia el viejo escriba, que levantó los brazos y se inclinó.

–Ay, mi padre divino –le dijo entonces el príncipe–, te doy la bienvenida a este palacio. Creo que no te negarás a que convierta a tu hija en la dueña de mis bienes, pues quiero que sea mi esposa. Debes saber que he decidido desposarla el mismo día en que recibiré la doble corona, de manera que, al mismo tiempo, se convertirá en la Gran Esposa Real del corregente. Y como Su Majestad, mi real padre, ha debido esperar mucho mi respuesta, quiero recuperar el tiempo que pasé lejos de la mujer que ama mi corazón y he decidido que el casamiento se lleve a cabo antes de que la Luna llegue a su plenitud, a menos que Nefertiti manifieste otro deseo.

–Ameni, mi hermano, mi amado, sólo deseo una cosa: ser tuya y vivir a la sombra de tu amor.

–Entonces que así sea. Horemheb, amigo mío, vendrás mañana a visitarme a mi palacio pues debo hablarte de cosas que te conciernen. En cuanto a ti, Ay, este es Huya, el jefe del palacio de la reina Tiyi, mi madre, y a quien también encargué los asuntos de mi palacio. Se instalará con los tuyos en el ala que ocupaba mi hermano Tutmosis, que está ante el rostro de Osiris. Kiya, tú ven conmigo, pues sin más tardanza deseo presentarte a mi madre y a mi padre, el rey.

–Que se haga tu voluntad, Ameni, pero sólo llevo un simple vestido de viaje y no tengo más que unos adornos miserables para comparecer ante Sus Majestades.

–¿Qué importa? Tienes el adorno más hermoso en tu belleza y en la gracia de tu espíritu.

La tomó de la mano y la presión de sus dedos tiernos hizo brotar en ella antiguos recuerdos, deliciosos para su corazón. También le recordó al joven dios de su sueño, que era como el alma de Amenofis que la visitaba mientras dormía.

Ay, estupefacto, los contempló alejarse; después se volvió hacia Huya y le preguntó:

—Dime, ¿el príncipe va así, tan campante, a presentar a mi hija a su madre, la Gran Esposa Real, y a Su Majestad, su padre? ¿Sin ninguna ceremonia, sin preparación, como el simple hijo de un campesino?

—De eso puedes estar seguro —respondió el mayordomo—. El príncipe no tiene que seguir el ritual de la corte y va a ver a su madre y a su padre como mejor le parece, sin hacerse anunciar, con la ropa que lleva puesta, y Su Majestad lo aprueba, al igual que la reina.

Pero Amenofis, contrariamente a sus declaraciones, no llevó a Nefertiti ante sus padres, sino a un pabellón construido en el extremo de la propiedad real, hacia el límite con el desierto, lo cual sorprendió a la muchacha.

—Mi madre y mi padre tienen todo el tiempo para verte —le dijo—. Mi madre te mirará de arriba abajo con circunspección, porque en el fondo está celosa de todo lo que me rodea y pueda quitarle mi cariño. Por eso te pido que te muestres respetuosa y modesta; así ella quedará satisfecha y te presentará a Amenhotep, que reina sobre su alma y rige todo en este país. A ellos les dejo el placer de gobernar a los hombres, pues tengo asuntos más importantes de que ocuparme. En cuanto a mi padre, que vive más acostado que de pie, te recibirá en su harén, entre sus concubinas; te mirará con un ojo bien distinto del de mi madre y disimulará el disgusto de verte entrar en palacio como esposa mía y no suya. Luego tendrás pocas ocasiones de volver a verlo.

—Ameni —le respondió Nefertiti, al tiempo que se sentaba en una pila de almohadones—, venero a tus padres como a mis soberanos y los respetaré como su nuera. Pero en realidad no tengo ninguna prisa por conocerlos, pues sólo deseo una cosa: estar junto a ti, sola contigo, y hacer lo que plazca a tu alma.

—Kiya —contestó él, ubicándose a su lado—, ya no puedo dudar que en ti arde la llama de la Dorada, y debo pedir perdón a mi dios por haber dudado de ti por un instante. Debes saber que desde el día en que te conocí supe que estabas destinada a mí desde la eternidad, porque poco tiempo antes Atón me había enviado un sueño para mostrarme a la que debía convertirse en su gran adoratriz, y ella tenía tus rasgos. No obstante, estos últimos días una duda me invadió y temí que no respondieras a mi llamado; tuve miedo de haberme equivocado sobre tus sentimientos hacia mí...

–Y sin embargo eran más fuertes, más apasionados de lo que podías sospechar –dijo ella, enlazándolo con sus brazos perfumados.

–Dentro de tres días –prosiguió él tras un prolongado abrazo– serás mi esposa y yo recibiré la doble corona. Pero para mí ya eres mi esposa y nuestros dobles ya se han unido. En este pabellón abierto podemos seguir al disco solar en su navegación desde la aurora hasta el crepúsculo; él ilumina con sus rayos vivificantes a la pareja real que es su encarnación en la tierra. Allí engendraremos al niño destinado a subir al trono de Egipto, y será hijo de Atón, cuyo nombre llevará, porque su concepción se realizará bajo la luz del dios.

Nunca antes la muchacha había sentido una confusión tan·violenta unida a una exaltación tan grande, mientras Amenofis la abrazaba, cubriéndola de besos y caricias. Lo que experimentaba iba más allá del vulgar placer y la simple emoción amorosa; tenía la sensación de estar ejecutando un acto divino. Le pareció que un dios acudía a visitarla, que el propio Atón se había encarnado en Amenofis, su amante, su esposo.

SEGUNDA PARTE

El Dios con manos de luz

Capítulo XIII

Perezosamente se estiraba el canal de aguas lentas, vena portadora de vida en las arenas del desierto oriental; a un lado y otro de su lecho profundo se extendía una rica vegetación, larga, larga alfombra verde que se desplegaba sobre el manto leonado del desierto, fresco camino que en una inmensidad ardiente unía Per Sopdu, la ciudad del dios Soped, en la rama pelusíaca del Nilo, con los lagos de cañaverales, en el límite de las soledades montañosas de Farán, también llamado Sinaí. Por ese camino, los nómadas que frecuentaban el Sinaí, los *shasu* y los *khabirú*, podían acceder a las ricas planicies del delta del Nilo. Y a lo largo de todo el canal se apiñaban, a la sombra de palmeras y sicomoros, chozas de barro marrón cubiertas de paja, abrigos precarios de los campesinos encargados de cultivar aquellas tierras ganadas al desierto.

Por el camino polvoriento, a la orilla de los campos cultivados, avanzaba un grupo de viajeros provenientes de Asia. El día anterior habían cruzado la frontera, al norte del lago del Cañaveral, tras responder al prolongado interrogatorio de los soldados y los escribas del faraón, encargados de filtrar a los inmigrantes y registrar cuidadosamente su paso. Muy a menudo detenían a los inmigrantes asiáticos durante días y días en la frontera, pero esta vez un egipcio que viajaba con ellos facilitó su entrada al ofrecerse como garante de las intenciones pacíficas de los asiáticos, que huían de Siria y Canaán para ponerse al servicio del faraón.

–Allá todo marcha como un barco que ha perdido sus remos y su capitán –declaró el egipcio–, como un carro cuyo cochero ha sido derribado. Las ciudades se atrincheran detrás de sus altas murallas, mientras el campo es saqueado por los bandidos y los nómadas, los beduinos provenientes del sur y del naciente, y nadie escucha la voz del faraón soberano de ese país. Por eso estos hombres han-abandonado ese territorio para pedir la protección de Su Majestad.

Así habló el egipcio, llamado Mai. Aunque nacido en la Tierra Negra, parecía asiático: como ellos, se había dejado crecer la barba, terminada en punta y afeitada en la parte superior de las mejillas, y no usaba peluca sino su propio cabello, más tupido en la nuca; a la cintura llevaba un paño largo hecho de una sola pieza de tela, decorada con bandas y espiguillas rojas sobre fondo blanco, pero su ropa estaba desgarrada y sucia por la tierra del camino.

Iba adelante, con los hombres, unos veinte en total, que empujaban a los asnos de pelo marrón cargados de equipaje, tiendas, mantas, víveres y armas. Cada uno llevaba al hombro un odre lleno de agua, y dos de ellos tocaban la cítara mientras caminaban; los otros los acompañaban con su canto. Detrás marchaban las mujeres, de frondosas cabelleras atadas con cintas, vestidas con estrechas túnicas, largas hasta la mitad de las pantorrillas, de vivos colores y cubiertas de dibujos geométricos, abrochadas en un hombro, de manera que les quedaba el otro desnudo. Algunas llevaban a sus bebés en un cuévano sujeto a la cintura o sostenían de la mano a un niño que trotaba resoplando.

Pronto se extendieron las tierras cultivadas y descubrieron, junto a un vasto palmar, la poderosa fortaleza de Djeku, que defendía el acceso a la rica tierra de Gesén. Todo alrededor, trabajaba activamente un ejército de albañiles y ladrilleros, rodeados por casi la misma cantidad de escribas sentados o acuclillados, con el cálamo en la mano.

Mai aspiró una gran bocanada de aire, un aire seco apenas refrescado por la presencia de la vegetación, que moderaba el brillo de la luz del sol. Acostumbrados a ver pasar a los asiáticos camino al valle del Nilo, la gente de la región casi no prestaba atención a los recién llegados, que se internaron en la sombra fresca del palmar. Mai observó un momento a los obreros que trabajaban en las cercanías. Unos, con ayuda de grandes cántaros, iban a sacar agua del canal, para verterla sobre montículos de tierra amarronada mezclada con paja, que otros hombres amasaban con los pies y las manos; otro equipo rellenaba con ese barro grandes barriles de madera, que iban a vaciar en los moldes dentro de los cuales se formaban los ladrillos que luego ponían a secar al sol. Los panes de tierra se apilaban sobre una inmensa superficie y, a medida que se secaban, unos trabajadores los disponían sobre bandejas de madera, atadas con cuerdas a una vara, y los cargaban al hombro para llevarlos a los albañiles que con destreza levantaban las paredes. Todos los obreros vestían sólo un paño corto y estrecho, pero se podía distinguir a los egipcios de los asiáticos porque estos últimos se dejaban crecer la barba, mientras que los primeros se la afeitaban escrupulosamente.

–Sin duda hemos de encontrar trabajo entre esa gente –dijo uno de los inmigrantes en la lengua de Canaán.

–Por cierto, por cierto, y que te sea de mucho provecho –respondió Mai en el mismo idioma. Se dirigió entonces en egipcio a uno de los albañiles que, con ayuda del largo mango de su azuela, controlaba la verticalidad del muro que construía, y le dijo–: Dime, compañero, ¿crees que aquí haya algo de trabajo para esta gente que me acompaña?

–¿Trabajo? –preguntó el hombre, irguiéndose–. ¡Lo hay en abundancia! Su Majestad quiere que se construya aquí una ciudad entera.

–El trabajo es duro. ¿El salario es bueno?

–No hay de qué quejarse. Disponemos de tiempo para pescar buenos peces, que no nos cuestan nada, y cada uno tiene derecho a su vivienda en las colinas vecinas, con un poco de tierra y árboles de sombra. Hay gran cantidad de melones y pepinos, puerros, cebollas y ajos, y también granadas e higos. Además, nos dan un salario, cerveza, harina, habas y lentejas, tejidos para nuestras ropas y muchas cosas más.

–Eso está muy bien, pero dime a quién debe dirigirse esta gente, pues no conocen la lengua de este país.

–Se nota que vienen de Canaán. Que vayan a la entrada de la fortaleza; allí verán una casa grande, que es la del jefe de los trabajos, un *khabirú* nacido en ese país, que conoce nuestra lengua y también la de esta gente, porque es de su misma raza. Que pregunten por él y les distribuirá trabajo y viviendas.

–¿Cuál es su nombre? ¿Por quién deben preguntar?

–Se llama Aarón.

Tras decir esto, el albañil se puso en cuclillas para reanudar su tarea. Después de explicar a sus compañeros lo que tenían que hacer, Mai los saludó efusivamente, ya que había viajado en su compañía durante varios días, y luego fue a hacer lo primero que deseaba

un egipcio al regresar a la Tierra Querida al cabo de una larga ausencia: enseguida había distinguido, a la sombra de una persea, a un
barbero que acababa de afeitar a un cliente, sentado en un taburete.
De regreso a su patria, Mai ansiaba deshacerse de su barba, que había llevado entre los asiáticos en señal de duelo, el de un hombre
viudo de su tierra natal.

–Buen día, buen día –le dijo el barbero una vez que Mai se sentó–. ¿De qué país vienes?

–Soy de la Tierra Negra –declaró Mai–. Nací en Menfis, pero hace mucho tiempo que me fui de Egipto. Había visto cerca de veinte
inundaciones y era pobre cuando me embarqué en una nave que iba
rumbo a Biblos, a buscar la buena madera de las montañas de esa región. Durante diez años, quizá más, viajé por tierras extranjeras, hasta el país de Karduniash, donde hay una ciudad casi tan vasta como
la gran ciudad del Sur, que se llama Babilonia, y hasta donde están
los *kheta*, que viven bien al norte, en regiones donde el invierno es
tan frío que creí que iba a morir. Y también navegué hasta la Gran
Verde, en la isla de los *keftiu*.

Así habló largo rato de sus aventuras entre los *kheta*, que era el
nombre que los egipcios daban a los hititas, y entre los *keftiu*, que
eran los cretenses. Al fin concluyó, con un suspiro:

–Y ahora he regresado a la Tierra Querida, tan pobre como par-
tí, tanto que voy a tener que mendigar en las puertas de los templos... Pero no temas, tengo con qué pagar tu trabajo.

–No te preocupes; será mi regalo de bienvenida a la Tierra Querida. ¿Pero por qué has de mendigar? Aquí el trabajo no falta; Su Majestad quiere hacer construir una ciudad entera, una ciudad consagrada al culto de la nueva divinidad, ese Atón que el rey quiere
elevar al primer rango entre los dioses. Y esta ciudad ya se llama Pi-
Atón, la Casa de Atón, ya que cerca de nosotros, allá donde están
trabajando aquellos hombres, se alzará el templo del dios.

–¿Pero quién es ese Atón? Nunca antes había oído hablar de él.

–Es el Sol, el disco solar cuando aparece en todo su esplendor, el
Sol fuente de toda vida. Eso es lo que repiten los escribas y los sacerdotes enviados por el rey para dar a conocer al dios. Para mí, no es
otro sino Ra y no comprendo por qué Su Majestad quiere que lo ado-
remos bajo este nuevo nombre. Pero ya que Su Majestad así lo desea,
lo adoramos como es debido.

–Dime, oí decir que el rey Nebmare Amenofis asoció al trono a
su segundo hijo, Neferkheperure Amenofis, y también que el mayor,
el príncipe heredero, murió durante un combate contra los vencidos
del desierto oriental.

–Es la verdad; los que te lo dijeron no te han engañado. Y cierto
es también que, hace cerca de cuatro inundaciones, el rey designó
corregente a su hijo, que es el que está sentado en el trono de las Dos
Tierras, y Nebmare sólo halla gozo en su palacio y en el amor de su
hija Satamón, a la que convirtió en segunda Esposa Real. Su Majestad Neferkheperure decide todo lo concerniente al gobierno de los
hombres e incluso tomó en sus manos el futuro de los dioses. Así
que desprecia a Amón. Mandó construir un templo para su dios
Atón dentro del recinto del gran templo de Amón, en la gran ciudad
del Sur, y los sacerdotes de Amón están muy enfadados por eso.
Ahora bien, en Menfis, en Heliópolis, y hasta en Nubia, ordenó la
construcción de templos para Atón, pero aquí, al pie de la fortaleza
de Djeku, quiso que se construyera una ciudad entera para Atón,
una ciudad lindante con el desierto oriental, desde donde podrá dar
a conocer el nombre de Atón a los impíos, a los vencidos de Canaán.
Y quiso que todos los hombres que yerran por el país en busca de
pan sean conducidos aquí para trabajar en esta gran obra; y también
han empleado a los beduinos y a todos los extranjeros que acudían
a faraón para reclamar su protección y alimento para sus familias,
y a todos los impuros que se quedaron en suelo sagrado desde la
época maldita en que los pastores, los invasores hicsos, habían im-
puesto su dominación a los hombres de la Tierra Negra. Porque debes saber que Su Majestad declara, por intermedio de sus escribas,
que esos impuros, esos extranjeros, son, ante los ojos de su dios,
iguales a los egipcios y tan puros como ellos, desde el momento en
que su alma no ha pecado. Sí, eso es lo que asegura Su Majestad, pero me cuesta creer que pueda ser así y no logro admitir que el dios
ame a esos impuros como a un hijo de la Tierra Negra; no consigo
entender que tenga tan poco discernimiento... aunque haya que
creerlo, puesto que es la voluntad del faraón.

–Barbero, lo que me dices parece muy extraño, pero la verdad se
asienta en la lengua de Su Majestad. Ya que el rey quiere que adore-
mos a Atón, su nuevo dios, así lo haré. Por lo demás, he vivido mucho tiempo con los extranjeros como para despreciarlos, y sé que en-

tre ellos hay hombres buenos y también hombres malos... Pero no sé trabajar con mis manos y no me gustaría fabricar ladrillos y levantar paredes.

–Si sabes escribir, puedes proponerte como escriba; es una buena vida, y podrás mirar trabajar a los otros mientras bebes cerveza y vino, pensando que es muy agradable no hacer nada.

–Eso conviene más a mi alma.

–Pues bien. Justamente aquel es el hombre de confianza del rey, el que está encargado de dirigir los trabajos. Su nombre es Osarsuf y es el que vino con soldados y escribas para ordenar que se construyera una ciudad para Atón, en nombre de Su Majestad. Si te atreves, ve a él, inclínate ante su carro y ruégale que te tome a su servicio invocando el nombre de Atón. Sin duda, te prestará un oído favorable.

Mai volvió la cabeza para mirar a Osarsuf: iba solo, sin guardia, ni siquiera un flabelífero, en su carro ligero tirado por dos caballos blancos.

–Seguiré tu consejo. ¡Gracias, compañero! –respondió Mai.

Con un cubo de madera extrajo un poco de agua para refrescarse la cara, y se apresuró a ir en dirección a Osarsuf. Este había detenido su vehículo junto al arquitecto en jefe de las obras, que le rendía cuenta del trabajo realizado.

–Su Majestad se impacienta, y también Atón. Los trabajos progresan con suma lentitud –declaró Osarsuf–. Es necesario que antes de la próxima inundación pueda celebrarse el culto, pues Atón no podrá esperar, ahora que se ha revelado a Su Majestad.

–Señor, los obreros trabajan con celeridad y alegría, pero no pueden alargar el día que Ra les concede en su navegación cotidiana.

–¡Entonces, que se aumente su cantidad! Si hace falta, que vayan hasta el desierto oriental, donde moran los súbditos asiáticos, a reclutar hombres para que cada día hagan más ladrillos y tallen más tablones.

–Señor, eso no me concierne, pero estoy dispuesto a dirigir más obreros y a hacer lo posible para que se levanten paredes más rápidamente, con la condición de que Aarón me provea de nuevas manos para asistirme en esta obra.

–Así se hará. Yo mismo iré a buscar a Aarón y pronto dispondrás del doble de brazos.

Sacudía ya las riendas para hacer virar su carro, cuando Mai fue hacia él y se inclinó hasta el suelo, con los brazos en alto.

–Señor –le dijo–, sin duda necesitas escribas sabios en todas las escrituras para participar en esta gran empresa de la cual eres el ojo y el corazón.

–Hay aquí demasiada gente que pasa todo el día gastando su trasero en un asiento, con el cálamo en la mano y la mirada soñolienta. Necesito ladrilleros y albañiles. Si quieres un salario, ve con ellos a pisotear arcilla o levantar paredes.

–¡Por la vida del rey, el dios bueno! –exclamó Mai–. ¡Preferiría seguir mendigando mi pan en las puertas de los templos antes que hacer un trabajo que repugna a mi doble! Pero mira, Señor, vuelvo de la tierra de los asiáticos y de la peste de los *kheta*, y conozco la lengua de esa gente, la de los sirios y la de los babilonios, e incluso puedo hablar con la gente de Mitanni y con los de Kheta. Y además sé leer y escribir sus lenguas.

Osarsuf lo miró con más atención y enseguida contestó:

–No me parece que este sea tu lugar. Pero si quieres ser útil a Su Majestad, ve a la Gran Ciudad del Sur y dirígete a la cancillería del rey; allí te darán empleo.

Tras este consejo, Osarsuf sacudió las riendas e incitó a los caballos al trote para evitar las quejas del mendigo; no pasaba un día sin que lo acosaran miles de pedidos y otros tantos inoportunos que contaban con su alto cargo y su inmensa influencia ante el rey para obtener de él algún favor o una recomendación. A veces hasta debía huir de esos molestos, que al parecer creían que él no tenía otra cosa que hacer que escucharlos complacientemente.

Encontró a Aarón a la sombra de un pórtico rústico –hecho con troncos de palmeras jóvenes a manera de columnas, que soportaban un techo liviano de palmas–, en la parte delantera de su casa, al pie de la fortaleza. Sentado con las piernas cruzadas sobre una estera, conversaba con unos hombres, todos asiáticos, ya que llevaban barba puntiaguda, pero vestidos con el típico taparrabo blanco de los egipcios. Osarsuf bajó de su carro y saludó a los hombres llevándose una mano a los labios, según la costumbre de los asiáticos; después fue a sentarse junto a Aarón, que le indicó un almohadón, a su lado. Intercambiaron prolongados saludos y se interrogaron sobre su salud y la del faraón y su familia. Unas mujeres llevaron dátiles y

cerveza de sorgo, que ellos degustaron lentamente. Por fin, Osarsuf
planteó el motivo de su visita:

–Aarón, el trabajo avanza con demasiada lentitud. Ya han pasado tres meses desde mi última visita y, sin embargo, me parece que
las cosas están iguales. Atón no puede esperar; quiere que se le rin-
da culto en este sitio antes de la próxima inundación. Así que reclu-
ta nuevos brazos, que no faltan. Envía corredores al desierto para
que inviten a los nómadas, a los bárbaros *shasu* y *khabirú* a que vengan a hacer ladrillos. De ser necesario, que vayan a capturar hombres en los suburbios de las ciudades, incluso a los *fenkhu*, en Canaán. Si no, manda buscar por todo el delta a la gente de tu tribu que
está establecida cerca de nuestras ciudadelas. Actúen como los dioses se lo inspiren, pero el templo debe quedar terminado pronto, si
es que temen provocar la ira del rey.

–Osarsuf, mi señor –respondió Aarón–, trataré de hacerlo, pero
es una empresa muy difícil de realizar. Aquí están presentes los jefes de los pueblos de ese país, que vinieron con nosotros para construir la ciudad de Atón y su templo. Este es Salamiel, hijo de Suri-
saddai, de la tribu de Simeón; Eliab, hijo de Helón, jefe de la tribu de
Zabulón; Abidén, hijo de Aminabad, que acaba de suceder a su padre a la cabeza de la tribu de Judá.

A medida que iba nombrándolos, Aarón señalaba con el dedo a
cada hombre, que se llevaba una mano a la frente e inclinaba la cabeza. Luego prosiguió:

–Son todos *khabirús* que vinieron a instalarse en este país hace
varias generaciones. Hace tiempo que ya no viven en tiendas; cons-
truyen casas y saben cultivar la tierra. Por eso aceptaron venir a trabajar para el faraón y están satisfechos de recibir alimento y salario
por su labor. Pero hemos olvidado que nuestros ancestros eran nómadas en los desiertos de Siria que muchos siglos atrás dejaron el lejano país de Shinear, que está en el lugar donde se levanta el sol, un
lugar regado por grandes ríos como el Nilo, donde hay ciudades poderosas y opulentas. El padre de nuestros padres vivía allí, en una
ciudad llamada Ur, en la que no se adora al Sol sino a la Luna. Y él
marchó con los suyos rumbo al norte, hasta Harran, donde también
la Luna es el ama de los mortales. Después regresó al sur, a Canaán,
donde se dice que corren la leche y la miel en abundancia. Allá nuestros ancestros crecieron y se multiplicaron, y muchos de sus hijos vi-

nieron a Egipto, pero otros siguieron recorriendo los desiertos y los campos vecinos tras sus rebaños de ovejas y corderos. A esos será difícil hacerlos venir porque, si bien hablan la misma lengua que nosotros, si bien tienen los mismos antepasados y adoran al mismo dios, que es El, detestan la vida de las ciudades y no les gusta ensuciar sus manos con el barro con que se hacen los ladrillos. Tal vez algunos, para escapar a la hambruna o a la arrogancia de otros nómadas más poderosos, acepten trabajar para poder vivir en paz y saciar su hambre. Esta misma mañana ha venido a verme un grupo de ellos, y los contraté al servicio del faraón. Pero los otros, ¿cómo enrolarlos por la fuerza? ¿Cómo encontrarlos en el desierto y obligarlos a venir a trabajar para la gloria de Atón, amo del cielo y de la tierra? Y si Su Majestad enviara hombres armados para obligarlos a venir hasta aquí, otros tendrían que vigilarlos sin cesar para que no se escaparan ni se rebelaran.

–Aarón, sabes que el rey detesta la violencia y quiere que cada cual trabaje de buen grado por la mayor gloria del dios. Así que hay que persuadir a los *khabirú* de que vengan a la ciudad de Atón sin forzarlos, atrayéndolos con todas las cosas buenas que encontrarán en la Tierra Querida y con la promesa del afecto del rey y de su dios.

Aarón lo miró con ojos entornados; después de un silencio respondió con un suspiro:

–A decir verdad, Osarsuf, tu rey podrá conocer a su dios, ¡pero no sabe nada del corazón de los hombres!

Capítulo XIV

Nefertiti contempló la imagen de su rostro, que se reflejaba en el disco de bronce pulido de su espejo de mano. Los ojos alargados por los trazos de *kohol* negro, los párpados verdes de malaquita, los labios delicadamente dibujados por el rojo purpúreo del maquillaje le conferían un aspecto grave a la vez que resaltaban la elegancia de sus rasgos. Sonrió al verse hermosa y pensar que los demás debían de verla de igual manera, ya que no ignoraba las miradas que le dirigían los hombres al caer de rodillas ante su dignidad real.

Unos días antes, Amenofis había ido a verla en compañía de un desconocido, un hombre de aspecto agradable, alto, de paso digno. Le sorprendió oír de boca de su esposo que lo había conocido mientras mendigaba delante del primer pilón del templo de Amón. El hombre se prosternó ante Su Majestad y dijo palabras tan bellas y nobles, que Amenofis se detuvo a escucharlo y luego lo invitó a seguirlo. Después de volver a escucharlo, después de oír de sus labios que había viajado mucho tiempo por naciones extranjeras, le dio una casa, servidores y una función en la cancillería del palacio. Al día siguiente, ese hombre, que se llamaba Mai, llevó a la joven reina un poema escrito en su gloria, trazado con mano segura, en escritura firme y elegante. Dos versos que Nefertiti no había olvidado, que habían alegrado su corazón de mujer:

> *Un orfebre cinceló tu belleza,*
> *Un dios trazó el arco de tus cejas.*

Sí, los hombres la admiraban. Amenofis le consagraba todos los días un amor apasionado que ella le devolvía con creces. Y, aun así, a veces se sentía presa de una extraña melancolía, como aquella mañana. Dejó el espejo en la mesita baja de nácar; el mango, en forma de tallo de papiro, se cruzó con el mango de la cuchara de marfil para maquillaje, esculpida con la forma del cuerpo estirado de una joven nadadora. Esta visión trasladó de inmediato su mente a los días despreocupados de su adolescencia, esos tiempos tan cercanos todavía y que, sin embargo, le parecían ya lejanos; esos tiempos en que, con total libertad, podía ir a bañarse en los estanques, navegar en los pantanos para ver cosas bellas, vagabundear por los bosques de papiros o recorrer el desierto en su carro. Ahora que era reina, que junto con la gran esposa Tiyi y la hermana real Satamón era la primera dama del imperio, descubría que había perdido toda aquella independencia de la infancia, aquel magnífico dominio de su entorno que le permitía abandonarse a todos sus caprichos. Su universo se limitaba a los jardines del palacio de Djarukha, del que no salía más que para participar en las ceremonias de los templos de Tebas. Sólo una vez había acompañado a la reina Tiyi en su barco, durante un paseo hasta Khentmin, donde había podido ver a los familiares de su padre.

Cierto era que ese era apenas su universo físico, ya que, desde que se había unido a Amenofis, vivía ante todo entregada a su pasión por aquel hombre que era todo un universo para ella y con cuya alma se sentía en total comunión. Vivía en él y para él, al igual que también él vivía sólo en ella y para ella. No obstante, sentía que se ahogaba en el palacio real, rodeada por la familia real, entre viejos dignatarios, funcionarios ambiciosos, el resto de la corte y su rígida etiqueta. Por todo ello, desde los primeros tiempos de su matrimonio había intentado convencer a Amenofis de abandonar Tebas, alejarse de esa ciudad en la que reinaban Amón y sus sacerdotes, enemigos secretos de Atón, y establecer su capital en otra parte, más al norte, en un sitio que estuviera en el corazón del imperio, desde donde la nueva divinidad pudiera brillar a la vez sobre las Dos Tierras, el valle y el delta, y, desde allí, sobre el resto del mundo. Pues, a pesar de que no había mencionado una sola palabra a Amenofis, esperando que él le hablara primero, no había olvidado el sueño que había tenido durante la parada en aquel lugar encantado, cerca de Hatnub, y era allí adonde deseaba llevar al corregente.

Al fin Amenofis se dejó convencer, tanto por los argumentos y los ruegos de su esposa cuanto por la sorda hostilidad que manifestaban los sacerdotes de Amón, así como muchos altos funcionarios poco favorables al nuevo culto, ante los trabajos de construcción del templo de Atón en Tebas y la manera en que el dios era privilegiado de manera cada vez más ostensible por el corregente, en desmedro de la antigua divinidad tutelar de la ciudad. El corregente ordenó entonces que armaran el barco real y lo trasladaran al estanque vecino al palacio de la reina Tiyi; planeaba partir en los días siguientes, una vez que recibiera el consentimiento de su padre.

Esta perspectiva generaba gran exaltación en el espíritu de Nefertiti, tanto por la aventura que dicho viaje representaba como por la apertura a otro mundo que le ofrecía, o, en todo caso, el retorno hacia un mundo que había iluminado su infancia.

Se hallaba sumida en sus ensoñaciones cuando le anunciaron la llegada de Ti, su nodriza. La mujer entró llevando en brazos a una niña de dos años, Meritatón, la hija que Nefertiti había dado a Amenofis. La llegada de una niña había decepcionado a la joven pareja real, pues Amenofis esperaba al heredero del trono de las Dos Tierras, pero la alegría de ese primer nacimiento ahogó toda amargura y ninguno de los dos dijo una sola palabra de sus sentimientos. A partir de ella, el nombre de Atón entraba en la composición de los nombres personales, para que quedara bien marcada la filiación atoniana de la pequeña. Unos meses después, también la reina Tiyi puso un nombre atoniano a la niña que acababa de dar a luz: Baketatón, la última de las hijas de la pareja real. La unión de Amenofis III y su hija Satamón, en cambio, había sido estéril.

Meritatón tenía de su madre los grandes ojos oscuros y la delicadeza de los rasgos, pero heredaba de su padre el mentón puntiagudo y el cráneo alargado hacia atrás, que dominaba su débil nuca confiriéndole un extraño encanto. No bien vio a Nefertiti se debatió hasta que Ti la dejó en el suelo y enseguida corrió hacia su madre, que la sentó en su regazo.

–¡No se puede negar que esta cabrita es hija tuya! –exclamó Ti, tras besar a la joven–. Salvaje como una gacela, y ya independiente. Es idéntica a ti cuando eras niña.

–¡Ti, mi buena nodriza! ¡Qué sorpresa, qué alegría! –exclamó Nefertiti–. No me habían avisado de tu visita. ¡Qué placer verte! ¿Cuánto hace que llegaste a Tebas? ¿Has venido sola?

–¡Ni lo pienses! Me ha acompañado tu padre, y también Muti. El divino padre Ay se presentó ante Su Majestad, y yo también quise

venir a ver sin demora a mi hija de leche, no bien desembarcamos en
el puerto real. ¡Ah, si supieras cuánto te hemos extrañado! ¡Estamos
tan lejos de ti en Menfis! No me gusta nada vivir lejos de ti y de tu
hijita. Deberías hablar con Su Majestad para que dé a tu padre una
alta función en la corte, aquí mismo.

–Nodriza, si Su Majestad nombró a mi divino padre comandante de los carros y gobernador de Menfis, fue para no alejarlo de una
región que place a su corazón, donde tiene su casa y sus tierras. Y,
además, es como el doble del rey en la tierra del Norte, y sabe hacer
adorar allí el nombre de Atón. Nadie ha demostrado mayor celo como partidario del dios, de manera que Su Majestad sabe que puede
depositar en él toda su confianza.

–¡Es muy cierto, es muy cierto! Pero nuestro corazón está aquí,
cerca de ti y de tu divino esposo. Mira, ya hace casi dos años que no
nos vemos, tan lejos estamos unos de otros. La niña era muy pequeña, todavía no se mantenía en pie, ¡y ahora corretea solita! ¿No podré verla crecer? Nunca me reconocerá… ¿No soy acaso como su
abuela? Porque tú, ¿no eres como mi hija?

–Sin duda, nodriza. Hablaré con el rey. ¿Pero por qué Muti no
está contigo?

–Ya vendrá más tarde. Pero antes debo decirte algo; me envió
para que te anunciara la noticia.

–¿Una buena noticia?

–Así lo creo, así lo creo. Con nosotros ha venido Horemheb.
También él se siente como exiliado en Menfis.

–Sin embargo, el rey lo nombró escriba de los reclutas reales.
¿No tiene acaso el mando de los ejércitos acantonados en la tierra del
Norte? ¿Su visita aquí es la novedad?

–Es preciso que lo sepas: quiere desposar a Muti, y la pequeña
está orgullosa y contenta por convertirse en la dueña de su casa y de
sus bienes.

La noticia dejó a Nefertiti pensativa por un instante. A menudo
le había ocurrido pensar en él y preguntarse si todavía lo amaba y si
había sufrido por su ruptura. ¿La había olvidado al fin, para encontrar en su hermana un amor más completo? O, por el contrario, ¿ese
matrimonio era un medio para ingresar en su círculo más íntimo y,
a través de ello, aliarse a la familia real? Optó por la segunda alternativa, y una sonrisa iluminó su rostro.

Fragmento de una estatua femenina en cuartita roja atribuida a Nefertiti. Esta obra es uno de los estudios artísticos más delicados del cuerpo femenino, en el período de El-Amarna.

(Colección Petrie del University College de Londres y del Ashe Molean Museum de Oxford).

Akhenatón, Nefertiti y una de sus hijas haciendo una ofrenda al dios Atón. En el relieve se puede ver el nombre del dios en los cartuchos que el rey lleva en el pecho y ambos brazos.
(Museo egipcio, EL Cairo).

En este relieve, procedente de Tell El-Amarna, se muestra claramente una escena de la familia real, desprovista de formalidad. El rey Akhenatón juguetea con su hijo Meritatón, mientras que la reina Nefertiti sostiene en su regazo a las dos princesas.
(The mysteries of ancient Egypt, Lorna Oakes y Lucía Gahlin, Lorenz Book)

Cantores ciegos, presentando sus ofrendas al dios Atón.
(Tumba de Meryre, Tell-El Amarna)

Akhenatón adora a su dios Atón.
Para este solemne acto el rey lucía sobre su
cabeza una corona azul de guerra.
(Os antigos égipcios, Flavio Conti, Circulo de Leitores)

El colosal busto del rey Akhenatón, proveniente del templo Gempaaten en Kaarnak.
(Museo egipcio, El Cairo)

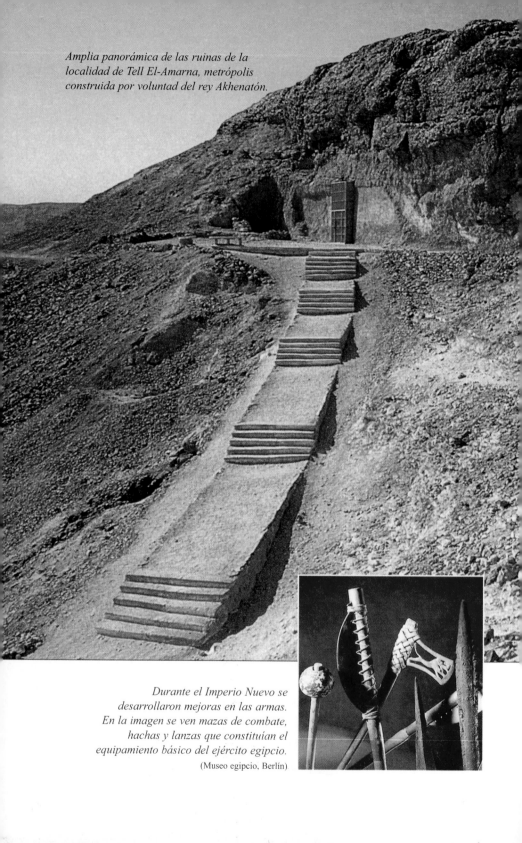

Amplia panorámica de las ruinas de la localidad de Tell El-Amarna, metrópolis construida por voluntad del rey Akhenatón.

Durante el Imperio Nuevo se desarrollaron mejoras en las armas. En la imagen se ven mazas de combate, hachas y lanzas que constituían el equipamiento básico del ejército egipcio.
(Museo egipcio, Berlín)

En el arte del Imperio Nuevo
se destacan los vasos que
representan animales o personas.
Este, llamado "vaso nodriza",
se utilizaba como recipiente para
la leche de los recién nacidos.
(Museo egipcio, Berlín)

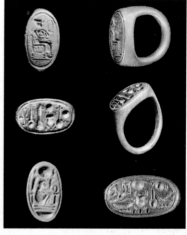

Anillos de Nefertiti y
Akhenatón,
realizados en oro, que
llevan al frente sus
respectivos
sellos reales.
(Museo británico, Londres)

Copas del Imperio Nuevo con
imágenes en relieve que
representan paisajes y fauna
de ese tiempo.

Detallado primer plano de la escultura más famosa que ha llegado hasta nuestros días de la reina Nefertiti. Pueden apreciarse los delicados rasgos del rostro de la soberana. (Museo egipcio, Berlín).

–Es algo que regocija mi corazón –aseguró–. ¿Cuándo se celebrará la boda?

–En los próximos días. Hemos venido para eso, porque tu padre quiere obtener primero el consentimiento de Su Majestad.

–Lo tendrá, puede estar tranquilo.

–Bien, bien. ¡Tienes tanta influencia sobre tu marido! Espero que Su Majestad se alegre por esta unión, aunque Horemheb sea de origen modesto.

La observación divirtió a Nefertiti; desde que había recibido el título de Gran Nodriza Real, Ti se comportaba como si la sangre de Ra corriera por sus venas.

–Nodriza, no me fatigues. Ya te dicho que Amenofis bendecirá el matrimonio; que eso te baste.

También ella se alegraba, más aún porque veía en ello un medio de asegurarse mejor la fidelidad de Horemheb, cuya ambición conocía demasiado bien.

Nefertiti depositó a Meritatón en la estera situada a su lado y se levantó. Palmeó para llamar a una de sus sirvientas, pero Ti intervino de inmediato:

–Quiero ayudarte a vestirte, como cuando eras pequeña. ¡Eras tan gentil! Realmente las Siete Hathores se habían inclinado sobre tu cuna, y ahora es el mismo Amón-Ra el que...

Nefertiti la interrumpió, irritada:

–¡No pronuncies ese nombre aquí! –exclamó, y se dirigió con paso vivo hacia la sala contigua, donde se hallaban dispuestos los cofres que contenían sus vestidos.

–¡Ah! ¡Mi niña, mi gacelita! ¿Puede ser un dios malo el que guió los brazos de nuestros reyes cuando echaron al impuro asiático y llevaron el nombre de Egipto hasta los confines del mundo que el sol recorre en su barca celestial?

–Si entonces era bueno que un dios trajera la guerra en lugar de la paz y que lo adoraran bajo un nombre usurpado, ya no es así. Ahora el dios oculto se ha revelado bajo el nombre de Atón. Y es Atón el que nos unió a Amenofis y a mí para que fuésemos un solo personaje, encarnación del dios en el mundo de los humanos.

–Es exactamente lo que quería decir.

Mientras hablaba, Nefertiti eligió un amplio vestido de trama tan fina que parecía tejido de aire. Siguiendo la nueva moda, cuya artífice había sido, en cierta forma, ella misma, se envolvió la espalda con la prenda y la ató bajo sus senos con un ancho nudo. Después, tras un momento de duda ante las cajas de pelucas, eligió una de largos bucles oscuros, que Ti la ayudó a colocarse.

–¡Por la Dorada! –exclamó Ti mientras Nefertiti calzaba sus sandalias de cuero flexible–. No sé si es Hathor o Atón a quien debo invocar, ¡pero me parece que en cada nueva inundación tu belleza se reafirma! ¡Mírate, toda adornada para recibir a tu hermana y a tu futuro cuñado!

Sin responder, Nefertiti tomó en brazos a su hija y se dirigió a la puerta cerrada por una pesada cortina. En la habitación vecina había dos sirvientas, siempre atentas a su llamado. Una tomó un amplio abanico de plumas de avestruz y fue a ubicarse detrás de ella.

–Que hagan venir a Meryre, mi chambelán –ordenó Nefertiti entonces.

Mientras la otra sirvienta se alejaba, Nefertiti pasó a la sala adyacente, abierta al jardín por una columnata, en el fondo de la cual había un sillón dispuesto debajo de un baldaquino. Fue a ocupar su lugar y sentó a su hija sobre sus rodillas; después invitó a Ti a instalarse en un taburete cercano.

–¿Dónde están mi hermana y Horemheb? –preguntó a su nodriza.

–Los dejé en el jardín, junto al gran estanque de las Aguas de Atón.

El chambelán, un hombre todavía joven pero cuya incipiente barriga permitía juzgar que avanzaba prestamente por el camino del éxito, fue a prosternarse ante la reina.

–Majestad, me has hecho llamar. Heme aquí a tus pies, en la gracia de Atón.

–Meryre –le dijo ella–, ve al estanque de las Aguas de Atón. Allí encontrarás a mi hermana, Mutnedjemet, en compañía de Horemheb, jefe de los reclutas del rey. Pídeles que vengan ante mí.

–Escucho y obedezco.

Desde su boda, Nefertiti casi no había visto a Horemheb y esperaba su aparición no sin cierta curiosidad. En cuanto entró, detrás de Meryre, notó que había engordado, que incluso se había abotargado, sin duda como consecuencia de una vida poco activa y bastante cómoda. Avanzaba de frente junto a Mutnedjemet, que había dejado atrás su gracilidad infantil para adquirir la plenitud de formas de la primera madurez. Se detuvieron ante el trono, como vacilantes. Nefertiti se divirtió al observar una suerte de desconcierto en Horemheb, que parecía no saber si debía prosternarse ante su reina o tomar entre sus brazos a su antigua enamorada. Ella no tuvo la crueldad de dejarlo más tiempo en suspenso; se levantó y, después de haber sentado a Meritatón en un almohadón, a su lado, fue hacia los visitantes y besó a su hermana.

–¡Qué alegría volver a verte, Muti! ¡Cómo has crecido! Te has convertido en una verdadera mujer. También a ti te doy la bienvenida, Horemheb. Veo que te encuentras de maravillas.

–También tú. Mi corazón se regocija al verte tan floreciente en el favor de Atón.

–Has invocado el nombre divino que convenía, Horemheb.

Les dio la espalda y volvió a sentarse en el trono; luego, señalando los almohadones dispuestos alrededor, los invitó a sentarse. Mutnedjemet se dirigió entre risas a Meritatón, la alzó en brazos y la besó.

–¡Qué bonita es mi sobrina! ¡Cómo ha crecido desde la última vez que la vi! ¡Ah, Kiya, querida hermana, cuánto extraño tu presencia!

–Muti, hermanita, tienes mucho de que alegrarte. ¿Acaso no vas a entrar en la casa de Hori para convertirte en la dueña de sus bienes?

–Nuestro padre lo desearía, y nosotros también, pero estamos esperando la decisión de Su Majestad.

–Ameni no les negará este matrimonio, que es una buena alianza.

–Por cierto, Kiya, pero te lo ruego: ¿no podrías intervenir ante tu esposo, el rey, para que convoque a Hori a su corte y le dé el mando de todos sus buenos soldados?

Nefertiti miró a Horemheb, que estaba sentado, con las piernas cruzadas debajo del cuerpo, el torso recto, la mirada impasible fija en ella. Se le ocurrió que tal sugerencia no provenía de su hermana sino de Horemheb, que esperaba con ese matrimonio elevarse a un rango, ahora accesible, de la jerarquía. Y, una vez que fuera amo del ejército, una vez que ganara la fidelidad de los soldados, era capaz de sublevarse contra su rey, tan alejado de todos los imperativos del gobierno de los pueblos. Ya le había parecido imprudente que Amenofis dejara actuar a Horemheb con total libertad, lejos de su vista, en Menfis, después de haberle confiado el mando militar del país bajo. Por un breve instante sus miradas se cruzaron y Horemheb sonrió, bajando la cabeza, mientras Nefertiti apartaba sus ojos. Ella sonrió a su vez y declaró:

–Sepan que he persuadido a Su Majestad de abandonar esta ciudad consagrada a Amón para ir al norte a fundar una nueva capital, en un territorio que pertenece a Atón.

–¿Qué más hace falta? –la interrumpió Horemheb–. ¿Acaso Atón no consiguió ya la preeminencia en esta ciudad? ¿No ha cambiado ya su antiguo nombre de Ciudad del Cetro por el de Ciudad del Esplendor de Atón?

–Así es, Horemheb, pero aquí debe compartir el poder con Amón y sus partidarios, que son más numerosos que las estrellas en el cielo nocturno. Y bien sabes que el poder no se comparte.

–¿Tu esposo no lo comparte con su padre divino?

–No es más que una apariencia, ya que Nebmare Amenofis, el dios bueno, delegó todos sus poderes en su hijo para consagrarse a los placeres en sus últimos días en el mundo de los vivos. Me gustaría mucho que ambos, Hori y Muti, vinieran a instalarse en la nueva ciudad de Atón. Próximamente embarcaremos en el río divino para que el dios guíe nuestros barcos hasta la orilla que él elija para la construcción de su ciudad. Ustedes nos acompañarán. Guarden bajo la lengua lo que les estoy anunciando, ya que nadie debe saber la razón de este viaje. Hasta ahora hemos dejado que toda la corte piense que no es más que un largo paseo que me concede Ameni para satisfacer uno de mis caprichos. Quédate tranquilo, Horemheb, que hablaré con el rey, mi esposo, para que te colme con sus beneficios.

–Te lo agradezco Kiya –replicó Horemheb, inclinando el pecho–. Si pudieras convencer a Su Majestad de que me envíe con buenas tropas al país de los beduinos, los vencidos de Asia, harías un gran servicio al imperio, pues en esas regiones el nombre de Egipto y el de Su Majestad son ridiculizados y despreciados. Bandas de ladrones saquean esas provincias y los príncipes ya no pagan su tributo. Porque nuestro amo, el dios bueno, evita la guerra por amor a la paz y menosprecia al ejército, que es el único que puede asegurar una paz justa y serena. Además, debe temer el resentimiento de los sacerdotes de Amón, de los que se ha apartado, cuyo poderío es temible. No sólo poseen inmensas riquezas, tierras, rebaños, barcos y servidores, sino que su influencia es enorme en el alma del pueblo. Su Majestad está tan ocupado con su dios y las cosas del cielo, que ya no ve las cosas de la tierra y se aleja de su reino. Queda para aquellos que lo aman la tarea de protegerlo de la envidia y el odio de los oscuros que lo rodean como hienas y chacales, esperando los primeros signos de debilidad del viejo león para arrojarse sobre él y devorarlo.

–Horemheb, aprecio tu lealtad y quiero que sepas que ya hemos pensado en eso con la Gran Esposa Real, Tiyi. Es cierto que su padre, Yuya, es ya demasiado viejo para asumir los altos cargos de jefe de los caballos y teniente de los carros que ejerce. Conviene poner a la cabeza de los ejércitos y de los carros del imperio a un hombre más joven y emprendedor. La Gran Esposa Real es consciente de los peligros que corre la corona, a causa tanto de los vasallos y tributarios que se sublevan contra nuestra autoridad, como de los enemigos secretos que conspiran dentro de nuestras fronteras e incluso en esta misma ciudad.

–Una vez que Horemheb se convierta en mi esposo –intervino Mutnedjemet–, ¿no sería completamente apto para llevar a cabo esas difíciles funciones? ¿Él, que fue educado para ser un buen oficial de carros, él, que combatió...?

–Muti –la interrumpió Nefertiti–, ya sé todo eso, y Amenofis no lo ignora. Es el rey quien debe tomar tal decisión. No quiero hablar más de esto.

Capítulo XV

Al dejar a Nefertiti, Horemheb se llevaba la firme impresión de que ella estaba maniobrando para que el rey no le concediera un puesto que podía convertirlo en uno de los personajes más poderosos del Estado. Durante el breve período de las relaciones íntimas entre ambos, él le había hablado demasiado sobre sus deseos y ambiciones como para tener ahora la ingenuidad de esperar que la joven reina no desconfiara de él y fuera tan crédula como para convertirse en el dócil instrumento de su fortuna. Así pues, pensó que debía provocar acontecimientos lo bastante inquietantes para obligar al rey a darle lo que en otras circunstancias le habría negado.

Mutnedjemet y su madre se quedaron en el palacio con Nefertiti, mientras Horemheb regresaba a la margen derecha del río, donde poseía una vivienda en uno de los barrios residenciales de la gran ciudad. Sin perder tiempo en refrescarse, mandó llamar a Hanis, a quien había nombrado teniente no bien ocupó las altas funciones con las que lo había investido Amenofis tras su coronación.

–Hanis –le dijo enseguida–, una vieja amistad de varios años une ya estrechamente nuestras almas, de modo que no necesito recurrir a tu reconocimiento por haberte convertido en el compañero de mi fortuna. Por lo tanto, con absoluta confianza en tu fidelidad, quiero pedirte un servicio del que no serás el último en sacar provecho. Has de ir discretamente al templo de Amón, el rey de los dioses, y pedirás ver a Maya, el primer profeta del dios. Pero ten cuidado de que no esté con Anen, el segundo profeta, que es el espía real dentro del clero. Entonces le dirás lo siguiente: "Soy un fiel de Amón, y mi amo se apena al ver el desprecio que demuestra Su Majestad por el rey de los dioses. Estoy bien interiorizado del palacio real y conozco los secretos de la cámara del rey. Así pues, vengo ante ti a advertirte, para que los fieles del dios emprendan su defensa. Debes saber que el corregente ha decidido abandonar la gran ciudad del Sur y partirá rumbo al norte para buscar un lugar donde construir una nueva capital en honor de Atón. Allí establecerá la corte y la población de Tebas, y Amón se quedará solo en su templo. Pero antes el corregente habrá despojado el santuario, le habrá quitado sus campos, sus pueblos, su ganado, sus barcos, todos sus bienes, de manera que Amón y sus sacerdotes sean más pobres que el más miserable de los hombres de este país. Ahora depende ti y de los que están a tu lado defender sus propios derechos y los bienes del dios, antes de que les quiten todo". Hanis, esto es lo que te pido que le digas. Sin embargo, no le pintes un cuadro demasiado oscuro de la situación.

–Hori, no comprendo adónde quieres llegar. Puedes contar con mi fidelidad y mi reconocimiento en cualquier circunstancia, pero me parece que con esto me invitas a traicionar a Su Majestad y a ponerme, en secreto, al servicio de sus enemigos.

Horemheb estalló en carcajadas y se arrellanó en un amplio asiento.

–Hanis –le contestó, al tiempo que tomaba de una mesita vecina una granada y la rompía entre sus poderosas manos–, eres un león en la batalla, pero fuera de la guerra tu corazón no es más grande que una arveja. Si te pido que actúes así es para servir mejor al rey y, a la vez, provocar la ocasión de demostrarle nuestra fidelidad, porque dime: ¿qué ganaría yo con una victoria de los enemigos de Su Majestad, que lo enviara a reunirse con los otros dioses justificados al lado de Osiris, Señor de Occidente? Gracias a tus palabras, conoceremos los verdaderos sentimientos de los sacerdotes de Amón, probaremos su paciencia, sabremos si están dispuestos a urdir alguna maquinación contra el rey o, por el contrario, a aceptar que su dios sea así ridiculizado. Y si, por casualidad, se atrevieran a levantar al pueblo contra Su Majestad, yo procuraría que él recurriera a nuestros brazos para reprimir ese movimiento y derrotar a los partidarios de Amón, como los servidores de Horus destruyeron a los simpatizantes de Seth. A partir de ese momento, nuestra fortuna quedará definitivamente sellada, porque eso me fortalecerá para obtener del rey el mando de todos sus ejércitos, y también tú tendrás entonces la parte que te toque.

Con estas palabras Horemheb consiguió persuadir a Hanis, que, sin embargo, hizo un último intento de defensa:

–Dime otra cosa, Hori: ¿por qué me encomiendas esta misión? ¿Por qué no vas tú mismo a ver al primer profeta?

–Hanis, siempre haces preguntas que me hacen dudar del amor de Ptah hacia ti, porque es evidente que te dio tan poca sensatez como inteligencia. Yo soy demasiado conocido y no puedo correr el riesgo de que me vean en compañía de los sacerdotes de Amón. Tú todavía estás en la sombra, por lo que a nadie se le ocurrirá decir: "Tal día, Hanis fue al templo de Amón". Y ni siquiera los sacerdotes podrán declarar: "Lo que sabemos nos lo dijo Horemheb, que conoce los secretos del rey y de la reina". Pues en este último caso perdería el favor de Su Majestad, y sabes bien que tu fortuna está atada a la mía.

–Sin duda, Hori, hablas con la sabiduría de Ptah en la lengua, pero dime: ¿por qué los sacerdotes de Amón darían crédito a mis palabras? Y si me lo preguntan, ¿de quién les diré que obtuve esta información?

–Les responderás que es un secreto que te pertenece y que pronto podrán comprobar que Maat ha dictado tus palabras, que la verdad está contigo, porque dentro de unos días verán que el corregente se embarca hacia el Norte con una parte de su séquito. Y cuando regrese, se enterarán de que echó los cimientos de una nueva ciudad, de su futura residencia en una tierra consagrada a Atón.

Hanis volvió aquella misma noche ante Horemheb.

–Conseguí hablar con Maya, el primer profeta de Amón –anunció sin preámbulos–. Estaba con otros sacerdotes y con el director de los rebaños de Amón. Al sacerdote que me recibió le aseguré que tenía que informar algo de la mayor importancia al primer profeta, y el que me presentaron me pidió que hablara delante de los que se encontraban allí. Declaré que se trataba de una noticia grave y que debía guardarse el secreto, pero me respondió que podía expresarme con absoluta confianza, sin temer traición alguna. Entonces dije lo que tenía que decir y, como lo esperaba, me preguntaron de dónde lo sabía y les respondí lo que me sugeriste.

–¿Qué decidieron al final?

–No me dijeron nada, pero el primer profeta declaró que había que esperar y ver. Pero, además, el director de los rebaños me pidió que abriera mis ojos y mis oídos, que me convirtiera en el mensajero de Amón en el palacio real y que informara al dios de todo lo que se tramaba contra él. Me aseguró que Amón me expresaría su gratitud y, para demostrarme que su agradecimiento no se reduciría a palabras lanzadas al viento, me entregó esta joya, este brazalete de oro con hermosas piedras. Quise rechazarlo, pero me obligó a aceptarlo. Sin embargo, no deseo conservarlo, porque me da la sensación de haber traicionado a Su Majestad por un miserable interés, cuando creo haber actuado así por amor a su gloria, como tú me aseguraste.

–Has actuado bien, Hanis –afirmó Horemheb–. Pero si ese brazalete puede quemarte el brazo y el alma, dámelo. Lo pondré a resguardo o se lo daré al Horus de Hatnub.

–Tómalo; es tuyo, pues yo no podría usarlo.

Horemheb recibió la pesada joya, que evaluó con evidente satisfacción. Cuando Hanis se hubo retirado, sonrió y se encogió de hombros, murmurando:

–¡Qué oca estúpida!

Unos días después, la corte del corregente se embarcaba en cinco grandes barcos, después de celebrar la boda de Mutnedjemet y Horemheb. La nave real, de casco pintado con motivos geométricos de vivos colores, y popa curvada en forma de inmensa flor de loto, avanzaba a la cabeza, con la gran vela cuadrada y púrpura ampliamente desplegada. Ay y Ti viajaban en la segunda embarcación; Mutnedjemet, en la tercera, en compañía de Horemheb. El divino padre y la nodriza real habrían preferido navegar con el joven rey y la reina, pero Amenofis había dicho a Kiya:

–Kiya, perdóname, pero tu padre me fastidia y, si bien aprecio su fidelidad, no puedo soportar su obsecuencia.

–Entonces ubiquémoslo en el segundo barco –había respondido Nefertiti con tono alegre–. Será mejor, ya que Ti estará obligada a quedarse con él y así me libraré de ella, al menos durante el tiempo que dure la travesía.

La navegación era lenta, pues cada vez que Amenofis descubría una orilla que podía convenir a sus deseos daba la orden de abordar con el fin de explorar el territorio. Pero Nefertiti, que había convencido astuta y pacientemente a su esposo de establecerse en aquel lugar donde ella había recibido en sueños la visita del dios, siempre encontraba motivos para ir más hacia el norte.

Ocho días habían transcurrido cuando las naves llegaron a la altura del sitio privilegiado, y probablemente habrían pasado sin detenerse si Nefertiti no hubiera dicho de pronto a Amenofis:

–¡Allí habita el dios!

Él le dirigió una mirada interrogativa, y ella prosiguió:

–Ameni, da la orden de hacer escala aquí. Sin duda Atón, tu divino padre, vendrá a visitarte esta noche para confirmarte lo que siento al asegurarte que este es el sitio.

Convencido de que su esposa no hubiera podido expresarse de ese modo si no estuviera inspirada por el dios, Amenofis mandó montar en aquella orilla el campamento para pasar la noche. Mientras los servidores levantaban las tiendas, alzaban los doseles y armaban las camas, el corregente y Nefertiti partieron solos, sin escolta ni séquito, a pasear hasta el límite de los campos cultivados. Muy deprisa había corrido el rumor de la llegada del rey en persona, de modo que pronto acudieron todos los campesinos que vivían en el paraje, que abandonaban sus chozas y sus trabajos para ver de cerca a Su Majestad. Los aldeanos se prosternaban al paso de la pareja real, y los más audaces se acercaban al monarca hasta rozarlo, aunque sin atreverse a tocarlo. Amenofis sonreía y les decía:

–Adoren a mi padre Atón, que brilla en lo alto del cielo, porque es el dios grande, fuente de toda vida y de todos los beneficios que reciben de la naturaleza. Sus millones de rayos son como brazos que les traen abundancia, y yo, su hijo, estoy con él para traerles justicia y paz.

Hacia el final de la noche siguiente, en el momento en que la pálida aurora despuntaba en el oriente, Amenofis despertó a Nefertiti, que dormía en la cama vecina, bajo la misma tienda.

–Kiya –le dijo–, mi padre Atón vino a visitarme durante la noche, y todo se iluminó con su presencia. Me tomó de la mano, me llevó al desierto vecino y me indicó que allí debe elevarse su ciudad, que brillará sobre el mundo entero, sobre todas las naciones.

Nefertiti se levantó feliz y exclamó:

–¡Lo sabía! Sabía que vendría a hablarte, pues es preciso que sepas que también se reveló ante mí. Mira.

Corrió hacia un cofrecito que había procurado llevar consigo y extrajo un rollo de papiro, que desplegó. Como en la tienda la claridad era muy escasa para poder descifrar los signos, lo llevó afuera

y, mientras el disco purpúreo del sol surgía en el horizonte, Amenofis leyó el papiro en el que Nefertiti había anotado todos los detalles
del sueño que había tenido en ese mismo lugar, casi cuatro años
atrás.

–Es verdad que en este lugar mi padre Atón se eleva en todo su
esplendor.

En los árboles cercanos prorrumpieron los cantos de miles de
aves, como un coro celestial que saludara la aparición de un dios. A
medida que el sol se alzaba lentamente sobre las montañas del horizonte, su luz pasaba del rojo fuego a un dorado tinte tornasolado
que salpicaba la palidez azulina del cielo.

Nefertiti corrió a recoger unas flores de loto que dormían cerca
de la orilla, todavía cargadas con los perfumes de la noche, y se las
llevó a Amenofis. Ambos levantaron los brazos ofreciéndolas al Sol.

–¡Qué bello eres, Atón, cuando te levantas en el horizonte! –exclamó el rey.

Poco después, la resplandeciente luz del sol naciente había invadido la soledad del firmamento, espantando las alas de la noche más
allá del horizonte occidental.

–Aquí se erigirá la ciudad de nuestro dios, la ciudad del Horizonte de Atón, y su nombre será Ikhutatón.

Inmediatamente después llamó a los servidores, ordenó que engancharan su carro cubierto de placas de electro finamente talladas,
y llamó a sus escribas, agrimensores y arquitectos. Entonces declaró:

–Que traigan pan y cerveza, vino y aves de corral, toros con cuernos y sin cuernos, plantas aromáticas e incienso, al igual que buenas
hierbas, pues en este día voy a ofrecer un gran sacrificio a Atón. Que
todo se disponga en el borde del desierto mientras que yo voy a de-
terminar los límites del territorio de Atón, pues aquí quiero fundar
la ciudad de Atón, la ciudad del Horizonte donde se alza el sol,
Ikhutatón.

Se ubicó en el carro y Nefertiti montó a su lado y lo abrazó, y colocaron delante de ambos a la pequeña Meritatón, que apenas si se
alzaba por sobre la caja del carro.

Durante una parte de la mañana recorrieron la inmensa zona desértica, encerrada entre el río, al oeste, y el arco elíptico de las mon-

tañas, sin poder llegar a ninguno de los extremos. Pero, como si el dios no cesara de inspirarlo, Amenofis señalaba cada lugar que destinaba a albergar un monumento, y ya en su imaginación estaban trazadas las calles y determinadas las plazas de la futura ciudad.

Desde los días en que había navegado hacia Amenofis para convertirse en su esposa, Nefertiti no había vuelto a vivir un momento de exaltación semejante. Unía sus labios a los de Amenofis, que seguía llevando sus caballos al trote; el viento se arremolinaba en su vestido liviano, que se abría y flotaba tras ella, y ese viento era como una caricia del dios, cuyo calor aspiraba a través del aliento de su esposo.

Cuando volvieron al campamento, todo se hallaba preparado para los sacrificios; luego, el séquito de la pareja real se dio un gran festín con las ofrendas santificadas, un festín que duró hasta la noche, ya que los comensales se habían instalado a la sombra de los árboles y los largos baldaquines tendidos sobre esteras y almohadones.

Amenofis ordenó que se presentaran ante él los personajes importantes y los poderosos del reino, los jefes de las tropas y los nobles del país. Y durante el lapso siguiente, mientras aguardaba que llegaran, el rey exploró toda la región y definió, junto con sus arquitectos y albañiles, los planos de la ciudad. Con él iba Bek, su escultor en jefe y director de las obras, que lo había acompañado con su esposa, Taheret. Su padre, Men, era el escultor de Amenofis III. Si bien Bek se había iniciado en su arte siguiendo los pasos de su progenitor, pronto lo había superado en talento, y Amenofis, que lo había distinguido entre todos los artistas de la corte, le expuso sus concepciones estéticas, pasó por el tamiz de su propia crítica las obras que ya había creado y llegó incluso a sostener el cincel, mientras Bek declaraba con gusto que no era más que el humilde discípulo de Su Majestad, el inspirador de sus obras.

Tanto la gran flexibilidad mental de Bek como su juventud –gracias a la cual no tenía aún el pensamiento petrificado por los vicios del trabajo ni condicionado por una concepción rígida y convencional del arte– le habían permitido deshacerse de los métodos educativos para recrear en la escultura la naturaleza en su absoluta realidad, mostrando la vida tal como se manifestaba y no a través de una idealización de las apariencias.

Bek acudió al llamado de Amenofis. El escultor era un hombre de baja estatura y, aunque todavía fuera joven, presentaba un vientre abultado que sobresalía bastante por encima del taparrabo corto y almidonado, que se ensanchaba en líneas rígidas sobre un vestido ajustado y plisado que le llegaba hasta los tobillos. Su rostro triangular, de frente baja, cejas tupidas, ojos globosos y mentón cuadrado, carecía de toda gracia; sin embargo, lo iluminaba un fuego interior. Se inclinó ante su rey, apoyando las manos en las rodillas.

–Bek –le dijo Amenofis enseguida–, eres el director de todas mis obras en esta ciudad, donde comenzarás por hacer construir una hermosa casa para ti. Ahora presta atención. Durante todos estos días hemos delimitado el territorio de Atón y el área en la que se edificará la ciudad del Horizonte. A lo largo de todos los confines se grabarán estelas para marcar los límites del dominio del dios, estelas en las que haré inscribir lo que conviene a mi alma y todos los actos relativos a esta fundación. Quiero que en ellas muestres a Atón en todo su esplendor: el disco solar profundo, con sus rayos como brazos con manos de luz que aportan la vida. Yo estaré junto a un altar, en adoración ante mi padre, llevando mi corona sagrada azul; detrás de mí, la Gran Esposa Real, Nefertiti, llevará su ofrenda, y también deberá aparecer la princesa Meritatón sacudiendo el sistro para complacer a Atón. Observarás la ceremonia que organizaremos para la toma de posesión de estas tierras en nombre de Atón, ante los personajes importantes del país, y bastará con que reproduzcas el sacrificio que la reina y yo ofreceremos al dios que reina en el cielo.

Cada día abordaban los elegantes barcos, provenientes del norte y del sur, que llevaban a los grandes del reino. A fin de ceder el protagonismo a la joven pareja real, Tiyi y su esposo se habían quedado en Tebas; de este modo, también destacaban su voluntad, que consistía en conceder a su hijo total libertad en sus decisiones –aunque no las aprobaran por entero–, al tiempo que preservaban un vínculo con el clero de Amón. Uno de los primeros en llegar fue Panehesy, a quien Amenofis había destinado a convertirse en "primer servidor de Atón", director de los graneros y los rebaños de Atón en la nueva capital; era un fiel servidor del corregente, que lo había nombrado canciller de la tierra del Norte al entablar relación con él durante su estancia en Menfis. Los últimos fueron Amón-Hotpe, gran chambelán del palacio y director de las obras de Abidos, también origina-

rio de Menfis, con su joven y bonita mujer, May, y su medio hermano Ramosé, visir del Sur e intendente de Tebas, a quien Amenofis y
Nefertiti habían investido poco después de su coronación. Esta ceremonia de investidura había provocado gran sorpresa entre los teba-
nos y un principio de escándalo entre los tradicionalistas y el clero
de Amón. Ello se debía en parte a que, en uno de sus primeros actos
oficiales, Amenofis colocaba a la cabeza de Tebas y de la tierra del
Sur a un hombre originario de Menfis, ferviente seguidor de Atón;
pero, sobre todo –demostrando con tal actitud su independencia en
relación con su real padre y la alta estima en que tenía a su joven esposa–, porque había oficiado sin la presencia del viejo faraón y asociado, en cambio, estrechamente a Nefertiti. Por primera vez se había visto en el reino lo que nunca Amenofis III había concedido a su
gran esposa Tiyi: que la reina participara activamente en la ceremonia junto a su esposo, llevando en su mano izquierda el látigo, uno
de los símbolos sagrados del poder divino. A partir de ese día, los
personajes ilustres del país habían comprendido que ese nuevo reino reservaba varias sorpresas y que convenía obtener el favor de la
reina madre tanto como el de la nueva Gran Esposa Real.

Cuando fueron presentados todos los que esperaban al rey, este
ordenó que se llevaran a cabo las ceremonias de fundación. Bajo un
gran baldaquino dispuesto sobre un estrado que dominaba una vasta explanada, se habían erigido dos tronos cubiertos de hojas de oro
repujado en las que se veía a Atón, con sus manos de luz, en toda su
gloria, adorado por la pareja real. En el otro extremo de la plaza, en
un alto pedestal de ladrillos a la vista, al que se accedía por un ancho tramo de escalones, se habían levantado pequeños altares portátiles de altos pies cilíndricos que sustentaban unos amplios cálices
de cuello oblongo, llenos de agua destinada a conservar frescas las
flores de loto y los radiantes papiros.

La multitud de ilustres y cortesanos se había amontonado en la
explanada. Ay y Horemheb, Ramosé y los otros altos dignatarios se
hallaban ubicados en las primeras filas, mientras que los campesinos
venidos de los alrededores se mantenían apartados, en los límites de
la gran plaza.

Entonces llegaron el rey y la reina en su carro de electro, junto
al que corría Nakht, un hombre bajo y rechoncho, al que Amenofis
había designado visir de la futura ciudad del Horizonte. El faraón

llevaba la cintura ceñida por un largo taparrabo plisado y cruzado en la parte delantera; en la cabeza ostentaba la alta corona de gala azul, decorada con motivos anulares en relieve y adornada en la frente con el ureo, la serpiente divina con la ancha garganta hinchada de poder. Nefertiti estaba ataviada con un vestido fino como una tela de araña, de largos pliegues, que le caía hasta los pies pero que a cada paso se abría por delante, de manera tal que revelaba –más que ocultaba– la belleza de las líneas esbeltas de su cuerpo; llevaba una larga peluca, sujeta en la frente con una cinta y rematada con una corona circular rodeada por una dorada hilera de ureo erguidos que brillaban en mil resplandores, sobre la cual se abrían los cuernos en forma de lira de Hathor-Isis, enmarcando el disco solar, del que surgían las dos altas plumas que exhibía habitualmente el tocado del dios Amón. Ninguno de los dos lucía joyas, ni siquiera el pectoral con las efigies de la diosa buitre y la diosa serpiente, protectoras de los tronos, como si hubieran querido concentrar todo su poder real en las coronas.

Pronto se elevaron los cantos de bienvenida de las mujeres del palacio, acompañados por los músicos de la corte.

Cuando apareció la pareja real en el carro, toda la concurrencia, grandes y príncipes, nobles y oficiales, se prosternó, se arrojó al suelo sobre el vientre o cayó de rodillas y así permaneció mientras Amenofis detenía el vehículo al pie del estrado. Tomada de la mano, la pareja real subió a los tronos, y todos se levantaron y se pusieron de pie una vez que el faraón y la reina se hubieron ubicado en sus asientos, sin soltarse las manos.

Cuando se hizo silencio, cuando cesó la música que acompañaba al cortejo real, y Panehesy y los sacerdotes del clero de Atón se colocaron al pie de los escalones que conducían a los altares, Amenofis habló con voz alta y firme, que recorrió la multitud:

–Aquí comienza la ciudad del Horizonte de Atón. El dios ha deseado que Mi Majestad se la edifique en su nombre augusto, por la eternidad. Mi padre Atón me condujo en persona a este lugar para que aquí se construya su ciudad. Nadie en todo el país, ni un noble, me trajo aquí para decirme: "Sería agradable para el dios que Su Majestad edificara en este lugar una ciudad consagrada a Atón". Y he aquí que Mi Majestad vio que esta tierra no pertenece a ningún dios ni a ninguna diosa, que no la posee príncipe ni princesa. Nadie es su propietario, nadie más que Atón, a quien estará consagrada de ahora en adelante.

En nombre de los asistentes, Panehesy respondió:

–Fue Atón quien inspiró tu corazón para venir al lugar que él deseaba. No exalta el nombre de nadie más que el de Tu Majestad. Tú das a Atón todas las naciones, tú edificas para él ciudades muy hermosas; los enviados de todos los países y de todas las comarcas vienen ante ti con los tributos destinados a aquel por quien viven, a aquel cuya luz hace que vivamos y respiremos. Que la contemplación de su belleza pueda acordar la eternidad. Que prospere la ciudad del Horizonte como Atón en el cielo, por siempre.

–Prosperidad para la ciudad del Horizonte, como Atón, para siempre, por siempre –repitió la multitud al unísono.

Amenofis levantó los brazos al cielo, señalando el Sol, que había llegado a su cenit.

–Les digo esto, que es tan verdadero como que mi padre es Ra Harakthi, el Atón viviente: Atón es el dios grande, el dios viviente, rico de vida, el que creó la vida. Es mi padre, el que vive en la eternidad, el testigo visible de la eternidad. Es el único que no fue creado, porque se formó con sus propias manos, por su propia palabra, e hizo que el Sol, cada día, sin cansancio, se levante y se oculte en sus horizontes. Ya sea que esté en el cielo o en la tierra, cada ser creado lo ve cuando llena el mundo con su luz y hace vivir a cada cosa. Que al verlo cada día mis ojos se regocijen, cuando se alce en el templo, que será sólo suyo en la ciudad del Horizonte, y lo llene con su presencia y con sus rayos; espléndido de amor, se expandirá en mí, viviendo por millones de años.

"En este sitio quiero levantar la ciudad del Horizonte para Atón, mi padre. No quiero construirla al norte ni al sur, ni al este ni al oeste; se alzará sobre la margen oriental, en este mismo lugar. Que nunca nadie me diga: "Existe en otro sitio un lugar favorable para erigir de la ciudad del Horizonte", porque no lo escucharé. Y nunca diré yo: "Quiero abandonar la ciudad del Horizonte para ir a fundar otra ciudad en otro lugar", porque el mismo Atón me indicó este lugar y por él será alegrado por la eternidad.

"En esta plaza haré construir el gran templo de Atón, para Atón, mi padre. También haré levantar aquí otro templo de Atón y, además, en este lugar, se construirá un templo llamado 'Sombra del Sol' para la Gran Esposa Real, Nefertiti. También haré edificar aquí un palacio para el rey y otro para la Esposa Real, en Ikhutatón, porque mi esposa es como mi sombra, como mi doble.

"Si por ventura muero lejos, se traerá mi cuerpo aquí y me sepultarán en mi tumba, que construirá en la montaña oriental, y también la reina Nefertiti será enterrada allí, para vivir millones de años en ese lugar. Y se hará lo mismo con la princesa real Meritatón, nuestra hija. También quiero que se cave una tumba en la montaña oriental para el toro Mnevis, encarnación de Ra de Heliópolis, y toda una necrópolis para los grandes videntes, los padres divinos de Atón y todos los buenos servidores de Atón."

Tras decir esto, se levantó, junto con la reina, y estalló la música de las arpas y los salterios, las flautas y las liras. Lentamente, la pareja real bajó los escalones para ir hacia los altares, mientras los heraldos gritaban:

–Este es Horus viviente, el Toro poderoso amado por Atón y las dos diosas. Grande es su poder en Ikhutatón. Es el Horus de oro que exalta el nombre de Atón, el rey del Alto y del bajo Egipto que vive por Maat, la Justicia, el Amo de las Dos Tierras, Neferkheperure, el hijo de Ra que vive en Maat, la Verdad, el Señor de las Dos Coronas. Larga vida para él, que viva en la eternidad.

A su vez, las mujeres del cortejo real entonaron:

–Y esta es la gran Princesa del Palacio, la de bello rostro, coronado con las dos plumas, la dueña de la alegría, aquella cuya benevolencia imploramos, aquella cuya voz regocija los corazones, la Gran Esposa amada por el Rey, ama de las Dos Tierras, Nefertiti, que viva por la eternidad.

Mientras avanzaba por el sendero formado por las filas de cortesanos, Nefertiti mantenía una expresión grave, pues percibía la solemnidad del instante, y su corazón se hinchaba de alegría y de una infinita gratitud por Atón, que la había elevado tan alto por sobre los humanos. Al pie de los escalones estaba la pequeña Meritatón, junto a Ti, radiante de orgullo. Al pasar, Nefertiti la tomó de la mano y la llevó con ella hasta los altares.

Mientras Meritatón permanecía apartada, agitando un sistro de bronce que producía su sonido chillón y metálico, los dos soberanos se detuvieron ante los altares, tomaron las flores con ambas manos y las levantaron extendiendo los brazos hacia el sol, que estaba alto en el cielo puro, donde volaba lentamente un halcón, imagen viviente de Horus.

Entonces Amenofis salmodió el himno al dios que había compuesto bajo la inspiración divina.

Tú eres Atón, señor de la eternidad, porque vives eternamente.
Tú eres el padre y la madre de todas las criaturas.
Has creado el cielo para alzarte en él y ver desde allá arriba todo lo que tiene existencia.
Estás solo y, sin embargo, hay en ti millones de vidas que reciben tu aliento vital a través de tus rayos. Por ti viven estas flores, las mismas que brotan del suelo y crecen en tu esplendor, y se embriagan con tu faz. Por ti se mueven todos los animales, las aves adormecidas en sus nidos alzan vuelo gozosas, sus alas cerradas se despliegan para celebrar a Atón viviente.

En el transcurso de esa misma jornada, con ayuda de una azada, el rey trazó el dibujo del recinto del gran templo de Atón. Amenofis se quedó unos días más en Ikhutatón, con el fin de ver que todo se organizara según sus deseos. No obstante, dejó que los príncipes y los nobles volvieran a sus moradas. La pareja real partió por fin de la ciudad para ir a Menfis en compañía de Ay y de Ti, después de encomendar a los jefes de las obras y a Nakht, el visir de la ciudad, la tarea de reclutar un ejército de obreros para emprender sin más tardanza los trabajos de construcción de la futura capital del imperio más grande de esa época.

Capítulo XVI

La pareja real permaneció unos días en Menfis para que Amenofis pudiera recibir las quejas de los grandes y, sobre todo, de los oscuros, y tomarse el tiempo necesario para inspeccionar los trabajos de construcción del templo de Atón. Después se embarcaron rumbo a la finca de Ay, adonde Nefertiti no había regresado desde el día en que Horemheb había ido a buscarla.

La nueva opulencia de Ay resultó evidente para la muchacha desde el primer instante: una cantidad considerable de campesinos y jornaleros empleados en la finca fue a recibir a la pareja real cerca de un embarcadero de reciente construcción, ornamentado con resguardos de madera. A Nefertiti le pareció que el personal al servicio de su padre se había decuplicado, lo cual se correspondía con la extensión de su propiedad, pues se las había ingeniado para adquirir todas las tierras de los alrededores; de tal modo, ahora era vecino de la hacienda de Horemheb, que, por su parte, tras la muerte de su padre, ocurrida un año antes, poco a poco había adquirido los bienes de sus vecinos cercanos.

Sin embargo, Nefertiti sintió una especie de tristeza al descubrir que su padre había ampliado la residencia, agregándole tantas construcciones que no logró reconocer la casa de su infancia. Felizmente, no había cambiado el espectáculo de los campos de los alrededores, con la hilera de montañas de Keraha a lo lejos, hacia el oriente, ni los bosques de papiros en medio de los pantanos que bordeaban el Nilo.

A diferencia de lo que había sentido en las ceremonias de fundación de Ikhutatón y en sus salidas por Tebas, donde las multitudes tumultuosas que se prosternaban a su paso halagaban el amor propio de la joven mujer, el respeto religioso que manifestaba en su presencia la gente de la finca paterna, que se apresuraba a prosternarse ante ella, le causaba un fastidio rayano en la impaciencia.

En cambio, se divirtió con la incomodidad de Nakhtmin el día de su llegada. Elevado por Ay al rango de intendente de la finca, el joven esperaba en el umbral de la casa a los huéspedes reales. Nefertiti y Amenofis llegaron en su carro, conducido por la joven, seguidos por los nobles que el rey había designado para acompañarlo: Parennefer, el jefe de su Morada; Meryre, el chambelán de la reina; Penthu, uno de los grandes sacerdotes de Atón, y Amón-Hotpé y su esposa, May, ya que Nefertiti se había encariñado con aquella joven bonita, graciosa y espiritual, apenas mayor que ella, y había querido que la acompañara en su viaje al norte. Por su parte, Amenofis había recibido en su favor a ese tal Mai al que había conocido mendigando delante de un templo; le agradaba escucharlo hablar de los países extranjeros en los que había vivido, lo interrogaba sin cesar sobre los hábitos y las costumbres de aquellos pueblos y en especial sobre sus creencias religiosas.

Al ver aparecer el carro real a la cabeza del cortejo, Nakhtmin tuvo un movimiento dubitativo: ¿iba a prosternarse ante Kiya, su hermana de leche, a quien había conocido tan íntimamente y a la que había tratado de un modo familiar e incluso insolente? Sin embargo, decidió arrodillarse y alzar los brazos, mientras que los demás servidores se tendían sobre el vientre. Nefertiti detuvo el carro y saltó de él seguida por Amenofis y luego por Ti, que había llevado consigo a Meritatón en el vehículo de Ay.

–Ameni –dijo Nefertiti, señalando a Nakhtmin, mientras este se levantaba–, este es mi hermano de leche, el hijo de Ti. Es un buen muchacho y me agradaría que recibiera un cargo conveniente para él, tal vez en el ejército de Su Majestad, ya que es un buen conductor de carros.

–Agradezco a mi ama soberana por intervenir así en mi favor ante Su Majestad, ¡que Amón-Ra, el dios de los dioses, conserve en buena salud! –respondió Nakhtmin.

"Hay que ser estúpido para evocar a Amón delante de mi esposo", pensó Nefertiti, que añadió de inmediato:

–Nakhtmin, querrás decir Atón y Ra-Harakhtis, pues sólo él puede conservar al faraón en buena salud por la eternidad.

–Que Su Majestad me perdone. ¡Aquí estamos tan lejos de la ciudad del Cetro y de las novedades de la corte!

La importancia de las obras emprendidas por Ay permitió que todos se alojaran con comodidad en su residencia.

Aquella misma noche Ay organizó una hermosa fiesta en honor del rey y la reina. Los comensales se reunieron en una sala nueva, un vasto recinto de paredes pintadas con frescos que representaban las maravillas de la naturaleza, con finas columnas pintadas con capiteles en forma de papiros y lotos, las plantas vivificantes del Nilo. Se instalaron –en asientos bajos cubiertos con almohadones– en parejas, cada hombre con su compañera. Para que no se sintieran tristes los que no tenían esposa ni amiga, Ay había hecho venir del templo de Ptah a unas jovencitas diestras en hermosas danzas, hábiles en el arte de la música y en la lectura de textos sagrados, elegidas por su belleza, pues le había dicho al gran Maestro del arte –ya que ese era el título del gran sacerdote del templo– que era para amenizar un banquete que ofrecería a su yerno, el rey de las Dos Tierras.

Los hombres se habían puesto pelucas cortas finamente trenzadas, mientras que las mujeres llevaban largas pelucas adornadas con cintas que sostenían flores de loto, todas con un flequillo que cubría parcialmente la frente y las sienes.

Amenofis vestía un sencillo taparrabo largo; Nefertiti, una túnica liviana cuyo corte amplio, sujeto en los hombros, formaba una especie de mangas anchas que caían hasta los codos. Ninguno de los dos llevaba joyas y, como todos conocían la sobriedad del rey, que despreciaba los ornamentos, los invitados habían evitado cuidadosamente adornarse las extremidades y el cuello. Ay, por su parte, tampoco había convocado bailarinas e intérpretes musicales –cuya presencia se consideraba indispensable para el éxito de una hermosa fiesta–, ya que a Amenofis sólo le agradaban las conversaciones graves y los cantos serios; por eso había procurado convocar a una cantante del templo de Hathor en Menfis, de gran reputación por la belleza de su voz, y a un arpista ciego para acompañarla.

Ti, que conocía las preferencias del rey, había encargado a sus cocineros que prepararan platos simples –sopa de lentejas, patos al asador, pescados del río, repollos y corazones de loto, higos y granadas–, porque a Amenofis no le gustaban las comidas elaboradas.

El soberano no cesaba de repetir que no había nada mejor que la sencillez de la naturaleza, tal como la había creado Atón, y que todas las invenciones refinadas de la industria humana eran como un insulto hacia el dios creador, pues daban a entender que lo que había creado era tan imperfecto que los mortales debían modificarlo para mejorarlo. También esa noche reafirmó estas concepciones, después de que Mai habló sobre las costumbres de los fenicios y de las gentes de Kheta, que escondían su desnudez y sus defectos corporales bajo tupidas vestimentas.

–Mai –dijo Amenofis–, no existen los defectos corporales, pues todo lo que fue creado por Atón sólo puede ser la expresión de su belleza. Sin duda, unos y otros podemos considerar que tal o cual persona es linda o fea, pero en realidad tendríamos que decir que nos gusta o nos disgusta, pues lo que puede parecer bello a algunos resultará feo para otros. Precisamente eso, que llamamos defecto o cualidad, distingue y caracteriza a cada uno de nosotros. Por ello he querido que mi escultor Bek se alejara de todas esas concepciones antiguas, en las que no se busca mostrar a las personas como las creó el dios sino como ellas mismas quisieran verse, cuando la forma de su cuerpo es también la forma de su alma. ¿Por qué ocultar bajo la ropa mi vientre, que comienza a redondearse, y exigir a mi escultor que me represente distinto de lo que soy? Si me avergüenza mi vientre, está en mí dejar de comer para hacerlo desaparecer. La naturaleza debe mostrarse tal como es en las creaciones del artista, cuya obra no es más que el reflejo, a través de su alma, de la creación de dios. Y ya que Atón nos dio un cuerpo, ¿por qué ocultarlo a las miradas? ¿No significa eso que el dios ha hecho algo que no es bueno ni bello y que por lo tanto hay que esconder? ¿Y no es vergonzoso, no es como un insulto al dios considerar que pudo equivocarse en su obra creadora, juzgarla y osar condenarla?

"Quiero, en cambio, que aquello que el común de los mortales, con odiosa desvergüenza, mira como un error del creador, como una deformidad que conviene esconder o atenuar, sea mostrado, sea exaltado por el artista, que hará de él un objeto de belleza, pues la fealdad en sí no existe. La ropa y el maquillaje son invenciones mentirosas que pretenden ocultar o modificar la obra del creador, como los refinamientos de la cocina y los ingredientes de los platos tratan de modificar el sabor natural de los alimentos halagando inútilmente el paladar, como los adornos y las joyas cinceladas por un hábil orfebre pretenden en vano realzar la belleza y hacer olvidar lo que se considera una ausencia de belleza.

–Señor –dijo Mai, aprovechando una pausa de Amenofis–, veo la miel de tus palabras, pero aun así me atrevería a hacer una objeción a Tu Majestad. Reconozco que lo que es feo para algunos es bello para otros, y señalo como ejemplo el de aquella dama del país de Ponto que fue a visitar a tu augusta abuela, la reina Hatshepsut, que está justificada y a quien todavía se puede ver en su templo de los millones de años: era de piel oscura, obesa y con patas de elefante en lugar de piernas, y, no obstante, para la gente de su país debía de ser un modelo de belleza. ¿Pero qué debemos pensar de la fealdad del alma? ¿Pues podemos acaso dudar que haya almas viles y otras particularmente elevadas y cercanas al dios?

–Mai, es cierto que son cosas que podríamos preguntarnos si no estuviéramos cometiendo un error de juicio desde el comienzo. Pues, dime, ¿qué sabemos de la voluntad del dios cuando concibió el mundo? ¿Con qué criterio declaramos que un acto es mejor que otro? ¿No lo es según tenga para nosotros consecuencias agradables o desagradables? Pero un robo que nos perjudique tendrá una consecuencia feliz para el ladrón que se haya beneficiado, y sin duda muchas víctimas de robos, que gritan y vienen a quejarse ante el visir, estarían bien dispuestas a robar si se les presentara la ocasión y no temieran el castigo que querrían que se aplicara al que les ha hecho daño.

–Sin duda, Señor, ¿pero no te he oído a menudo condenar la guerra y todo acto criminal? ¿No dices que Atón enseña el amor universal y considera que todos los humanos son iguales ante sus ojos, tanto el egipcio como el asiático, que el libio y el etíope no son impuros ni canallas, sino hijos de Atón, hermanos de la gente de la Tierra Negra?

–Es lo que me reveló mi padre Atón, a diferencia de las enseñanzas de los sacerdotes de Amón, que aseguran que los impuros y los enemigos de Egipto deben ser destruidos.

–Entonces hay que reconocer que matar es un acto condenable y que los que encuentran placer en dar la muerte tienen un alma fea.

–Yo juzgaría así su alma, pero ellos no lo considerarían de ese modo. Escucha, Mai, escúchenme todos. Lo digo en serio: la fealdad, o lo que así llamamos, al igual que el sufrimiento, es un medio de purificación para el alma. Pues deben saber que, cuando un alma deja un cuerpo, no va de inmediato a los campos sembrados para vivir allí eternamente entre placeres, después de haber delegado en servidores mágicos todos los trabajos que repugnan a nuestra pereza. El reino de Osiris no existe, o, mejor dicho, no es más que una imagen que debemos saber interpretar: los campos sembrados son la tierra iluminada por el sol, a la que el alma regresa en un nuevo cuerpo para cumplir una nueva vida, a fin de elevarse siempre más alto hacia Atón y alcanzar una mayor comprensión de su sabiduría. Las pruebas por las que pasa el alma antes de llegar al tribunal de Osiris son las tribulaciones del alma en el más allá en busca de un nuevo cuerpo en el que encarnarse. Y mientras el corazón del difunto sea más pesado que la pluma de la justicia en la balanza de Osiris, tendrá que regresar a la tierra para soportar una nueva purificación, y así seguirá siendo hasta que el alma de cada uno alcance la perfección de Atón, que la recibirá al fin en su seno. En estas condiciones, el que mate a otro dará a su víctima, sin saberlo, una liberación, y se convertirá en su benefactor. Pero no te equivoques: ese mortal, que habrá sido influido por el dios para llevar a cabo el acto de muerte, deberá sufrir en su alma una acción que, si bien pudo transformarse en un bien, fue injusta, pues es mejor conservar la vida que destruirla. Por eso debemos obligarnos a no infligir muerte y sufrimiento, e ingeniárnoslas para dispensar amor y vida, aunque tal actitud pueda parecernos perjudicial para nosotros mismos.

De este modo, durante toda la comida Amenofis enseñó a los comensales lo que él creía era la verdad, y todos admiraban que el rey pudiera demostrar tanta sabiduría, salvo Horemheb –que se había sumado a los invitados junto con Mutnedjemet–, pues consideraba que un rey sólo interesado en la religión y consagrado a glorificar a su dios era un pésimo soberano, que dejaba a su pueblo desamparado, como un piloto que fuera a contar las estrellas en una noche ventosa, sin ocuparse de la vela desplegada ni del timón abandonado. Sin embargo, nada decía, pues secretamente pensaba poder sacar provecho de cada error del monarca.

Una vez concluida la comida, durante la cual se bebió vino con moderación, la gran cantante del templo de Hathor entonó un himno a la diosa para alegrar con su música el corazón de los comensales y para que todos pudieran decir "Hemos tenido una hermosa fiesta". Así cantó:

Gloria a ti, Vaca de oro,
Diosa de hermoso rostro y de encantadores colores,
Única en el cielo, tú, la sin igual,
Hathor, erigida sobre la toca de Ra.
Tu mirada venció a los nubios,
Eres la Dama Soberana del Ponto.
Por ti nos llega el benéfico viento del Norte,
Eres la dueña de la suave brisa que refresca nuestros corazones.

Cuando la mujer terminó de cantar, Amenofis entrecerró sus pesados párpados y declaró:

–Cuando alabamos a Hathor debemos pensar en Atón, pues Hathor no es más que una manifestación de la belleza y la gloria de Atón, por quien todo existe.

Sin atreverse a decirlo, muchos invitados pensaron que Atón era un dios bastante invasor y exigente, y temieron que se volviera tiránico.

Al día siguiente, no bien los primeros resplandores que anunciaban el alba penetraron en la habitación donde se había instalado la pareja real, Nefertiti despertó a Amenofis de su sueño.

–¡Atón va a levantarse con toda su gloria! –exclamó el rey, incorporándose en su lecho–. Vamos a despertar a los nobles para recibir al dios.

–Dejémoslos dormir, amado –respondió ella–. Estoy cansada de no poder dar un paso sin que me siga un tropel de cortesanos. Hoy quiero recuperar mi independencia, que tan preciada me ha sido antaño. Vamos a la terraza a glorificar al dios y después dejemos la casa como dos ladrones, sin que nadie nos vea. Vi cerca de la orilla un esquife de papiro; lo tomaremos y pasaremos el día navegando entre los bosques de papiros para ver cosas hermosas, todo lo que Atón ha creado para el placer de nuestros ojos.

Así lo hicieron, ya que la aventura divertía a Amenofis. Para pasar inadvertido, no se puso la corona azul, que nunca se quitaba en público, y ella no se puso peluca. Salieron vestidos con sencillez –él, con un taparrabo; ella, con un vestido liviano y corto–, como personas de humilde condición, tanto que se cruzaron con algunos campesinos que no se atrevieron a reconocerlos.

Amenofis iba sentado en el centro de la embarcación, mientras

Nefertiti se ocupaba de dirigirla con ayuda del bichero. Aquel paseo, que devolvía a la joven a los días del pasado, le resultaba muy agradable pues le hacía recordar que todo había comenzado allí, toda esa aventura que, por medio de Horemheb, la había conducido al que estaba destinado a hacer de ella su esposa y erigirla en el trono de las Dos Tierras. Entonces, sentada junto a Amenofis, evocó el encuentro de ambos, dejando que la barca navegara llevada por la corriente.

–¿Recuerdas del día en que nos conocimos? –le preguntó.

–Apareciste frente a mí en tu carro, radiante de la belleza de Atón, como el dios al salir del horizonte –le respondió él, tomándola de la mano.

–Me dijiste palabras enigmáticas que me sorprendieron, antes de fascinarme como el canto de la oropéndola en los árboles cuando brilla el sol. ¿Te acuerdas? Hablamos de lo que el dios bueno Tutmosis había hecho escribir en el pecho del león de Ra-Harmakhis.

Él esbozó una sonrisa.

–Y yo te dije que no sabías leer, lo cual te llenó de furia.

–Es verdad, pero nunca me has revelado por qué me hablaste así y qué realidad disimulaba el sueño del príncipe.

–¿No lo has comprendido? El templo sepultado bajo la arena es el olvido de la enseñanza primordial, la pérdida para los mortales del conocimiento de las cosas después de la caída del alma en la materia corruptible. Nuestro envoltorio carnal es ese templo, que puede ser hermoso pero que no es más que una manifestación del mundo de las apariencias. Lo que el dios quería dar a entender no era que había que sacar la arena que tapaba la estatua, sino revelar a los humanos el significado de la divinidad representada por la estatua, hacerles conocer el gran misterio del mundo, que era como el templo sepultado bajo la arena. Pero esta tarea no estaba destinada a mi antecesor, que no entendió lo que en realidad quería el dios.

Unas barcas de pescadores que arrojaban sus redes los distrajeron de la conversación; sus miradas se volvieron hacia ellos. Cuando las barcas se aproximaron, uno de los pescadores se levantó y Nefertiti reconoció a Mahu. Este, al descubrir ante quién se encontraba, se prosternó, levantando los brazos, e invitó a sus compañeros a hacer lo mismo.

–¡Miren! –les dijo–. ¡Es nuestra ama Nefertiti, que se ha casado con Su Majestad, y seguramente el que la acompaña debe de ser el rey en persona!

–Mahu –le dijo Nefertiti cuando se acercaron–, no me he olvidado de ti. Amenofis, a este hombre le debo la vida, pues me salvó de las fauces de un cocodrilo, y quisiera demostrarle mi reconocimiento.

–Kiya –respondió el rey–, haz lo que te plazca, pues tú eres el ama de las Dos Tierras y lo que decidas se cumplirá.

Ella se volvió hacia Mahu y le dijo:

–Pide lo que tu alma desee y será satisfecha.

–¡Que Thueris y Sobeck te protejan! –exclamó Mahu–. Quisiera ir a la corte de Su Majestad y ejercer la función que me den, pues estoy cansado de vivir en los pantanos, y me gustaría tomar una esposa para que me dé un hermoso niño.

–Así se hará. Preséntate mañana en la casa de mi padre, que ya debes de conocer. Y también trae ante mí a los hombres con los que viví y que me han respetado, pues también quiero darles una recompensa.

Los pescadores aclamaron a la pareja real y todos aseguraron haber conocido en aquel entonces a la joven mujer, y quisieron hacer probar a los jóvenes esposos sus peces recién pescados, ignorantes de las reglas de la corte. Amenofis, que disfrutaba elevando a los humildes y rebajando el orgullo de los poderosos, aceptó de buen grado. Las barcas se dirigieron de inmediato a la orilla. Armaron una alfombra de hojas para que el rey y la reina se sentaran, encendieron hogueras, vaciaron los pescados y los pusieron a asar con hierbas perfumadas. Y durante ese lapso, Amenofis aprovechó para hablar de Atón a aquellas personas que todavía no habían oído pronunciar su nombre, y les dijo que el dios había creado todas las vidas iguales y que todos los hombres y mujeres eran sus hijos, que los miraba del mismo modo y que los amaba a todos por igual, sin consideración de riqueza, rango o mérito. Mahu tenía que traducir las palabras del rey para la mayoría de los presentes, en cuyos rostros se dibujaba el asombro, y uno de ellos preguntó por qué nadie les había hablado antes de semejante dios, que le parecía muy digno de ser adorado; después preguntó si podía apoderarse de los bienes del patrón para el que trabajaba, ya que era su igual.

–Somos como las piedras de una pirámide, como las piedras de la tumba de Khufui, el dios bueno –le respondió Amenofis–. Mira, todas las piedras de la tumba son más o menos idénticas, todas son piedras talladas del mismo modo; así son nuestras almas, así son los cuerpos que encierran a nuestras almas. Pero si esas piedras se dejan abandonadas en el suelo, unas al lado de las otras, no son más que piedras talladas; en cambio, si se las apila de la forma conveniente, constituyen el monumento singular que es la pirámide. Así es la sociedad de los mortales: si andan al azar, sin jefe, sin jerarquía entre ellos, no puede haber reino y gobierna la anarquía. El dios ha querido que ciertos hombres constituyan los cimientos de base de la pirámide, y esos son los campesinos, los pescadores, todos los que producen los alimentos. Encima colocó a los artesanos, los mineros, los talladores, los que extraen de la tierra los materiales necesarios para el bienestar y crean con sus manos maravillas que imitan las creaciones del dios. Después vienen los guerreros, los buenos soldados que defienden el país contra los enemigos que quieren saquearlo, contra los bandidos que quieren despojar a los campesinos. Después están los escribas, todos los funcionarios que administran el reino, y, por fin, en lo alto de la pirámide, está el rey. Sólo así puede vivir una sociedad, y las piedras sólo se diferencian por su posición en esa construcción. Ahora bien, la piedra que quisiera robar a otra piedra para tomar su lugar perturba el orden social y arrastra a la anarquía, que pronto haría desmoronar el monumento estable de la sociedad.

Aunque no captaba muy bien todo el sentido de aquel discurso, el hombre comprendió que no podía apoderarse de los bienes de su amo y pensó que quizás Atón no era un dios tan digno de adoración como le había parecido al principio.

Al día siguiente, Mahu no dejó de presentarse ante Nefertiti, que le dijo que fuera a buscar sus pertenencias para que se le asignara un alojamiento en la casa.

–El único bien que poseo es una casa de cañas que puedo abandonar sin empobrecerme –aseguró él.

Ella ordenó que le dieran ropas, joyas, bastones y diversos efectos personales, así como una habitación, mientras aguardaban su regreso a Tebas.

–Es un hombre robusto, fiel y honesto –dijo la reina a Amenofis–. Sería un buen puesto para él el de jefe de la policía en la ciudad del Horizonte de Atón.

–Que se haga tu voluntad –declaró el faraón.

Aquel día, Osarsuf, a quien había llegado el rumor de la presencia del faraón en la tierra del Norte, fue a visitarlo. Amenofis lo recibió en el pórtico de la casa de Ay, rodeado por los personajes ilustres que lo acompañaban. Osarsuf se inclinó ante él, pero de inmediato Amenofis se levantó y lo abrazó.

–Hermano, bienvenido seas. Que traigan un asiento para el Gran Vidente de Atón.

De este modo manifestaba la estima que sentía por su antiguo compañero en la Casa de la Vida, que se había criado con él en el palacio real.

–Ameni –dijo Osarsuf–, vengo de Pi-Atón, donde se alza la ciudad fronteriza del dios.

–Te escucho, te escucho. Dame noticias pues me urge saber cómo van las obras.

–Por desgracia, progresan muy lentamente. Nos faltan brazos. Ordené a los jefes de las obras que reclutaran obreros en cantidad, pero hay pocos voluntarios, a pesar de las ventajas que pueden encontrar allí. Porque esa tierra de Gesén es pobre en campesinos: los que viven en la zona apenas alcanzan para cultivar la tierra y cavar los canales de irrigación, y las regiones de los alrededores no son más que desiertos. Algunos beduinos que vivían en Asia, en las soledades de Faran, acudieron atraídos por el afán de lucro, pero muy pronto la mayoría se cansó de moldear arcilla y regresó a sus tribus. Para obtener mano de obra habría que realizar incursiones entre los beduinos, entre los *shasu* o más lejos aún, entre los amalecitas o los edomitas, por las minas del país de Ática y las bandas de *khabirús* que viven del pillaje. Pero entonces habría que vigilarlos sin cesar, día y noche, y obligarlos a trabajar bajo la férula.

–Osarsuf, hermano, Atón no lo admitiría. Si hace falta, llevaremos la palabra de Atón a esos pueblos y los convenceremos de ir a trabajar en la construcción de su ciudad.

–Ameni, temo que más valdría emplear la violencia. ¿Pero dónde están los soldados que irán a buscarlos a lo profundo de sus desiertos? ¿Dónde está el capitán que será capaz de vencerlos en sus propios territorios?

–Si de eso se trata –intervino Horemheb–, que Su Majestad me confíe un buen ejército y me comprometo a llevarle más esclavos que los que harían falta para construir todas las ciudades de Atón.

–Horemheb –contestó Amenofis–, aprecio la pasión con la que te propones para aumentar la gloria de Atón. Sin embargo, valoro demasiado tu vida como para exponerla tan inútilmente, más aún cuando no disponemos de tropas suficientes para emprender tales campañas. Además, ya sabes que mi alma detesta ordenar acciones capaces de hacer correr la sangre. No, Osarsuf, hay que enviar escribas a través de toda la tierra del Norte para reclutar a todos los ociosos, a todos los extranjeros inactivos, y también seguir recurriendo a los nómadas. Conviene hablarles de Atón y exhortarlos a la adoración del dios.

–Es cierto que muchos asiáticos son sensibles a la palabra de Atón –reconoció Osarsuf–. Hablé con el jefe de las tribus *khabirú* que trabajan allí para el dios. Me dijo que Atón era sin duda el mismo dios al que ellos nombran El, pero también Adón. Según me dijo, es el Señor de todas las cosas, el Amo de toda la tierra, pues Señor es el significado de su nombre, el nombre que puede ser conocido por todos, pero tiene también un nombre secreto, que no se puede pronunciar. Mi informante, que se llama Aarón, no pudo decírmelo, porque no lo sabe. Sólo puede saberlo aquel al que el dios se ha revelado, como sólo tú puedes saber el verdadero nombre, el nombre secreto de Atón.

–Lo sé, lo sé, pero no lo diré a nadie, ni siquiera a la Gran Esposa Real, a la que amo por sobre todo y que es un otro yo para mí, el reflejo de mí mismo. En verdad, Osarsuf, lo que me informas alegra mi corazón porque veo que el poderío de Atón se extiende sobre todas las naciones y, por lo tanto, quiero que su culto se divulgue en los países de Asia donde su nombre no es desconocido. En lo que respecta a Pi-Atón, ya sabes que te he dado todo el poder. Que se pida a los obreros un esfuerzo suplementario, que se busque en las regiones vecinas a nuevos obreros y que se los convenza de trabajar por amor a Atón. Pero no puedo darte brazos provenientes de la tierra del sur, pues he emprendido la construcción de la ciudad del Horizonte, que será la metrópolis del imperio, y es preciso que se haga realidad antes de que pasen tres inundaciones. Por eso mandé reclutar obreros a través de toda la Tierra Negra hasta Nubia, y todos serán enviados a la ciudad del Horizonte. Los campesinos de ese territorio trabajan para alimentar a tamaña cantidad de bocas, pues ya hay muchos obreros destinados a la construcción de los templos del dios en numerosas ciudades y no sé si será posible proseguir las obras del santuario que le he hecho erigir en la Gran Ciudad del Sur, la ciudad del Esplendor de Atón. En realidad, nunca antes un soberano de las Dos Tierras había construido tantos monumentos para la gloria de su dios, de manera que mi nombre será celebrado a través de las generaciones, durante millones de años.

Cuando, unos días después, Amenofis decidió regresar a Tebas con la corte, Nefertiti le anunció que estaba de nuevo embarazada.

Capítulo XVII

Aquella mañana, poco después de que el sol bañara con sus rayos nacientes los pilones y las columnatas del templo de Amón, Maya, el primer profeta del dios de Tebas, vistió sus hábitos sacerdotales y ciñó sus hombros con la piel de leopardo, después de haberse purificado en el gran estanque del santuario. Porque había decidido proceder él mismo con los ritos del culto diario que, en general, delegaba en un sacerdote puro. Había querido que todos los padres divinos y todos los miembros del clero del templo se hallaran presentes en la ceremonia, e invitó a Anen como testigo del viejo faraón.

El cortejo atravesó la sucesión de pilones para entrar en la penumbra de las salas de columnas similares a un denso palmar, acompañado por el canto de los sacerdotes puros y de los músicos que llevaban salterios y cítaras. Cuando llegó al umbral de las salas oscuras que conducían al corazón del santuario, unos sacerdotes menores encendieron antorchas de resina y la procesión avanzó a la luz vacilante que proyectaba sombras ondulantes sobre las paredes cubiertas con las efigies de dioses y reyes, y comentarios en escritura sagrada. Dos oficiantes que iban adelante abrieron las hojas de la doble puerta de bronce del Santo de los Santos. Un aire seco, que parecía fresco en comparación con la atmósfera pesada y sofocante del exterior, golpeó a Maya en el rostro. Tras una breve pausa, marchó hacia el relicario de pórfido en que reposaba el dios. Dos sacerdotes puros lo siguieron; uno llevaba una caja de ungüentos, y el otro, un manojo de palmas y bolas de incienso.

Las puertas del relicario estaban cerradas con un sello de arcilla, que Maya hizo saltar con un ligero golpe de mazo; cuando se abrieron las puertas, apareció la estatua del dios sentada en su trono, con la corona plana flanqueada por dos largas plumas; sus ojos de pasta de vidrio se tiñeron con el reflejo del resplandor de las antorchas, que los hicieron brillar extrañamente en su rostro, que, en la penumbra, parecía animado por una vida misteriosa.

Mientras cesaban los cantos, Maya se prosternó ante el dios, murmurando:

–No alzo la voz en la morada del amo del silencio, no digo mentiras en la casa del amo de la justicia.

Así se justificó por un instante; luego los sacerdotes entonaron un himno a la gloria de Amón, mientras que los asesores arrojaban lágrimas de incienso en los fuegos que anidaban en perfumadores de bronce. Maya tomó los ungüentos que le ofreció el sacerdote puro y ungió la imagen divina; luego, con una pequeña azuela de oro, tocó los ojos y la boca del dios para conferirle un nuevo vigor. A continuación le ofreció su alimento: el ojo de Horus, fuente de vida, y la estatuilla de la diosa Maat, la diosa de la pluma que encarnaba la justicia y la verdad.

Entonces, con voz fuerte, Maya dirigió al dios esta plegaria:

–Piloto que conoces las aguas, protector de los débiles, que das pan al que no tiene y alimentas a los servidores de esta morada. Yo no busco a un noble como protector, no me asocio a un hombre por su riqueza, no busco colocarme bajo el signo de la fuerza. Mi riqueza está en la casa de mi señor; mi señor es mi protector. Amón, tú que conoces la compasión, tú que prestas oídos al que te invoca; Amón Ra, Rey de los dioses, toro poderoso, dame tu fuerza.

Los dos asesores lo ayudaron a retirar la estatua de su habitáculo; con aspersiones de agua lustral, Maya purificó la imagen divina, cambió sus ropas, le maquilló los ojos y los labios y la ungió con aceites perfumados. Así preparado, el dios fue colocado nuevamente en su santuario, cuyas puertas se cerraron una vez más. Un sacerdote fue a colocar un sello de arcilla, tras lo cual los oficiantes se retiraron, el último de ellos caminando hacia atrás y borrando con el manojo de palmas toda huella de pasos.

Como si el rito hubiera conferido a Maya un nuevo vigor, se volvió hacia los cinco primeros padres divinos, sus colaboradores inmediatos, y les dijo:

–Vamos. La fuerza de Amón nos acompaña. Es tiempo de ir al palacio.

Sin servidores ni escolta, vestidos con sus hábitos sacerdotales, los seis hombres se dirigieron al embarcadero vecino al templo, donde estaban amarrados algunos de los barcos que pertenecían al dios. Se ubicaron en el más pequeño, para cruzar el río hasta el muelle de la residencia real.

Desde que había asociado a su hijo al trono y con ello le había conferido las tareas del poder, Nebmare Amenofis había renunciado a las grandes audiencias solemnes y sólo recibía en la intimidad de su palacio. El día anterior se había presentado ante él un mensajero del clero de Amón, para solicitar a Su Majestad que tuviera a bien recibir a los pies de su trono a los seis primeros profetas, a fin de escuchar sus quejas.

El anciano Amenofis sospechaba de qué se trataría. Bajo su brillo exterior, era un hombre débil y vanidoso, que en su juventud había querido dar de sí una imagen que no correspondía en modo alguno a su verdadera personalidad, vanagloriándose de proezas cinegéticas que hacía publicar en series de escarabajos. Para compensar su pusilanimidad frente a los riesgos de la guerra, había intentado adquirir una gloria mucho más duradera, emprendiendo un vasto programa de construcción de templos y palacios, pues deseaba que durante su reinado se erigieran monumentos grandiosos y colosales, como si temiera pasar inadvertido al lado de sus ancestros conquistadores. Era un hombre, en fin, que por pereza y deseo de placer había abandonado los problemas del gobierno para delegarlos en su hijo, pero reservándose el usufructo del poderío real. Por todo ello, no le preocupaba en absoluto tener que enfrentar la cólera de los sacerdotes de Amón. De todos modos, pidió a su esposa Tiyi y a Amenhotep, hijo de Hapu, que se reunieran con él en su palacio para brindarle su apoyo durante la recepción.

Con el fin de dar una imagen desdeñosa y magnífica, se instaló en un lecho cubierto de almohadones y llamó a su lado a su hija y esposa Satamón, mientras que Tiyi y el hijo de Hapu se habían instalado cada uno en un sillón. Los guardias hicieron ingresar a los sacerdotes, que fueron a prosternarse a los pies de la cama.

–Bienvenidos a mi palacio –les dijo enseguida Nebmare–, y sepan perdonarme por recibirlos sin solemnidad, ya que su viejo rey se siente muy cansado. Además, esa es la razón por la que asoció al trono a su hijo bien amado.

–Señor, Horus de oro –acometió de inmediato Maya–, precisamente de eso venimos a quejarnos ante Su Majestad. Amón-Ra, el rey de los dioses, aquel a quien tus ancestros veneraron por sobre todos los otros dioses de Egipto, el mismo que, como recompensa, les dio Nubia y Libia, Canaán y Kharú, el que permitió que tus ancestros llevaran sus armas hasta Naharina, hasta las montañas del vil *kheta*, es insultado por tu hijo, despreciado por él. No contento con haber cambiado el nombre de la ciudad, esperando así colocarla bajo el vocablo de Atón, no contento con ir hacia el norte a fundar una nueva capital consagrada a ese Atón, dios sin gloria ni antepasados, ahora resulta que corrompe a los sacerdotes de Amón para consagrarlos a Atón, toma de los templos a sus mejores artesanos, talladores y albañiles, escultores y pintores, para mandarlos a trabajar en la nueva ciudad, para la mayor gloria de Atón. ¡Pero eso no es nada! Necesita barcos para transportar las piedras de Siena hasta la nueva ciudad, y toma los de Amón; necesita alimentar a toda esa gente que trabaja en la construcción de la nueva ciudad, y se apodera de los rebaños de Amón, de sus pueblos, de sus tierras y de sus cosechas. Y por temor al rey, tu hijo, o para complacerlo, los sacerdotes horarios del templo abandonan a Amón para ir a ponerse al servicio de Atón. Como envía gente a las ciudades a predicar en nombre de Atón, el mismo pueblo se aleja de Amón, a tal punto que un día el dios de tus padres, aquel al que debe su fortuna la dinastía divina de la que provienes, terminará despojado de todos sus bienes, sus adoradores lo habrán abandonado y sólo le quedarán sacerdotes fieles pero famélicos.

−¡Maya, Maya! La tuya es una visión del futuro un tanto sombría. ¿Así es como lo ven los sacerdotes de Amón en su clarividencia?

−Felizmente, Amón no es tan débil como podría parecer. Está lleno de paciencia y se deja despojar sin quejarse porque abunda en mansedumbre. Pero si sus adversarios llevaran su insolencia demasiado lejos, si viera que, en el fondo de sus almas endurecidas, están dispuestos a reducirlo a la miseria, podría enojarse y su cólera sería terrible. Pues no agrada al pueblo que se ofenda al dios al que venera y que sabe aliviar sus infortunios, y también nuestra paciencia, la de los sacerdotes del dios, tiene un límite y no soportaremos que nuestro señor sea ignominiosamente rebajado.

−Maya −lo interrumpió Tiyi con severidad−, hablas con una insolencia que nos disgusta. No es la voluntad de mi hijo rebajar a Amón. Atón se ha revelado a él y quiere darle su parte, y no podemos culparlo por eso.

–Reina –replicó Maya–, no me atrevería a culpar al rey y no le reprocharía que diera su preferencia a Atón. ¿Pero para enriquecer a uno tiene que empobrecer al otro? ¿Es justo que se apodere así de los bienes de Amón, sin siquiera remitirse a los padres divinos ni, al menos, al director de los rebaños del dios?

–Es natural que un dios ayude a otro. Y no olvides que todo lo que pertenece al templo pertenece al rey, que es primer sacerdote del dios. De este modo, Amenofis tiene todo el poder sobre los bienes del santuario y puede disponer de ellos según lo desee.

–Sin duda, mi reina, ¿pero puede llegar a reducir a su clero a la miseria? ¿Y por qué no pide ayuda al Gran Vidente de Ra heliopolitano y al Gran Amo del Arte del templo de Ptah en Menfis?

Antes de que interviniera Anen, que se sintió aludido como jefe del clero de Heliópolis, Tiyi contestó con autoridad:

–Porque el templo de Amón es por lejos el más rico de los santuarios de Egipto. Pero no te alarmes. Intervendré ante el rey y cuando ya no necesite esos barcos se los devolverá. Y también podrá darles otros rebaños.

–No obstante, Majestad… –insistió Maya, volviéndose hacia el faraón. Este, feliz de que Tiyi interviniera, tendía la copa para que su hija Satamón le sirviera vino, filtrado a través de un fino colador.

Pero Amenhotep lo interrumpió enérgicamente:

–Maya, ya lo ves, importunas a Su Majestad. La Gran Esposa Real te ha dicho que intervendría ante su hijo, el rey; que esta certeza te baste, y ten por seguro que también yo me enojaría al ver a Amón acorralado y despojado de todo poder.

El primer profeta lanzó una prolongada mirada a Amenothep; luego bajó los ojos pensando que, si bien el favorito de la reina no deseaba ver la ruina del credo de Amón, tampoco le molestaba que se lo debilitara de ese modo.

El faraón hizo un gesto para indicar que la audiencia había terminado, y los sacerdotes se retiraron inclinándose, excepto Anen, que permaneció junto a su hermana. Cuando los demás salieron, declaró:

–Temo que mi sobrino Ameni haya ido demasiado lejos en sus

acciones contra los bienes de Amón. No aproveché la ocasión para responderle a Maya, que se indigna de que el rey no exija la participación de los sacerdotes de Menfis y de Heliópolis, pero en realidad, si Amenofis actúa de ese modo, no es tanto para proteger las riquezas de Ptah o de Ra como para empobrecer lo más posible el templo de Amón. Sin embargo, el mayor reproche que se le puede hacer es haber revelado al pueblo secretos de los dioses reservados a los iniciados, haber traicionado el secreto de la iniciación. Se negó a conocer los secretos de Amón, pero si hubiera aceptado penetrar en los arcanos del templo habría comprendido que Amón es el oculto, es decir, el dios del secreto, del último secreto, y que es el mismo que el Creador oculto, el que nuestro espíritu no puede abarcar en su totalidad y al que él llama Atón. Pero también habría aprendido que las almas del pueblo no están preparadas para escuchar tales palabras, para comprender un misterio que supera nuestro intelecto, al igual que en la necrópolis de Sokaris la pirámide de Khufui supera la de las reinas.

–Anen –le dijo el rey entonces–, ¿por qué preocuparse? Ya que el mensaje permanece incomprendido para el común de los mortales, aunque no deba ser divulgado. Eso tiene pocas consecuencias, porque de todos modos seguirá siendo un misterio para el pueblo, que se alejará de él.

–Majestad, no hago más que sugerir a la reina que modere el celo del joven rey. ¡Se pueden temer reacciones por parte de los sacerdotes de Amón! Tienen gran influencia sobre el pueblo y Amón es amado por los más humildes, pero también por los militares, y es de esperar que no soporten demasiadas injurias a su dios y demasiadas exacciones para con su clero. Por otra parte, nunca es bueno ir contra la voluntad de los dioses y divulgar cosas que quisieron reservar a aquellos a quienes sólo la iniciación torna dignos de conocer.

–Anen, sin duda Maat siempre se asentará en tu lengua –reconoció el rey–. Tiyi, convendría que convoques a nuestro hijo y también a esa bonita Nefertiti, que tanta influencia ejerce sobre él. Trataremos de moderar su pasión y tú te las ingeniarás para hacer entender a su esposa real que es malo para todos nosotros que despoje tan descaradamente al clero de Amón.

–Esposo, hablaré con Ameni, pero lo recibiré a solas, porque cuando está con su gran esposa se muestra menos atento a mis palabras. En cuanto a ella, me las arreglaré para hablarle aparte, pues es de naturaleza más tierna, menos impulsiva que la de Ameni, pero cuando está con él bebe sus palabras como si fuera vino con miel y se limita a escucharlo hablar.

–Haz como mejor te parezca, pero, por Mi Vida, que no me fastidien más con asuntos tan triviales.

El sol brillaba alto en el cielo siempre puro, derramando su luz cenicienta sobre las rocas nacaradas de la montaña tebana que dominaba los jardines verdosos de la residencia real. En el borde de un ancho estanque, en cuyas aguas flotaban nenúfares en flor, estaban sentadas sobre almohadones, una al lado de otra, Mutnedjemet, Nefertiti y Satamón, que era al mismo tiempo su cuñada y su suegra. Una glorieta de juncos y tallos de papiro, en la que se enredaban racimos de perfumadas buganvillas, las protegía de los ardores del sol. Una cortina de árboles, palmeras, sauces, tamarindos y perseas aislaba el estanque de los jardines del palacio, constituyendo para las jóvenes un refugio que nadie, excepto los íntimos, se habría atrevido a violar, a menos que fuera invitado. Se habían quitado la ropa y, empuñando líneas con anzuelo, pescaban los peces que había allí en abundancia, traídos del Nilo.

Mientras vigilaban los ligeros hilos que flotaban suavemente sobre las aguas claras, conversaban de todo un poco, como hacen las amigas. Nefertiti le había tomado mucho afecto a Satamón, cuyo destino lamentaba; con ella descubría hasta qué punto la condición real podía, a menudo, ser poco envidiable, pues la jovencita siempre había vivido en aquel palacio, sin conocer los placeres de los niños, libres de vagabundear por las calles y los campos según su fantasía, o de ir a navegar entre los papiros o recorrer el desierto en carro. Ni siquiera había conocido la alegría del amor o, al menos, la emoción del descubrimiento del hombre destinado a convertirse en su esposo, ya que este último no era otro que su padre, un padre al que ella respetaba y amaba con amor filial, pero que, como esposo, no era más que un anciano achacoso y enfermo de gota, es decir, nada que pudiera conmover el corazón de una muchachita ni provocarle una pasión inolvidable. También Satamón estaba encinta y había calculado que el niño engendrado por su padre, el rey, vería la luz del día dos o tres meses después que el de Nefertiti.

–Si Atón nos es favorable –dijo esta última–, yo tendré un varón, y tú, una niña, y se casarán para ser los soberanos de las Dos Tierras cuando nos hayamos ido hacia el bello Occidente.

–¡Kiya, no hables de eso! –exclamó Satamón–. Todavía somos muy jóvenes y una larga vida se abre ante nosotras.

–Satamón, no hay que tener miedo a la muerte. Es tan sólo el pasaje por una puerta que nos conduce a una nueva vida.

–Ya sé, Kiya, que compartes con mi hermano todas sus ideas y ninguna duda parece rozarte. Pero yo ignoro lo que pueda ser la muerte. ¿No dice el arpista sabiamente: "Cumple tu destino terrestre y no perturbes tu corazón hasta que por ti venga el momento de los lamentos fúnebres"? Pues Osiris, el dios de corazón tranquilo, no escucha los lamentos, y los gemidos no salvan a nadie de la tumba. Así pues, celebra el feliz día y no te canses de hacerlo, pues nadie se lleva consigo su bien, nadie ha regresado de entre los muertos.

–Nadie ha regresado con su cuerpo de los días pasados –admitió Nefertiti–, pero todos hemos regresado bajo nuevas formas.

–Kiya, admiro tus certezas pero me resulta difícil compartirlas.

–Por mi parte –intervino Mutnedjemet–, comparto la opinión de Satamón. Sólo estamos seguros de una cosa, y es de la existencia que vivimos. Y, además, díganme: ¿acaso la muerte no es algo horrible? ¿Mis ojos, cerrados para siempre, no volverán a ver la luz del sol y la belleza de las cosas? ¿Mis oídos no volverán a escuchar la música de la lira y la flauta, ni la voz del amado, ni el canto de los pájaros o el llamado del pastor al atardecer, cuando regresa con su rebaño? ¿Mi boca permanecerá cerrada a los besos y ninguna palabra volverá a salir de ella, y tampoco podré aspirar el perfume de las flores, el aroma de los ungüentos, ese olor de las plantas en medio de los pantanos durante la subida de las aguas del río divino? No, realmente odio la muerte y sólo aspiro a la vida, al amor de los que amo, y, lo repito: vivir, vivir, embriagarme de vida, de todo lo que puede percibir mi alma y sentir mi corazón, poder llorar y estar triste, reír y estar contenta, en fin, tomar a manos llenas los placeres y las penas que me envían los dioses. Pero la muerte… la odio, la odio más que a nada en el mundo y no le perdonaré al creador que me haya dado la vida para luego quitármela.

Con estas palabras, pronunciadas con vehemencia, prorrumpió en lágrimas. Nefertiti la tomó entre sus brazos para consolarla mientras Satamón decía:

–Qué ocurrencia hablar de cosas que entristecen el alma, cuando hay tantos temas alegres, como los niños que el dios forma en nuestros senos.

La llegada de Amenofis las distrajo.

–Bello es Atón en lo más alto del cielo –dijo el rey, tras detenerse al borde del estanque.

Miró a las jóvenes, que le dieron la bienvenida, y se zambulló en el agua para nadar un breve instante. Luego se sentó junto a Nefertiti y declaró de pronto:

–Estos sacerdotes de Amón son unos embrolladores que merecerían el peor de los castigos. Debo recurrir a toda la paciencia y el amor que mi padre Atón puso en mi corazón para tolerar sus perfidias sin irritarme.

–Mi querido amor, ¿qué traiciones han urdido ahora? –quiso saber Nefertiti.

–Vengo de dejar a mi madre, que me pidió que fuera a verla. Parece que esos escorpiones fueron a quejarse ante mi padre, el rey, diciéndole yo estoy despojando a Amón de sus bienes y que pretendo reducir a sus sacerdotes a la miseria. Y parece que hasta osaron proferir sordas amenazas, dando a entender que el pueblo bien podría sublevarse para defender al dios al que aman.

–Así es –aseguró Satamón–. Yo estaba presente durante la entrevista. Nuestro padre se limitó a despedirlos con vagos consuelos y después declaró que no quería que volvieran a importunarlo con ese tipo de pleitos. Sin embargo, Ameni, creo que careces de flexibilidad. No es bueno atacar de frente a los sacerdotes de Amón, porque no se puede menospreciar su influencia sobre las almas.

–¡Los destrozaré con la ayuda de Amón! –exclamó Amenofis.

–Ameni –intervino a su vez Nefertiti–, apruebo los consejos de prudencia de Satamón. Está bien debilitar el clero de Amón, retirarle con habilidad sus prerrogativas, quitarle a sus fieles, pero es imprudente provocarlo violentamente. Porque, dime, ¿cuál es tu deseo: destruir el poderío de Amón o instaurar el reino de Atón?

–Una cosa lleva a la otra –respondió Amenofis.

–Tal vez. Pero por ahora conviene exaltar a Atón sin abusar de

Amón. El triunfo del primero hará que el otro desaparezca por sí solo, a falta de fieles.

–Por el momento actuaré de ese modo, a menos que los sacerdotes de Amón me fuercen a mostrarme más severo. Porque mis padres no quieren darme un apoyo total. Nuestra madre me aseguró, incluso, que mi padre no toleraría que yo empleara la violencia contra los sacerdotes de Amón ni contra el mismo dios. Pero le juré por Osiris que sabría mostrarme conciliador, ya que Atón hará que Amón y su templo se desmoronen por sí mismos cuando él triunfe. Y sé que ese día es inminente; pronto llegará el momento en que todas las naciones de la Tierra vengan a adorar a Atón en sus templos, habiendo olvidado a los otros dioses, que no son más que manifestaciones secundarias del dios que encierra el mundo, de ese Atón que es Ra, parido por sí mismo, de formas múltiples, amo de todas las cosas.

Capítulo XVIII

Aquel día, a media mañana, Nefertiti sintió los primeros dolores de parto. Amenofis se había ausentado para ir a visitar las obras de construcción del templo de Atón en Tebas, donde debería pasar todo el día. La joven reina llamó a su intendente, Meryre, que acudió al instante. Cuando se le informó lo que ocurría, el hombre se alegró e invocó a Atón; de inmediato se apresuró a dar las órdenes del caso.

Nefertiti no tenía a su lado a ningún familiar, ya que Ti se había quedado con su esposo en la finca cercana a Keraha, en el Norte, y Mutnedjemet estaba con Horemheb en Hatnub, desde donde este último podía vigilar los trabajos de la Ciudad del Horizonte mientras se ocupaba del sacerdocio de Osiris que ejercía en esa aldea. Con respecto a Satamón, todos consideraron que, como también se hallaba a punto de dar a luz, no era bueno que viera antes a una mujer en parto. Sólo acudió May, que en ese momento se encontraba instalada con su esposo, Amón-Hotpé, en su residencia de Tebas. Acudió con la partera y las mujeres encargadas de los nacimientos reales, todas las cuales pertenecían a la nobleza y habían ocupado cargos en el templo de Amón antes de consagrarse al culto de Atón.

May se había puesto un vestido blanco de lino grueso que le ceñía el cuerpo como un tubo, y una peluca ornada con el asiento en forma de escalera que era el símbolo de la diosa Isis, que ella debía encarnar. Otra mujer llevaba el prisma coronado por un arco que simbolizaba el castillo de la diosa Nefthis, hermana de Isis y de Seth, el dios rojo del desierto. La partera, a su vez, representaba la manifestación de la diosa rana Heket, esposa de Khnum, el dios con cabeza de carnero, encarnación de Ra, que durante la creación había modelado en su torno de alfarero el huevo del que habría de salir el mundo.

206

Un hombre, antiguo sacerdote lector del templo de Amón, también convertido al atonismo, de cabeza coronada con los cuernos horizontales del carnero, había ido a asistir al nacimiento como manifestación de Khnum. Siete mujeres jóvenes, con el cuello decorado con cintas rojas, representaban a las Siete Hathores, que anuncian la suerte del recién nacido. Por último, se hallaba presente la nodriza encargada de preparar al bebé y darle su nombre; en ese momento adoptaba la personalidad de Meskenet, la diosa de la cuna.

Cuando los dolores se volvieron más punzantes y se repetían con tanta rapidez que ya casi no daban tregua, Nefertiti se ubicó en un asiento de ébano y plata destinado al parto. Isis, que se había situado detrás de ella, la sostuvo con todas sus fuerzas para que permaneciera derecha, mientras que Nefthis se arrodillaba al frente. Heket comenzó a hacerle fuertes masajes en el vientre para ayudar al alumbramiento. Mientras sujetaba a Nefertiti, May le decía palabras de aliento, o se dirigía al niño suplicándole que no se quedara más tiempo en una morada que ya no le convenía, que viniera al mundo para regocijarse ante la vista de Atón. Por fin salió, con la cabeza hacia adelante. Heket lo retiró suavemente mientras el bebé lanzaba su primer grito.

–¡Saluda al dios con un grito de júbilo! –exclamó Nefthis.

–A menos que esté llorando por el dolor del descenso al mundo –declaró la nodriza.

–¡Una niña! ¡Es una niña! –exclamó Heket mientras Nefthis cortaba con un cuchillo de bronce el cordón umbilical.

–¡Otra vez una niña! –murmuró Nefertiti, con un suspiro de alivio tras un dolor tan intenso.

–¡Es hermosa! ¡Es hermosa! –declaró Heket al tiempo que confiaba el pequeño ser a la nodriza, que lo lavó con un paño suave impregnado en aceites perfumados.

Luego la nodriza depositó a la niña en una camita de madera cubierta de cojines y ató a su cuello una pequeña bolsa que contenía espinas de pescado, a fin de alejar el demonio que merodea alrededor de los recién nacidos para succionarles la vida.

Khnum la tomó a su vez y le modeló el cráneo y el cuerpo entre sus anchas manos, mientras Meskenet murmuraba:

Tu protección es la protección del cielo,
Tu protección es la protección de la tierra,
Tu protección es la protección de Ra...

Una vez que la niña fue colocada de nuevo en su lecho, las Siete Hathores se inclinaron sobre ella y una dijo:

–Este no es un buen día. La niña será débil.

Otra añadió:

–En realidad es un día nefasto. Su vida estará amenazada.

–¿Qué dices? –preguntó Nefertiti, que acababa de ser liberada de la placenta y se levantaba para ir a extenderse en un lecho preparado para recibirla.

–Nada, nada –intervino otra de las Siete Hathores–. Atón rechazará el mal, Atón se opondrá a los demonios.

–Atón será su protector –agregó una de las jóvenes.

Nefertiti se acostó suspirando, ayudada por May, que fue a sentarse a su lado y le tomó la mano.

–¿Estás mejor? ¿Te sientes bien? Mira, ahora la sangre corre más lentamente.

–Me siento bien y fuerte, pero las palabras de esas mujeres me desagradan. Que se pronuncie el nombre de la niña.

–¡Maketatón es su nombre! –exclamó con voz fuerte la partera. Y se inclinó sobre la recién nacida para decirle con suavidad–: Tu nombre es Maketatón. Cada dios protege tu nombre. Que estés protegida por cada amuleto atado a tu cuello, cada nudo hecho para ti; que por ellos te conserves en buena salud. –Y prosiguió Khnum–: Que se aleje el que viene en la sombra, el que se desliza por la casa con la nariz dada vuelta, con el rostro dado vuelta, y olvide por qué ha venido. Que se aleje la que viene en la sombra, la que avanza arrastrándose, con la nariz doblada, el rostro doblado, y olvide por qué ha venido.

En ese momento de la ceremonia entró Amenofis, que acababa de regresar de Tebas. Al ver al mago bajo el aspecto de Khnum, frunció el entrecejo y se acercó a paso vivo.

–¿Qué es esto? ¿Qué haces allí? –preguntó mientras todos caían de rodillas y se prosternaban.

–Señor, alejo de la niña a todos los demonios; con la magia de mis palabras ahuyento la mala suerte.

–Vete, vete. No hay demonios, no hay mala suerte y tus palabras mágicas y tus amuletos no tienen ningún poder.

Tomó en sus manos a la recién nacida y le quitó la bolsita, que arrojó lejos.

–Salgan, salgan todos. Quiero quedarme a solas con la reina. Que la nodriza espere detrás de la puerta –ordenó.

–May, tú también. Espera en la otra habitación pues deseo tu presencia junto a mí –intervino Nefertiti.

Cuando todos se retiraron, Amenofis fue a sentarse a la cabecera de su mujer y puso a la niña entre sus brazos.

–Es una niña –le dijo Nefertiti.

–Sin duda Atón todavía no quiere que tengamos un varón. Está bien así; me alegro de verla entre nosotros. Pero hay que alejar de tu presencia a esos magos que no tienen fuerza ante el dios, ya que sus malas artes no son más que mentiras. Esa gente pertenecía al templo de Amón; vino ante mí diciendo que le había vuelto la cara a Amón y que en adelante se consagraría a Atón, pero su corazón no estaba a la altura de sus palabras y su boca disimulaba la verdad...

–Ameni, quizá son sinceros y no saben que Atón el luminoso ahuyentó del mundo las sombras de la magia e iluminó los rincones oscuros donde los demonios encontraban asilo. Yo no quise impedir que pronunciaran las palabras rituales que protegen a la niña. Si no tienen ningún valor, si los demonios no existen, ¿entonces qué importa que las usen o no? Eso no cambiará nada de lo que deba ser.

–Kiya, hay que extirpar de los corazones esas falsas creencias que arruinan el alma y alimentan sospechas sobre el poder absoluto de Atón.

–Es cierto, Ameni. Sin embargo, nos brindan tanta seguridad ante el temor del futuro, ante todas las aprensiones que sin cesar nos asedian en cuanto a nuestros propios asuntos y a nuestros allegados, a todos nuestros seres queridos. Además, si los dioses pusieron en nuestros corazones tales creencias, ¿podemos estar seguros de que existen apenas en nuestra imaginación?

–De esto estoy seguro: fueron nuestros miedos a la muerte, a la enfermedad y a la miseria los que hicieron que los mortales inventaran todas esas protecciones contra acontecimientos que no podían controlar, cuando en realidad deberían haberse apoyado en Atón. Deberían haber depositado en él toda su confianza para poder decir que todo lo que nos ocurre es un bien, aun cuando creamos que es algo malo. Porque juzgamos con la medida de nuestra estrecha visión del mundo y no con la claridad y la distancia de Atón, que ve todo desde lo alto del cielo, tanto nuestro pasado como nuestro futuro e incluso el devenir de nuestras almas después de abandonar su envoltorio carnal.

–Pero entonces, Ameni, ¿los dioses no existen? ¿También son invenciones de nuestra mente?

Él sonrió, mientras apoyaba una mano sobre la frente del bebé, que se había abalanzado golosamente sobre el seno aún estéril.

–No. Los dioses existen, pero son meras manifestaciones del propio Atón, que los creó con su palabra, como al resto de las cosas. En los templos, los sacerdotes de cada dios quisieron dar al profano una explicación del mundo y de la creación.

–Eso lo sé, Ameni; sé que en Heliópolis fue Atum, que es otro nombre de Atón, similar a Ra, que creó por la palabra el mundo con sus dioses, por parejas: Shu, que es la atmósfera, y Tefnut, el aire húmedo; al unirse engendraron a Gueb, la Tierra, y a Nut, el cielo, que, a su vez, son los padres de Osiris y de Isis, de Seth y de Nefthis.

–Esa es la descripción de las apariencias. Pero los sacerdotes de Khemnu,* la ciudad de las ocho divinidades primordiales, también mostraron la dualidad del mundo creado. Así, el primer dios existente sería Nun, el Océano de los días antiguos, del que salió todo, las aguas dormidas que llevaban en ellas al mundo en gestación. Si pudo engendrar, fue porque tenía en él a su doble femenino, Nonet. Más allá reinaba Heh con su opuesto, Hehet, que es la infinidad del espacio. Y como pretenden que el Sol todavía no existía, triunfaban las tinieblas, Kek y Keket. Y la última pareja de esos ocho dioses era la de Amón y Amonet. Ahora bien, Amón es el que está oculto, el dios de los misterios, pero en realidad es el símbolo del misterio del mundo que permanece oculto para los simples mortales. Así pues, sólo Atón carece de complemento femenino, sólo Atón representa la unidad del dios creador que se crea a sí mismo porque es macho y hembra.

"Tú y yo somos las encarnaciones de la dualidad femenina y masculina del mundo; somos dos y, sin embargo, somos uno, por-

---

* Ciudad llamada Hermópolis por los griegos, actual Acmunein.

que nuestras almas, al igual que nuestros cuerpos, están unidas en el amor y esa unión es creativa, pues somos las manifestaciones de los dioses en el mundo sensible. Esta dualidad es la condición necesaria para la creación en un mundo finito y corruptible, pero en el mundo del espíritu esas dos personas forman una sola y el dios creador encierra esos dos estados en sí mismo, porque son la condición para la creación.

"Cuando llamo padre a Atón enuncio una realidad, pero también es tu padre, porque tú y yo somos dos manifestaciones de la realidad de Atón, y por la unión de nuestros cuerpos y de nuestros dobles, soportes y formas materiales de nuestras almas, formamos uno solo, restituimos la unicidad original y esencial del dios.

–Ameni, siempre caen de tus labios palabras grandes y bellas que elevan el alma hacia Atón, que está alto en el cielo. Sin embargo, ¿no declaraste que Amón es el símbolo de los misterios ocultos del mundo, que no es más que otra realidad de Atón?

–Eso dije.

–Entonces, en ese caso, ¿por qué rechazarlo, por qué humillar a su clero?

–Porque usurpó la gloria de Atón. No era más que una manifestación menor del dios, pero los sacerdotes de Tebas, que quisieron arrojar a Atón a las tinieblas, entronizaron a ese dios que no poseía ninguna realidad y declararon que era el mismo Ra y lo convirtieron en el rey de los dioses. Después engañaron a los reyes, a mis antepasados, haciéndoles creer que él les aportaba la victoria sobre las otras naciones, de manera que los faraones dieron a Amón muchas tierras, con aldeas y campesinos, los beneficios de las minas y las canteras, y llenaron su templo de riquezas, de tal modo que el clero de Amón, administrador de todos sus bienes, terminó siendo más rico que el mismo rey, pues hizo fructificar las tierras, multiplicar los rebaños y construir barcos en cantidad para comerciar con todas las ciudades de Egipto y también con las naciones extranjeras.

"Por eso quiero quitarle a Amón esas cosas que en verdad pertenecen a Atón, y considero que Amón no tiene derecho a quejarse. ¡Cómo podría!... Imagina a un hombre que ha despojado a un huérfano, que le ha robado su herencia, que ha gozado durante años de esa expoliación, que ha vivido en la abundancia mientras el niño crecía en la miseria, hasta que llega un día un juez íntegro que lo obliga a devolver al niño aquellos bienes que el usurpador hizo prosperar. ¿Quién se atrevería entonces a compadecer al expoliador, a escuchar sus recriminaciones, a decir que es injusto quitarle las riquezas que ha incrementado? Por el contrario, habría que mostrarse indignado por la manera en que dejó en la miseria y la oscuridad al verdadero propietario de esos bienes, y exigir un justo castigo por tales acciones. Ese es el caso de los sacerdotes de Amón, que deben considerarse felices de que me conforme simplemente con tomar una parte de las riquezas que adquirieron de manera tan injusta.

Dos meses después, mientras en el palacio se aguardaba con impaciencia el nacimiento del niño producto de la unión de Satamón con su real padre, se conoció la muerte de Yuya y Thuya, los padres de la reina Tiyi.

Nefertiti se hallaba en una terraza del palacio de Amenofis, en compañía de sus seres queridos: May y su esposo, Amón-Hotpé; Mutnedjemet, que había ido a visitar a su hermana para ver a su segunda sobrina; Meryre, el chambelán de Nefertiti, con su esposa; y Mai, que había seducido tanto a Amenofis como a su esposa. A un costado jugaba Meritatón, bajo la vigilancia de Ti, que también había viajado desde el norte para ver a Maketatón, que dormía suavemente acunada por su nodriza, que conversaba con Ti. Entre ambas se había acostado Nebet, que, perdida la petulancia de su primera juventud, disfrutaba por sobre todas las cosas durmiendo a la tibia sombra. Nefertiti había visto poco a los abuelos de su esposo, de manera que no podía sentirse muy afectada por la noticia.

–Hace dos días –anunció dijo el mensajero presentado a la asamblea–, el señor Yuya, profeta del dios Min, jefe de los caballos de Su Majestad y teniente de los carros, fue a unirse con su sombra en los reinos de Osiris, Señor del silencio, cuando se retiró a la ciudad de sus antepasados. Unos momentos más tarde, su fiel esposa, Thuya, madre de la Gran Esposa Real Tiyi, lo siguió en su viaje hacia los Campos Sembrados.

–Qué triste noticia –dijo Nefertiti–. Y mucho más mientras esperamos, de un momento a otro, el llamado de Satamón para ayudarla a traer al mundo a su hijo.

–A mí me parece muy hermoso que Thuya no haya querido sobrevivir a su esposo y que lo haya seguido de inmediato a la muerte –comentó Mutnedjemet–. Me gustaría que a Hori y a mí nos pasara lo mismo.

Mai, que sostenía un arpa entre las rodillas, pues sabía extraer de aquel instrumento armoniosos sonidos para acompañar sus cantos, y además poseía una bella voz, hizo vibrar las tensas cuerdas mientras salmodiaba:

–Los cuerpos desaparecen y otros los reemplazan, desde la época de los antepasados. Los reyes divinos que vivieron antaño en las pirámides y los nobles y los bienaventurados yacen en sus tumbas. De las casas que otrora construyeron, nada queda. ¿Qué fue de ellos? He oído las palabras de Imhotep y de Dyedefhor, cuyas sentencias están en boca de todos, ¿pero dónde están ahora sus moradas? Las paredes en ruinas, nada queda ya; es como si nunca hubieran existido. Y de ellos no subsisten más que sus escritos, por los que vivirán eternamente. ¿Pero qué fue de ellos? Nadie regresa del sitio al que fueron, para decirnos qué fue de ellos y qué necesitan, para tranquilizar nuestros corazones hasta el momento en que, también nosotros, partamos hacia el país sin retorno.

Estaba cantando ese canto de arpista, compuesto más para entristecer las almas que para alegrarlas, cuando una mujer fue a anunciar que Satamón había iniciado el trabajo de parto.

Nefertiti y May acudieron rápidamente a su palacio para asistirla en los tormentos y las delicias del alumbramiento. Antes de que el sol pasara más allá del horizonte nocturno, Satamón había traído al mundo a un varón, que recibió el nombre de Tutankhatón.

También fue por aquella época que Amenofis regresó de un viaje a Ikhutatón y a Pi-Atón para inspeccionar la marcha de las obras. Era la primera vez desde su casamiento que se separaba de Nefertiti; el cansancio del parto no había permitido a la joven acompañarlo, en tanto que él se había visto obligado a embarcarse sin demora para resolver las numerosas dificultades que presentaba la distribución de los monumentos de la ciudad del Horizonte.

Nefertiti lo encontró cansado, aunque siempre exaltado por la pasión religiosa. Se quejaba de la lentitud de las obras, que a tan dura prueba sometía a su paciencia; tanto lo sentía así que le costaba mantener su serenidad habitual. También tenía el corazón lleno de rencor contra Amón, porque, cuando enviaba a sus escribas a recoger las cosechas o los rebaños de ciertas fincas del dios, o a reclutar campesinos o artesanos para mandarlos a trabajar en las obras reales, estos se ausentaban y nadie era capaz de decir adónde se hallaban, los rebaños eran trasladados a otras fincas y los graneros aparecían vacíos sin que nadie pudiera explicar la causa. Los sacerdotes se valían de todos los medios para ocultarse y resultaba evidente que la gente de las haciendas del dios se ponía de parte del primer profeta y no del faraón.

–Si no fuera por mi padre, enviaría contra esos impíos unos buenos soldados para que los persiguieran por sus fincas hasta descubrirlos y encerrarlos en prisión, ya que se atreven a burlarse de mi poder y levantarse contra Atón.

–Ameni, querido esposo, sería una locura actuar de ese modo. Tú mismo me dices que la gente de los dominios de Amón está del lado del gran sacerdote. Pero he encargado a Mai que hiciera una investigación, y me trajo datos relativos a los templos. Y mira: el templo de Amón posee sesenta y cinco aldeas, cuarenta y tres talleres, ochenta y tres barcos, cuatrocientos treinta y tres jardines, cerca de mil *khets* cúbicos de campos cultivados, más de cuatrocientas mil cabezas de ganado y más de ochenta mil hombres empleados al servicio de Amón. Y mira las ganancias: compiten con las del Estado. Y si se suman las riquezas y las ganancias de todos los otros templos de la Tierra Negra, no se llega ni a una décima parte de la riqueza de Amón.

Le tendió el rollo de papiro en el que se habían anotado cuidadosamente todos aquellos datos. Amenofis recorrió con una mirada rápida las líneas trazadas con tinta negra y roja; después levantó la cabeza y dijo:

–Con esto me das una razón más para rebajar a Amón, pues su poderío es peligroso y veo que lo que hasta ahora he tomado de sus bienes representa muy poca cosa.

–También quiero demostrarte que el poderío de su clero es temible y que no sería bueno entrar ahora en lucha abierta contra él. Conviene emplear la astucia y mostrarse conciliador, pues necesitas de ellos para consolidar tu trono.

–¿Qué dices? ¿Qué quieres decir con eso? Mi trono es sólido, porque se erige en la gloria de Atón.

–Escúchame un poco más. Durante tu ausencia vino un mensajero enviado por el rey de Biblos. Lo llevaron ante tu padre, que ordenó que lo condujeran ante su hijo, porque esos no eran asuntos suyos. Entonces yo recibí al mensajero y me entregó una carta escrita por el rey de Biblos, Ribaddi. Está redactada en un pan de arcilla, en la lengua y escritura de los babilonios. De modo que llamé a Mai, que supo traducirme lo que decía el príncipe, tu vasallo. Declara que las cosas andan mal en el país de Kharu y Canaán. Al norte, los *kheta* bajaron de sus montañas y comenzaron a ocupar la llanura que pertenece al faraón. En Amurru, tu vasallo Abdeshirta estaría traicionándote para entregarse al vil *kheta*; y en Canaán, bandas de *khabirú* tomaron Shechem, donde su jefe, Labaya, se hizo coronar rey. Esta ciudad estaba sometida a Egipto, como todo Canaán, y la perdimos. Y ahora Biblos, de donde nos llega la madera de cedro de las montañas Blancas, se encuentra amenazada por los enemigos del faraón. Ribaddi reclama la ayuda de Egipto; pide que se le envíe un ejército para proteger a los vasallos que todavía son fieles... ¿Aún piensas emprender una guerra contra Amón, cuando en el exterior el enemigo amenaza Egipto y, de este modo, tu propio trono?

–Kiya, lo que importa ante todo es hacer que triunfe Atón. Una vez que tenga sus ciudades y sus templos, desde Nubia hasta Canaán, y que su amor se haya revelado a los hombres, la paz reinará en todas partes y todos vivirán consagrados a la adoración de Atón. Vamos camino de triunfar en esta fantástica empresa; no quiero arriesgarme a arruinarla por ocuparme de pleitos entre pequeños príncipes asiáticos. Aun así, seguiré tu consejo y no enfrentaré a los sacerdotes de Amón, pues tengo de mi lado el tiempo y la protección de Atón. Sé que, poco a poco, el espíritu de los partidarios de Amón será iluminado por la revelación de Atón y se apresurarán en venir a ofrecer sacrificios en sus altares, con el corazón lleno de amor y arrepentimiento por haber negado al dios durante tanto tiempo y haber permanecido ciegos por su propia voluntad. Atón destruirá lentamente a Amón, como las aguas del río en crecida deterioran los muros de tierra de los diques, hasta que una última ola ligera, apenas perceptible, haga desmoronarse el edificio corroído en la base.

"Pero escucha algo más: vuelvo de la tierra del Norte y de la ciudad del Horizonte, donde progresan las obras de construcción, y te digo que antes de la próxima inundación podremos trasladar la corte allí, ya que Bek y Nakht están logrando maravillas. Ahora bien, he tomado una decisión: quiero cambiar mi titulatura real, y completar la tuya. Así que, de ahora en adelante, tu nombre será Neferneferua-tón-Nefertiti, y yo quiero borrar el nombre de Amón de mi propio nombre, por lo que a partir de ahora mi nombre será Akhenatón, porque soy el espíritu de Atón, su encarnación.

Capítulo XIX

Nefertiti miraba con atención cómo se deslizaba por la estatuilla el hábil cincel del escultor; él daba golpecitos con el mazo, empujaba con suavidad el cincel de bronce por los anchos surcos, apenas esbozados, que subían por el cuerpo finamente modelado en piedra de color rosa ladrillo con tintes cálidos como la carne. Admiraba la precisión de cada uno de sus gestos, el control del más mínimo movimiento, de manera que jamás el cincel corría torcido o demasiado profundo: una destreza incomparable y un talento aún mayor para expresar la belleza.

Se mantenía erguida, con el brazo izquierdo colgando sin rigidez y –una innovación llena de audacia en la estatuaria– el derecho doblado y levantado hacia la cabellera recogida sobre la cabeza, pues no llevaba peluca y para posar se había quitado la toca. Su cuerpo estaba estrechamente ceñido por un vestido púrpura, tan fino, tan transparente y tan ligero que se adhería al cuerpo revelando todas sus elegantes formas: la curva ensanchada de las caderas, la doble ondulación del vientre y el pubis, los huecos de las nalgas esbeltas y la firme y alta redondez de los pechos. El vestido, en un drapeado plisado, reforzado en el borde por un galón dorado y sujeto en el hombro izquierdo, cubría la mayor parte del brazo, dejando al descubierto el hombro y el brazo derechos, y se desplegaba en dos paños decorados con flecos que se anudaban bajo el seno derecho.

Mientras trabajaba, el escultor no dejaba de expresar una admiración que adulaba la coquetería de la joven.

–Mi reina –decía–, es evidente que el propio Atón sintió tanto placer al modelar tus formas que yo sólo me limito a eternizarlas en la piedra. Y es preciso que el dios te ame por sobre todas las cosas para haber conservado tan intacta tu belleza después de hacerte madre tres veces.

– Djeuthimés –respondió ella con una sonrisa jovial–, temo que no estés juzgándome con ojos de artista y veo que es así como me recreas, pues veo mi cuerpo más hermoso y perfecto en esa estatuilla que en la realidad.

–Eso es porque te ves muy mal, pues en verdad es tal tu belleza que a mi cincel se le torna muy difícil acercarse a ella.

–¡No, no, Djeuthimés! Eres un muy mal discípulo de Su Majestad pues, contrariamente a Bek y las recomendaciones del rey, disimulas los defectos en lugar de valorizarlos.

–Mi reina, soy fiel a Su Majestad, pero como mi alma sólo aprecia la belleza, como me desagrada cincelar formas que me parecen feas, he hecho de ti mi modelo favorito, mi único modelo, de manera que pueda reproducir la realidad de tus formas y de tu vida interior sin provocar los reproches del rey por enmascarar la verdad, pues eres toda belleza. En ti se encarnó la belleza de Atón.

–¡Ah, Djeuthimés! ¡Cómo me gustaría que no fueras uno de esos cortesanos adulones que invaden el palacio y, por medio de sus palabras mentirosas y sus alabanzas descaradas, acaparan el espíritu de mi esposo!

El escultor la miró tan intensamente que ella bajó los párpados.

–¡Cómo puedes pensar que mi boca ha mentido al pronunciar esas palabras! –respondió–. ¡Hablo con el corazón! ¿No sabes que todo el pueblo de esta ciudad de Atón está orgulloso de tenerte como soberana, que el elogio de tu belleza está en todos los labios? Y yo mismo me siento agraciado por ti al ver que me concedes tu confianza, vienes en persona hasta mi taller para que modele tu belleza en la piedra, y me permites dirigirme a ti con esta familiaridad.

–Djeuthimés, ya hace más de un año que descubrí tu taller y vi que el dios guía tu mano para recrear más allá de su creación. Así podemos hablar con mayor libertad, y quiero que sepas que me agrada venir aquí, estar cerca de ti, verte trabajar y oírte hablar. El propio rey se sorprendió de que fuera yo quien se desplazaba para venir a posar aquí, en tanto que Yuti, cuando retrata a la reina Tiyi o a su hija Baketatón, va al palacio de Tebas, ya que no es conveniente que una reina se moleste por sus súbditos. Pero ni Akhenatón ni yo somos soberanos comunes, y hasta el mismo rey va a posar al taller de Bek. En tu taller encuentro una intimidad, una calidez y una confianza que casi no existen en el gran palacio, donde los cortesanos no dejan de intrigar. Me gusta tu sinceridad y por eso temo que no seas muy sincero cuando hablas demasiado bien de mí.

–En adelante, mi reina, me esforzaré por hablar mal de ti, pero es de temer que mi boca se vuelva entonces mentirosa y nadie me crea.

Esta conclusión la hizo reír.

–He concluido por hoy –dijo al fin el escultor–. Ahora me queda un largo trabajo de pulido; después de eso, poco restará para terminar. Si tú lo permites, a continuación me gustaría hacer un retrato tuyo, únicamente tu busto; lo tallaré en una piedra tierna y blanca, para poder pintarla y lograr los colores de tu piel, tus labios y tus ojos.

–Lo pensaré, lo pensaré…

Nefertiti tomó su toca, que era la corona cilíndrica azul que había visto tiempo atrás en su sueño y que había decidido hacer confeccionar por los artesanos del palacio, a fin de llevar una pieza única, como ninguna reina había tenido antes. Cuando terminó de colocársela, ocultando así sus cabellos, deslizó los pies desnudos en sus sandalias. Djeuthimés la acompañó hasta la puerta del taller y se inclinó ante ella.

La soberana parpadeó al salir a la calle brillante de sol. Unos niños se dirigieron hacia ella diciendo:

–¡La reina, la reina! ¡Es Su Majestad que sale de casa del escultor!

La casa de Djeuthimés estaba situada en el barrio de los artesanos, al sur, a poca distancia de los dos palacios reales y del Gran Templo de Atón. Los niños trataron de acercarse, pero Hanis, que se hallaba a la sombra de un grupo de palmeras, cerca del carro ligero de la reina, enganchado a dos briosos caballos blancos, los ahuyentó con insultos. Porque Nefertiti había tomado a Hanis en su casa y lo había convertido en una especie de guardaespaldas.

Hacía ya más de un año que la pareja real había ido con la corte a tomar posesión de las residencias y los palacios habitables de la Ciudad del Horizonte. "Un año ya", pensaba Nefertiti, como sorprendida de la rapidez del paso del tiempo. Unos días antes de aquella gran migración, Hanis se había presentado ante ella para rogarle que lo recibiera a solas. Así lo había hecho la soberana, preguntándose las razones de aquella entrevista secreta. Él le recordó entonces la estima que sentía por ella ya antes de que Amenofis la eligiera como esposa y la convirtiera en ama de las Dos Tierras, antes del amor que le había profesado Horemheb, que se había sacrificado por su amistad hacia Amenofis. Todo esto le dijo antes de confesarle que sentía remordimientos por haber impulsado a los sacerdotes de Amón, en varias oportunidades y por orden de Horemheb, a rebelarse contra las vejaciones que les infligía el rey.

–No fue con intención de traicionar –se apresuró a aclararle–, sino porque de esa manera, echando más leña al fuego, él espera empujar a los sacerdotes de Amón a cometer actos de violencia, para que Su Majestad se alarme y recurra a él, a Horemheb, para reprimir la rebelión y, en reconocimiento, le confíe el mando de los ejércitos de Su Majestad.

Nefertiti decidió no contar nada de esto a Amenofis; después pidió a Hanis que la mantuviera al tanto de las gestiones de Horemheb en ese sentido. Así fue como comenzó a depositar su confianza en aquel hombre que le manifestaba la más viva admiración, y poco a poco fue cobrándole cariño. Cuando la corte se instaló en Ikhutatón, Horemheb recibió allí una residencia, en la que se instaló Mutnedjemet pero donde se veía muy poco a su esposo, que en general se encontraba en Menfis ya que, con el fin de alejarlo lo más posible de Tebas, Nefertiti había vuelto a encomendarle el mando de las tropas del Bajo Egipto. En cuanto a Hanis, tras haber comprobado su fuerza y sus cualidades de guerrero Nefertiti lo había tomado a su servicio.

Tras despedir a Hanis a la salida del taller del escultor, la joven reina subió al carro y tomó las riendas, ya que sintió deseos de pasear por la ciudad. Introdujo el vehículo en la gran calle que se desplegaba paralelamente al Nilo y unía los suburbios meridionales con los barrios suburbanos del Norte. Su imaginación la llevó más de tres años atrás, a la época en que allí se extendía una soledad ardiente de luz que Amenofis había ocupado en nombre de Atón, y se maravilló por las realizaciones de la industria humana y el poderío de un hombre que había hecho nacer de las arenas del desierto toda una ciudad. Una gran animación reinaba en la avenida, cortada en ángulos rectos por calles secundarias que constituían manzanas edificadas. La mayor parte de las grandes residencias de los nobles se situaba en el barrio sur, el barrio comercial, con sus depósitos de trigo, aceite, leguminosas y vino; allí estaba la casa del visir Nakht, y las de Ramosé, el caballerizo mayor Ranefer y, hacia el norte, cerca de los conjuntos monumentales que conformaban el corazón de la ciudad, la casa de Panehesy, el gran sacerdote de Atón.

El centro albergaba el gran templo de Atón, al norte, y el pequeño templo del dios; entre ambos se alzaban los dos palacios reales,
unidos por un puente cubierto que pasaba por encima de la calle y
formaba una puerta monumental de triple abertura, ya que la gran
puerta central estaba coronada por una habitación abierta en dos vanos, uno a cada lado, donde el rey y la reina se mostraban oficialmente al pueblo y distribuían las recompensas. Nefertiti se internó
bajo la puerta central, pavimentada con ladrillos crudos y destinada
a la circulación, mientras que las dos aberturas laterales se hallaban
recubiertas de piedras.

Pasó delante de los monumentos e incitó a los caballos a galopar
rumbo al norte. Experimentaba un repentino deseo de libertad, una
necesidad de sentir el viento caliente golpeándole el rostro, pegándo-
le aún más el vestido al cuerpo. En aquellos barrios siempre había albañiles trabajando, que no cesaban de levantar viviendas, grandes y
pequeñas, para albergar a la multitud que cada día afluía a la nueva
capital del imperio. Pronto dejó a sus espaldas la fiebre constructora,
el polvo levantado por los pies de los transeúntes, los rebaños de bueyes y ovejas, el olor acre de los ladrillos húmedos que se secaban al
sol, para encontrar una inesperada soledad. Entonces frenó a los caballos para que anduvieran al paso; buscaba el lugar al que había ido
a pasear con su hermana cuando se dirigía a Tebas para casarse con
Amenofis. Por fin lo reconoció, lejos, al norte de la ciudad, en el punto en que se curvaba el acantilado oriental para caer a pique sobre el
Nilo y formar un límite natural con el territorio de Atón. Encontró
aquel lugar agradable, salpicado de palmeras y cercano al río; decidió que un día, cuando concluyera la construcción de todos los edificios oficiales de la ciudad y se alojaran todos los que acudían a buscar refugio, ordenaría la edificación de un palacio concebido por ella,
en el que pudiera recobrar la calma lejos de los ruidos de la corte.

Evocó el entusiasmo que en aquella época la poseía sin cesar, su
exaltación ante la idea de encontrarse con la persona que amaba y,
con ese matrimonio, cumplir un sueño que ninguna muchacha del
Nilo jamás se hubiera atrevido a imaginar: convertirse en la reina de
las Dos Tierras, fortuna inaudita que no había buscado y que recibía
al mismo tiempo que la coronación de su amor. Luego pensó, con
cierta angustia, que era demasiada felicidad, que el destino la había
mimado demasiado para no reservarle alguna desgracia.

Ahuyentó esta idea, que le pareció de mal augurio. Tras detener el carro, se apeó por el solo placer de caminar junto a los caballos, que la siguieron sacudiendo con impaciencia las cabezas adornadas con plumas y cascabeles. Entonces pensó en Amenofis y se planteó algunas preguntas con respecto a él. Diez meses después de instalarse en la ciudad, ella había dado a luz por tercera vez, de nuevo a una niña, que había recibido el nombre de Ankhsenpaatón. En esa ocasión Amenofis había manifestado su decepción. En lugar de tomar al bebé en sus brazos e ir a mimar a la madre, se volvió bruscamente, murmurando:

–Atón, padre mío, ¿nunca me darás un heredero? –y se marchó.

Esa actitud, tan nueva, provocó un violento golpe en el corazón de Nefertiti, que contuvo sus lágrimas al borde de los párpados. Poco después, él regresó a pedirle perdón por una actitud que ella se había apresurado a olvidar. Pero, aunque seguía mostrándose afectuoso y la tomaba tiernamente de la mano –más en público que en la intimidad–, la joven reina había notado que su esposo ya casi no le daba aquellas muestras de pasión que estallan en placer compartido en profundos abrazos. Si bien era cierto que él deseaba verla a su lado cada mañana, cuando, al salir el sol, iban al pequeño templo de Atón a saludar el surgimiento del astro y ofrecerle flores, frutas y perfumes, y también cuando presidía la corte con los grandes del reino o cuando salía al balcón de las apariciones reales, en el puente que unía los dos palacios, el resto del tiempo parecía no preocuparse por ella, tanto de día como de noche. Esto la dejaba en total libertad para ir adonde le apeteciera, pero por la noche, en medio de esa nueva soledad, sentía cruelmente el repentino alejamiento. Nefertiti buscaba las causas de tal conducta y, para encontrarse mejor consigo misma, para pensar las cosas con más serenidad, había llevado sus caballos hasta el desierto, al norte de la ciudad del dios viviente. Pero vanas le parecían las razones que imaginaba para explicar el comportamiento de Amenofis y, en definitiva, atribuyó el enfriamiento, sin duda pasajero, al cansancio provocado por sus múltiples actividades y por las numerosas preocupaciones que lo asediaban desde que se había establecido en la nueva capital.

En el camino de regreso se encontró con Mai, que marchó presuroso hacia ella, levantó los brazos y se inclinó profundamente.

–Mi reina –le dijo–, bienvenida seas; el dios te ha guiado hasta aquí. Te buscaba, y en lo profundo de mi corazón esperaba verte, pues vengo del palacio, donde Hanis me informó que habías ido hacia el norte.

–Mai, ¿qué es tan importante para que quieras hablarme sin demora?

–Ven, te lo ruego, acompáñame a la casa de los archivos. Estoy muy preocupado por Su Majestad.

Corriendo delante del carro, lo condujo hasta las salas de la cancillería, integradas a los edificios reales.

Nefertiti bajó del vehículo y entró en la sala. Allí, sentado sobre una estera, trabajaba un escriba que transcribía en lengua egipcia, en una hoja de papiro, el texto babilónico grabado en un pan de arcilla. Al ver a la reina se arrojó sobre el vientre para saludarla. Mai lo presentó:

–Este es Tutu, un hábil escriba que sabe leer la lengua de la gente de Karduaniash y también la de los vasallos de *Fenkhu*. Mira, acaba de traducir una carta llegada de Biblos. Allá la situación es cada vez más grave; todos los días el vil *kheta* se apodera un poco más de los territorios de nuestros vasallos. El rey de Amurru intriga contra nosotros, y en esta carta el rey de Biblos se queja de no haber recibido aún respuesta de Su Majestad, pues teme que un día su propia ciudad caiga en manos de los enemigos de Egipto.

–Mai, permíteme intervenir –dijo entonces Tutu–. Vengo de esa región, de Amurru y de Canaán, donde me encontré con los príncipes de esas ciudades y también hablé con los enviados de Su Majestad que residen allí. Ribaddi es un cobarde, una cerceta quejumbrosa que vive con el constante temor de ser destronado y ve enemigos por todas partes. Aprovecho que nuestra reina está presente y puedo hablarle, para afirmar que la situación no es tan alarmante como temes.

–Yo también recorrí esos parajes –replicó Mai–. Y vi las bandas de *khabirú* que saqueaban las aldeas y despojaban las caravanas de mercaderes y viajeros. Sé que Abdeshirta, el rey de Amurru, tiene el corazón lleno de ambición y perfidia.

–No dejen que la disputa se instale entre ustedes –interrumpió Nefertiti–. Mai, toma esa carta y acompáñame. Hablaremos con Su Majestad.

Cuando salieron, Mai comentó con un suspiro:

–Mi reina, ese Tutu también está lleno de ambición. Su Majestad me brindó su confianza, me permitió entrar en su palacio, me concedió funciones en su ejército, me acordó los ingresos del cargo de intendente en Heliópolis, y además me confió la dirección de la oficina de archivos en su cancillería. Ahora bien, ese Tutu acaba de llegar a la ciudad del Horizonte y, como es un buen escriba y conoce a los príncipes vasallos, logró que Su Majestad le confiara la correspondencia real. Pero tiene un vientre gordo y ya fantasea con ocupar mi lugar y convertirse en jefe de la cancillería del palacio.

–Mai, no temas por eso. Su Majestad es justo, y Tutu no podrá dañarte en su espíritu.

Como Amenofis no se encontraba en el gran palacio, Nefertiti pidió a Mai que se quedara con ella en la residencia real, para que siguiera hablándole de países lejanos y, sobre todo, de las montañas del Kheta, donde en invierno caían ligeros pétalos muy fríos que cubrían la tierra con una espesa alfombra blanca, esponjosa como la lana de oveja, pero mucho más profunda y muy húmeda, ya que, cuando se la tomaba en el hueco de la mano, esos pétalos se convertían en agua. Los artesanos de aquel país conocían también un extraño metal que no se fundía como el bronce, sino que se ponía rojo y se ablandaba en el fuego, de tal modo que se lo podía moldear para fabricar sólidas hojas, muy finas y largas, que, una vez enfriadas, adquirían el color de la plata pero eran más duras y afiladas que el bronce. La evocación de esas comarcas misteriosas sumía a Nefertiti en ensoñaciones que la alejaban de un mundo cotidiano que en otra época le había parecido un sueño inaccesible.

Capítulo XX

Durante varios días, el rey se mantuvo oculto, incluso para su esposa. Se encerraba en una sala del palacio privado que había reservado para él, adonde le gustaba retirarse para escribir o dedicarse a la pintura, actividad que en otro tiempo habría resultado vergonzosa en un rey de esencia divina pero que, tratándose de Amenofis, a nadie sorprendía. Solía salir del palacio en carro y se negaba a llevar escolta, lo cual sumía en terrible angustia a Mahu –promovido a jefe de la policía de la ciudad–, pues, aunque reconocía que el alma del rey era inmortal, estaba convencido de que su cuerpo se hallaba expuesto a los mismos riesgos de destrucción que el más humilde de sus esclavos… y sabía que a mucha gente del lado de Tebas no le molestaría verlo desaparecer.

En una tarde tibia, mientras el sol descendía rápidamente en los primeros días de invierno, Amenofis apareció en la vasta habitación en la que se encontraba Nefertiti acompañada por sus tres hijas. Las dos mayores, sentadas entre almohadones, jugaban y reían; la última, Ankhsenpaatón, de apenas unos meses, dormitaba en los brazos de la madre.

–Akhenatón, hermano querido –le dijo Nefertiti–, nos encuentras felizmente sorprendidas de verte llegar así ante nosotras.

–Durante estos días, mi padre Atón me visitó, estuvo conmigo, descendió en mí. Yo lo sentía vivir en mí, iluminaba mi alma. Y me inspiró un himno, un canto divino en su alabanza. Lo escribí en estas hojas para que los buenos escribas lo copien y lo transmitan a los sacerdotes y a todos los grandes y nobles de la corte, porque quiero que todos lo canten cada mañana, por la mayor gloria de Atón.

Se expresaba con una exaltación que, a la vez que le iluminaba el rostro, le torcía los labios y agrandaba los ojos, que parecían a punto de salirse de sus anchas órbitas, tanto que Nefertiti se inquietó.

–¿Quieres leérmelo? –le preguntó.

Él le lanzó una mirada de reproche.

–¿Leértelo? ¿Acaso se lee un himno semejante, un gran canto de amor, como un texto ordinario, como una vulgar carta entre dos escribas? Mañana, cuando Atón se alce gloriosamente en el cielo, lo recibiré con este canto que regocijará su corazón.

–Entonces quizá desees comer con nosotras, con tus hijas, que te ven tan poco en estos últimos tiempos: ¡apenas por la mañana, cuando las llevas a saludar la aparición del sol!

–Bien, bien, que sirvan la comida. Cenaré con ustedes.

Una vez que Nefertiti dejó a la más pequeña en manos de la nodriza, ella y su esposo se dirigieron a la sala contigua y cada uno se sentó en un sillón ante una mesa cargada de platos. Las dos niñas mayores se ubicaron en almohadones a los pies de sus padres y comenzaron a morder con sus dientecitos los trozos de pato que una criada había dispuesto frente a ellas en una bandeja.

Nefertiti aprovechó aquellos instantes de intimidad para hablar a Amenofis de su entrevista con Mai y de los temores de este último respecto de los intereses del rey en Asia. El rey permaneció un instante en silencio antes de responder:

–Confié a Mai cargos y funciones, y veo que ahora vive en la opulencia, él, que se ensuciaba los pies con el polvo de los caminos. Posee una hermosa casa y se hizo preparar una tumba suntuosa en la montaña del naciente.

–Su inquietud testimonia su gratitud –resaltó Nefertiti, sorprendida por semejante prólogo.

–Tal vez, pero en lugar de ocuparse activamente de los asuntos que dependen de él, se lo ve con más frecuencia en palacio, en compañía de la Gran Esposa Real, a la que distrae con sus relatos y sus cantos. Y ahora resulta que se atormenta por los intereses del faraón en Asia, como si el faraón no fuera capaz de administrarlos. Todo lo que ocurre bajo la mirada de Atón llega a conocimiento de su hijo; nada escapa a su atención.

–En esas condiciones, ¿cómo puedes tolerar que los vasallos te traicionen, que los enemigos de Egipto carcoman sus entrañas como ratas en un granero?

–Sé que Atón se ocupará de todo. Es él quien me inspira en cada uno de mis actos y, en lo referente a los asuntos de Asia, las cosas van como deben ir.

Nefertiti no había querido responder a la alusión a la presencia de Mai a su lado, sin duda considerada indiscreta; como no veía en ello nada condenable, no le dio importancia. Aquella noche se mostró más amorosa y tierna que nunca y, cuando las nodrizas retiraron a las niñas para acostarlas, llevó a su esposo a su alcoba, que no compartían desde hacía un buen tiempo. Según una costumbre singular que la pareja real había contribuido a imponer en la época, ninguno de los dos llevaba ropa alguna, ni siquiera una joya, excepto las coronas, que, vaya uno a saber por qué deseos de ostentación, se ponían no bien saltaban de la cama. Sin embargo, contrariamente a sus predecesores, que atribuían a las coronas un verdadero poder mágico, Amenofis, seguido en ello por su esposa, negaba toda fe en la eficacia de los amuletos y los ritos mágicos, a tal grado que hasta se negaba a usar el pectoral –pesado collar decorado con las dos diosas protectoras de la monarquía: Uto, la divinidad cobra del Norte, y Nekhbet, la diosa buitre del Sur– y había procurado que ninguna imagen de carácter mágico se añadiera a las pinturas naturalistas que cubrían las paredes y los pisos de las salas del palacio.

Nefertiti dejó su casco cónico sobre una mesa; después le quitó el *khepresh** y llevó a su esposo a la cama. Él tuvo la veleidad de resistirse, pero se sintió tan fuertemente dominado por la mirada tierna e imperiosa de su mujer, por sus gestos y sus caricias provocadoras, que se dejó arrastrar hasta los almohadones que cubrían el lecho, donde ella lo estrechó con ardor impaciente. Sin embargo, vanos fueron sus besos; agotó sus recursos amatorios, inútilmente desplegó todo el arte del amor en el que se destacan las mujeres voluptuosas. Amenofis, jadeante y transpirado, se empeñó en mantener un vigor que se le escapaba, trató de reunir en su interior los deseos más profundos de sus entrañas, pero no consiguió salir victorioso en la empresa que, finalmente, lo dejó palpitante como un ave herida, abatida por la flecha de un arquero invencible. Se levantó de golpe y la dejó sola, preocupada y confundida. La joven reina no se durmió hasta muy tarde, con los sentidos inflamados y el espíritu afiebrado.

---

* Tiara azul del faraón que representaba su poder militar. (N. de la T.)

La despertó él en persona, al amanecer. Ella se estremeció con el frío de la aurora y tapó su cuerpo con una manta de lana.

–Perdóname por lo de anoche –le dijo él, volviendo la cabeza–. Será mejor que nos mantengamos separados por un tiempo. Sin duda es el cansancio, la tensión mental...

–Necesitas descansar –le aseguró ella, acariciándole el rostro–. Te entregas demasiado a los asuntos del Estado y de tu padre Atón. ¿Por qué no recurres, para ciertas cosas, a tu madre, Tiyi, tan sabiamente aconsejada por Amenhotep, hijo de Hapu? También puedes acudir a mí, ya que los cuidados del culto absorben toda tu energía. Confórmate con supervisar superficialmente los asuntos del Estado.

–Lo pensaré, pero me parece imprudente dejar demasiados poderes a mi madre y su ministro. Cuando me senté en el trono de las Dos Tierras, ella esperaba dominarme o, al menos, dejar que me ocupara de mi lucha por el triunfo de Atón, y así atribuirse el poder real para los asuntos del Estado. Pero no sospechaba cuán unido al trono está Atón, hasta qué punto los asuntos del Estado son los del dios... De modo que apenas le he dejado magras satisfacciones, como la dirección de los trabajos de construcción del templo de los Millones de Años de mi padre, junto con Amenhotep. Además, el hijo de Hapu ya es demasiado viejo y está demasiado cansado para alimentar otras ambiciones que las de cultivar la sabiduría y procurarse un feliz final para su vida en este mundo. Por otra parte, ya tiene todo lo que necesita para lograrlo, y su vanidad se contenta con el título de jefe de todas las obras del rey y maestro de ceremonias de la fiesta de Amón. Mi padre, con mi acuerdo, acaba de concederle el derecho divino de hacerse edificar un santuario junto a los templos de los otros reyes justificados; así pues, ahora está completamente absorbido por esa obra que él cree que le asegurará una vida eterna, ¡como si el alma necesitara de todos esos artificios para revivir eternamente! Por eso mismo yo no he ordenado, como mi padre y mis ancestros, que se construya en mi nombre un templo de los Millones de Años. Y si deseo que mi tumba y la tuya se preparen en la montaña, cerca de aquí, es porque juré que nunca me iría de esta región, que es el territorio de mi padre Atón. Así pues, mi cuerpo, abandonado por mi alma, seguirá manteniendo mi juramento más allá de la muerte.

–Me siento muy inútil a tu lado. Me gustaría tanto ayudarte, aliviarte...

–Tu presencia ya es para mí una ayuda preciada –la interrumpió él–, ¿pero acaso no participas en los asuntos del reino? ¿No suelo hablar contigo, escuchar tus consejos cuando se trata de tomar decisiones a menudo importantes? ¿No has nombrado funcionarios, como ese Mahu, que demuestra ser un jefe de policía muy activo?

–Quizá pudiéramos repartirnos las tareas. Yo podría recibir los informes de los visires, los de Nakht en esta ciudad y los de Ramosé en Tebas. O, puesto que odias la guerra, confíame las relaciones con los jefes de los ejércitos.

Él se limitó a sonreír y, tomándola de la mano, le dijo:

–Mira, Atón va a salir de su lecho nocturno y su luz ya blanquea el oriente. Es tiempo de ir a recibirlo, y podrás oír el himno que inspiró a mi corazón.

Nefertiti pensó que era mejor no insistir. Se puso un vestido sencillo, sin preocuparse por el fresco del aire matinal, se colocó la corona y se calzó las sandalias.

Juntos fueron a buscar a las dos hijas mayores, de cinco y tres años, a sus habitaciones. Las nodrizas las habían levantado y vestido con prendas largas y abrigadas. Nefertiti alzó a Maketatón, que correteaba con los ojos todavía llenos de sueño, y Amenofis llevó a la mayor hasta el carro que tenía listo Hanis.

Los nobles y los dignatarios se habían reunido en el jardín del palacio. Todos se curvaron hasta el suelo y luego se pusieron en marcha detrás del carro en el que se había instalado la familia real. Salieron por la rampa occidental que se abría a la avenida, cerca del puente de las apariciones.

Los oficios de la mañana se desarrollaban en el pequeño templo situado al sur del palacio y separado de este por una ancha calle. Así, llegaron en muy poco tiempo y el carro se detuvo ante el doble pórtico de bronce, encajado entre los dos pilones macizos de la fachada, prolongados por dos largos mástiles en cuya cima flotaban estandartes púrpuras que flameaban con el viento de la mañana.

Bajaron del vehículo, cuyos caballos guiaba Hanis, y entraron a pie por la puerta. En el primer patio en el que ingresaron, toda la parte cercana a la entrada se hallaba ocupada por un altar monumental rodeado de cien mesas con ofrendas. Todavía faltaba atrave-

sar otros dos amplios patios para llegar al santuario donde se llevaban a cabo diversas ceremonias, sólo presenciadas por los sacerdotes del templo. Así pues, hacia ese altar se dirigió el rey, seguido por
la reina y las dos pequeñas princesas, mientras los nobles se dispersaban entre las mesas que ellos mismos habían colmado de ofrendas:
frutas y legumbres, aves de corral, peces y carnes, cerveza y vino.
Los sacerdotes se habían colocado al fondo del patio, abierto a un
patio contiguo, al que habían accedido por una puerta lateral situada frente a sus aposentos, dispuestos al sur.

Panehesy, el gran sacerdote del dios, aguardaba al pie de los escalones que conducían al altar. Lo acompañaba otro sacerdote, que
sostenía una corona constituida por un tocado bajo, rematado por
dos cuernos de carnero retorcidos y horizontales, y dos altas plumas.
Era la toca característica de Amón. Amenofis se detuvo ante el gran
sacerdote, que lo saludó con una profunda reverencia al tiempo que
levantaba los brazos.

Nefertiti miraba la corona del dios de Tebas sin comprender su
presencia en el templo de Atón. Amenofis se volvió hacia ella y, tras
quitarle su corona, la puso en las manos del sacerdote asesor, que, a
su vez, había dado a Panehesy la toca que él llevaba y que le entregó al rey. Nefertiti retrocedió al ver que Amenofis levantaba la corona sobre su cabeza. Él esbozó una sonrisa y después la colocó sobre
su frente. En ese instante la joven no se atrevió a mover la cabeza,
por miedo a que el complicado ornamento se desmoronara. Entonces Amenofis levantó la voz y pronunció:

–Con esta corona te doy todo el poder sobre Amón, Neferneferuatón-Nefertiti. En ti se manifiesta Amón el oculto, tomando la apariencia de Atón en su hermosa aparición femenina. Que se salude
aquí al ama del clero de Amón.

Los cortesanos gritaron aclamaciones rituales y luego Amenofis
se volvió hacia Bek, que se mantenía a un costado, al lado de Panehesy.

–Y tú, mi escultor real, mi discípulo, quiero que representes la escena de la ofrenda de este día en una estela que pulirás en las rocas
que marcan los límites del territorio de Atón, en el sitio que yo te in-
dique. Allí moldearás el disco, cara visible del dios, con sus mil manos luminosas portadoras de vida, y, justo debajo, la mesa cargada
con ofrendas. Yo apareceré representado delante del altar, llevando

mis dones al dios, y detrás de mí, la Gran Esposa Real con la corona
que estás viendo, y detrás de ella, las dos pequeñas princesas, nuestras hijas, agitando los sistros que agradan al dios.

–Se hará de acuerdo con la voluntad de Su Majestad –aseguró el
escultor con una profunda inclinación.

Acompañados por la música y los cantos de los sacerdotes, los
oficiantes reales subieron al altar.

Amenofis se detuvo frente a la gran mesa de ofrendas, de patas
macizas, cargada con cántaros de vino, pan y carnes, víveres que, su-
mados a los que se acumulaban en las otras mesas, serían distribui-
dos a los pobres después de que los sacerdotes tomaran su parte. El
sol, que por un instante había teñido el cielo de púrpura, ahora elevaba su disco luminoso por encima de la línea nacarada de las montañas. Hacia él tendió Amenofis sus brazos, hacia él giró su rostro y
todos lo imitaron: la reina y las dos pequeñas y, a continuación, todos los dignatarios del país y los sacerdotes, que habían hecho callar
sus instrumentos y habían cesado sus cánticos. Sólo se oía el sonido
metálico de los discos agitados de los sistros que sacudían las dos
princesas. Entonces se elevó la voz de Amenofis, grave y profunda,
poderosa y ronca:

> *¡Espléndida es tu aparición en el horizonte del cielo,*
> *Atón viviente, creador de toda vida!*
> *Cuando te levantas en el horizonte oriental,*
> *Llenas todo el universo con tu belleza.*
> *Qué bello eres, grande y radiante,*
> *Dominas toda la tierra.*
> *Tu luz ilumina todos los rincones del mundo.*

Así salmodió, modulando los sonidos como en un canto lento y
majestuoso como el Nilo, que lleva hacia el mar sus aguas vivificantes:

> *Cuán múltiples son tus obras,*
> *pero están ocultas a nuestra mirada.*
> *Oh, dios único, fuera del cual nada existe,*
> *Tú solo creaste la tierra según tu deseo,*
> *y todos los pueblos, los rebaños y las bestias salvajes,*

y todo lo que camina sobre la tierra,
y todo lo que vuela en los aires,
el país de Kharu y Nubia,
y la Tierra Negra...
Estás en mi corazón
y nadie lo conoce más que tu hijo,
a quien enseñaste tus caminos y diste tu poder.
Eres la duración de la existencia, todos viven por ti,
todos los ojos contemplan tu belleza hasta que te escondes,
todo trabajo cesa cuando descansas en el occidente.
Haces que todo viva para tu hijo, nacido de tu carne,
el rey que vive en la Verdad, el Amo de las Dos Tierras,
Akhenatón, grande por la duración de la vida,
y para la Gran Esposa Real que él ama,
la Soberana de las Dos Tierras,
Neferneferuatón-Nefertiti, que viva en la eternidad.

Se produjo un silencio tan absoluto que se oía el crepitar de las resinas balsámicas que, lamidas por el fuego, se transformaban en volutas de humo azul que se elevaban lentamente hacia el cielo.

Entonces Panehesy repitió las últimas palabras invocadas por el rey, y toda la multitud lo imitó, como un eco, repitiendo:

–"Y para la Gran Esposa Real que él ama, la soberana de las Dos Tierras, Neferneferuatón-Nefertiti, que viva en la eternidad..."

Una violenta emoción se había apoderado del alma de la joven reina, que sentía que su corazón se dilataba y se encogía al mismo tiempo, pues, en lugar de estar llena de alegría, experimentaba una cierta tristeza. ¿No era a causa de esas palabras, "la Gran Esposa Real que él ama"? Porque, ¿todavía la amaba realmente? No conseguía alejar de su mente el fracaso de la noche anterior, después de un distanciamiento de tantos días. Entonces, ¿tan lejos habían quedado los abrazos apasionados de los primeros tiempos de su matrimonio? Sin duda él seguía sintiendo gran afecto por su esposa, pero ella percibía que la naturaleza de los sentimientos de Amenofis difería de su antiguo amor. Si en tan pocos años la llama había palidecido tanto, ¡qué quedaría al cabo de esa eternidad de vida que le deseaban las palabras del himno!

Se reconfortó pensando que tal vez se alarmaba con demasiada prontitud y que interpretaba una debilidad pasajera, un efecto del cansancio y las preocupaciones acumuladas, como un enfriamiento de los sentimientos. ¿Acaso no acababa de confiarle, de una manera tan inesperada, una función tan importante como delicada de asumir?

Como Amenofis ya terminaba de cumplir con los ritos de ofrenda, Nefertiti se apresuró a reunirse con él para volcar los perfumes en los vasos consagrados al dios. Ahora el sol se había separado claramente del horizonte y sus rayos comenzaban a calentar la tierra entumecida por el fresco de la noche.

Al final de la ceremonia, cuando bajó los escalones detrás de su esposo, llevando de la mano a dos sus hijas, Nefertiti ya había tomado la decisión de modificar el curso de su existencia: dejaría de vivir en Amenofis, dejaría de ser, en cierta medida, su mero eco, su reflejo, su doble. Iba a llevar su propia vida, iba a recuperar su antigua independencia; y si Amenofis todavía lo deseaba, podría encontrar fácilmente el camino que conducía hasta ella.

La reina se ubicó en su carro. Lo había hecho fabricar en los talleres reales a partir de un diseño que ella misma había dado al artesano; la caja, abierta en la parte posterior, era de madera de ébano con incrustaciones de oro en forma de anchas bandas curvas, que acompañaban, a ambos lados, la ondulación de los flancos, similares a la popa elevada de un barco. A la derecha se hallaba sujeto el largo estuche para jabalinas y arco, porque había querido que fuera igual a los carros de guerra y caza de los reyes. Gualdrapas de tela bordada con hilos de oro cubrían el lomo de cada uno de los dos caballos, desde el cuello hasta la grupa, enganchadas por medio de cinchas en el vientre, y las cabezas de los animales estaban adornadas con coronas de plumas que ondulaban al viento.

Dejó que los caballos marcharan al paso, para mantenerse a la altura del carro de Mai, que avanzaba muy cerca del suyo, rueda contra rueda. Así recorrieron la amplia avenida que atravesaba la ciudad de norte a sur. Delante de ellos iban cuatro guardias, que separaban a la densa multitud que poblaba las calles a esa hora, cuando el sol se elevaba alto en el cielo, y detrás los seguían dos flabelíferos, que llevaban abanicos de plumas multicolores dispuestas en semicírculo sobre una larga asta terminada en flor, con antenas curvadas que servían de soporte a las plumas.

En la parte septentrional de la ciudad que atravesaban, los trabajos de construcción habían progresado, de manera que el barrio había perdido su antiguo aspecto de obra. A ambos lados de la avenida, por encima de las paredes blanqueadas en las que resplandecía la luz del sol, se elevaba hacia el cielo el alto follaje de los árboles de los jardines, en cuyos fondos se desplegaban las columnatas y terrazas de las residencias de los poderosos.

–Realmente poderosa es la ciudad del Horizonte, y grande por su belleza –dijo Mai–. Es dueña de hermosas fiestas, rica en monumentos y templos para la ofrenda al Sol. Del espectáculo de su belleza nace el regocijo; cuando uno la ve, es como el cielo luminoso. Mi reina, quiero que en iguales términos sea inmortalizado el elogio de la ciudad del dios en las paredes de mi tumba, que he encomendado construir en el acantilado oriental, por la gracia de Su Majestad.

–Mai, tus palabras expresan la verdad –respondió ella–. ¡Por la voluntad del dios bueno, nuestro rey, nació del desierto una ciudad bellísima! Y yo quiero añadirle algo más; por eso te hice venir ante mí. El palacio que Su Majestad ordenó construir bien al sur de la ciudad, ese palacio de Maru-Atón que es como un gran parque encantador, ya está casi concluido. Antes de la próxima inundación podremos disfrutar del perfume de sus flores, de la sombra de sus árboles, de sus estanques ricos en peces y cubiertos de plantas, de sus pabellones. Los obreros que trabajan allí quedarán entonces liberados, y quiero que se los emplee en la construcción de un palacio bien al norte, en el lugar donde por primera vez Atón dirigió mis pasos. Ese es el lugar que quiero mostrarte, para que traces los planos del palacio, que será el mío.

Mai le dirigió una mirada en la que se dibujaba la sorpresa.

–Tu Majestad me honra –aseguró–, pero tu servidor no está calificado para asumir semejante tarea. El faraón ya me ha confiado cargos militares y también religiosos en Heliópolis, y dirijo las oficinas de la cancillería. ¿Pero qué puedo saber yo del arte de construir palacios?

–A partir de este día te nombro jefe de mis obras. Designarás, entre los artesanos del palacio, a los arquitectos y los pintores más capaces, y Djeuthimés te brindará apoyo con sus consejos y se encargará de las pinturas del palacio. Mai, tú has visto muchas cosas durante tus viajes y quiero que dirijas a los arquitectos y los pinto-

res para que se inspiren en las palabras de tu boca cuando les descri-
bas lo más bello que has visto en las otras naciones, a fin de recrear-
lo en mi palacio. Si es necesario, haz venir a artistas de Ugarit y de
Simyra, de las islas que están en medio del mar y de Karduaniash,
pero quiero que mi palacio sea el reflejo de todas las bellezas que ilumina Atón durante su recorrido celeste.

Atravesaron el suburbio septentrional, en el que se apretaban las
casas populares; allí se establecían hombres y mujeres provenientes
de todos los rincones de Egipto e incluso de los países vasallos: libios
de rostro anguloso y largo cabello lanudo y trenzado, adornados con
una pluma; etíopes de nariz y orejas decoradas con aros de cobre;
asiáticos a los que se reconocía tanto por su barba, siempre cuidadosamente recortada, como por sus ropas multicolores. Se instalaban
en chozas de barro, juncos y palmas que solían construir con sus
propias manos, atraídos por las posibilidades de enriquecimiento
que ofrecía la nueva capital. Los corredores que precedían a los dos
carros ahuyentaban los asnos y los bueyes de largos cuernos arqueados, los perros vagabundos y a los niños que jugaban en el polvo y
se divertían haciendo muecas y sacando la lengua.

–Mira –le hizo notar Nefertiti a Mai–, por aquí la ciudad parece
menos agradable. Acaba de nacer y ya la pobreza se instala en sus
alrededores. Tal vez se puedan reclutar trabajadores entre estas personas.

–Ya está hecho: son tantos los que vienen, que ya ni siquiera se
los puede recibir en la aldea obrera, al este de la ciudad.

–Había oído decir que allí se instalaban únicamente los artesanos
destinados a la construcción de la necrópolis; gente que sabe trabajar con sus manos, sabios en la perforación del acantilado y en la preparación de los cuartos funerarios.

–Así fue durante los primeros tiempos; después, una gran cantidad de albañiles y ladrilleros fue a establecerse allí, y ahora ocupan
el suburbio que estás viendo. Pero la mayoría es gente que no vale
nada, perezosos que viven quién sabe de qué, o bien comerciantes
que venden en los mercados o en sus tiendas oscuras productos traídos de aquí y de allá, e incluso mujeres, aunque a estas prefieren al-
quilarlas. También hay otros que se conforman con mendigar. Todos
los que quieran trabajar para Su Majestad ya encontraron su lugar.
Ya ves, ni siquiera un rey, hijo de un dios, puede impedir que la mi-

seria se instale en las puertas de su ciudad, ni, menos aún, erradicarla de sus Estados.

–Sin embargo, mi esposo Akhenatón pretende ser el protector de los pobres, sobre quienes Atón extiende la gracia de su luz. ¿No dicen que eleva a los humildes y rebaja el orgullo de los grandes?

–Es cierto, es cierto, y en esta corte somos muchos los que recibimos la gracia de Su Majestad, los que fuimos recogidos del lodo y llevados a palacios para servirlo en el amor de Atón. Pero hay tantos pobres en el mundo que todos los bienes de los ricos no bastarían para sacarlos de su miseria.

Se alejaron en silencio del barrio popular.

–Aquí está –dijo Nefertiti, deteniendo los caballos–. Aquí quiero que se alce mi palacio.

Se apearon de los carros y caminaron juntos al azar sobre la gran extensión de arena y limo endurecidos, salpicados de pedregullo, tierra estéril en la que iba a florecer, a su paso, la belleza.

–Mi reina –dijo Mai–, eres la luz de Atón que ilumina mi alma. Abriste la boca, dijiste las palabras que convenían y helo aquí: ya veo en mi corazón el palacio que deseas; lo veo allí, con sus hermosas puertas decoradas, sus jardines llenos de estanques y árboles de apacible sombra, sus patios y sus pórticos, sus salas sobre cuyos pisos y paredes vivirán todas las bellezas del mundo, mares lejanos donde se deslizan naves de formas gráciles, montañas que tocan el cielo, trono de los dioses, bosques tan densos que apenas penetran los rayos del sol, y también animales salvajes corriendo en los desiertos, prados verdes donde pacen terneros y cabras, y pájaros que pasan lentamente por un cielo que se irisa con los fuegos del poniente.

–¡Eso es! Sí, eso es, Mai. Pero, además, plantas de papiros que tiemblen en el viento y aves azules que beban en ellos el rocío de la mañana.

Permanecieron un rato callados y pensativos. Nefertiti se volvió hacia Mai y descubrió que era apuesto, de lo cual se sorprendió, ya que hasta ese momento no había prestado a sus rasgos una atención particular, pues su mirada estaba colmada con la belleza de Amenofis. Sin embargo, trató de alejar de su mente todo pensamiento que pudiera hacerla sonrojar.

–Mai –prosiguió al fin–, dentro de unos días voy a partir hacia la gran ciudad del Cetro, la ciudad del esplendor de Atón, pues voy a asumir mi cargo de directora de los asuntos de Amón; me quedaré allí un tiempo, sin duda varios meses. A mi regreso, me gustaría que hayas concebido los planos de este palacio, que puedas decirme con exactitud cómo será cada sala, cada jardín, y también a qué artesanos de talento has recurrido para llevar a cabo la empresa, para que comiencen las obras sin más demoras, pues ya me ves impaciente por establecerme en él.

–Se hará de acuerdo con tu voluntad, mi reina. Como ya sabes, soy tu servidor, tu esclavo fiel.

Ella le dirigió una sonrisa. Una ráfaga de viento hizo estremecer su vestido ligero. Mai la miraba con tal intensidad que se sintió incómoda y volvió la cabeza.

–Volvamos –dijo simplemente.

Capítulo XXI

Nefertiti se embarcó rumbo a Tebas en el gran barco real.
–Esto es para ti –le había dicho Amenofis–. De ahora en adelante este barco te pertenece, porque Mi Majestad no sabría qué hacer con él, ya que juré que nunca cruzaría los límites del territorio de Atón. Saluda por mí a mi madre venerada y también a mi padre en su palacio; diles que estoy bien en la luz de Atón, que cada día el amor de Atón se extiende sobre el mundo y el dios gana nuevos adoradores, gracias a la acción de su hijo. Y también que cada día instruyo a la gente de la corte, a los grandes y a los nobles, y también al pueblo, para revelarles la belleza de Atón.

La reina llevaba consigo a May, que se había convertido en una fiel compañera; a su chambelán, Meryre; a Hanis, el jefe de su guardia personal; a sus tres hijas con sus respectivas nodrizas; un séquito de nobles y servidores y, por último, a un cuerpo de soldados, que viajaban en el segundo barco.

En la nave real los días transcurrían monótonos, alegrados por la presencia de las tres niñas, a quienes Nefertiti consagraba numerosos momentos, ya que disponía de mucho más tiempo libre que en Ikhutatón. Pasaba el resto del tiempo a la sombra de un dosel, jugando o conversando con May. Una de sus distracciones predilectas consistía en hablar de los dignatarios y los nobles del palacio, de quienes se burlaban a sus espaldas, riéndose de sus defectos; Nakht, el viejo visir de la ciudad, que se volvía cada vez más obeso pero que, por mucho que corriera junto al carro del rey como un perfecto cortesano, era tan glotón que no lograba perder su grasa, era la víctima favorita de sus charlas. Sin embargo, el tono cambiaba cuando se trataba de ciertos personajes, como Djeuthimés, por el que Nefertiti sentía gran admiración. Así, un día terminaron hablando de Mai.

–Es realmente un hombre encantador –decía May–. El hecho de haber vivido en países lejanos, entre otros pueblos, parece haber refinado su espíritu. ¿Sabes que todo el mundo se asombra de que un hombre como él, tan atractivo, todavía no haya elegido esposa? Ya no es un adolescente; hace tiempo que está en edad de casarse, y muchos personajes importantes estarían interesados en darle a una de sus hijas, porque sobre él recayó la mirada de Su Majestad. E incluso parece que vive solo, sin ninguna mujer que endulce sus oídos, ni esclava ni concubina.

Movida por un extraño pudor o temor, Nefertiti nunca había preguntado a sus allegados sobre Mai y, si bien él solía hablarle a menudo de países extranjeros, nunca le había dicho una palabra sobre su vida actual. Que no tenía esposa era algo que ella sospechaba, pues infaliblemente habría tenido que mencionársela tarde o temprano, o al menos la habría llevado a las fiestas que los soberanos ofrecían en el gran palacio. Pero podría tener concubinas, libres o esclavas, lo cual sucedía con frecuencia en las casas de los personajes importantes. Sin embargo, ahora su amiga le informaba que vivía en la más absoluta soledad.

–Mai no es un hombre común –observó Nefertiti–. Nadie en este país ha viajado tanto como él para conocer el mundo. ¿Qué egipcio abandona voluntariamente la Tierra Querida, si no está obligado a viajar lejos por razones de comercio o por orden del rey? ¿Y acaso no prefería mendigar antes que vivir del trabajo de sus manos? No por pereza, sino porque conoce su valor y sabía que podía ser más útil al rey.

–Es cierto –murmuró May, que bajó la mirada para rascar suavemente con sus largas uñas una mancha de los almohadones.

Nefertiti se había abandonado a una ensoñación que la llevaba por los caminos de Ikhutatón, junto a Mai. Pronto la despertó May, que dijo de pronto:

–Perdóname. Primero creí que era preferible callarlo, pero el afecto que siento por quien se dignó a hacer de mí su amiga y el respeto que me merece mi soberana me obligan a ser sincera contigo. Mira, las malas lenguas pretenden que Mai está enamorado de ti y que tú no lo desprecias. Temo que tales rumores lleguen a oídos del rey, y no quisiera que eso te perjudicara. Ni siquiera una reina está al resguardo de las calumnias, y a menudo los cortesanos que la

adulan esconden su envidia o su rencor. ¡Te muestras tan ostensible-
mente en su compañía!

–May, no disimulo que me agrada su conversación –declaró
Nefertiti después de un silencio causado por el asombro al enterarse de tales rumores que, no obstante, no hacían más que confir-
mar una realidad que ella no había querido reconocer–. El rey sabe que lo considero un amigo y, en cuanto a él, es evidente que
tampoco me odia, ¿pero quién puede penetrar en su corazón para
conocer sus sentimientos? ¿Y qué me importa lo que digan los cortesanos?

–Su Majestad podría sentirse celoso –murmuró May.

–Conozco al rey mejor que nadie, May. No temas por mí, porque
tengo la conciencia tranquila... aunque a veces extraños sentimientos confundan mi alma.

Las dos callaron, una por miedo de haber molestado a su amiga
con una revelación que podría haber herido su sensibilidad, la otra
para meditar sobre la naturaleza de sus sentimientos por Mai. Y esta última quedó persuadida de que su amor por Amenofis no se había modificado en absoluto, aunque le agradara la compañía de Mai,
y escucharlo hablar de esos lugares que seguían siendo inaccesibles
para ella pero que la llevaban por el camino de los sueños, aunque
de repente se hubiera dado cuenta de que él era atractivo y podía seducir el corazón de una mujer.

No bien se instaló en su palacio de Djarukha, Nefertiti fue a visitar a la reina madre, Tiyi, en compañía de sus tres hijas. Había confiado a la pequeña Ankhsenpaatón a su nodriza, que la seguía mientras ella llevaba de la mano a las dos mayores.

–¡Bienvenida, bienvenida, mi querida! ¿Cómo estás? ¿Cómo está
el rey, mi queridísimo hijo? Y aquí están tus hijas... Acérquense,
vengan a saludar a su abuela...

Tiyi estaba sentada en un sillón, sobre un mullido almohadón.
Nefertiti no pudo dejar de admirar hasta qué punto la reina se había conservado joven y alerta. La mujer mayor tendió sus brazos
cargados de joyas hacia las dos niñitas que se acercaban, con la mirada baja.

–¡Miren! –les dijo después de haberlas acariciado–. ¡Esta es su tía
Baketatón! ¡Merit! ¡Tiene la misma edad que tú y son de la misma estatura!

La hija de Tiyi, sentada a un costado, sobre un almohadón, junto a su nodriza, se levantó y fue a abrazar a Meritatón.

–¡Acerquen un asiento para la Gran Esposa Real! –ordenó Tiyi a dos mujeres, que adelantaron un sillón, en el que Nefertiti se sentó. Notó que era ligeramente más bajo que el de su suegra, de manera que esta necesitaba un taburete para apoyar los pies.

–Madre venerada –dijo entonces Nefertiti–, mi corazón se alegra al ver que la bella juventud vive siempre en tu pecho y en tus miembros.

–Agradezco a los dioses y a Atón, pero Su Majestad no está tan favorecido como yo. Está mal, lo atormentan los demonios y los gusanos devoran sus dientes.

–Luego iré a visitarlo. Quisiera tanto serle útil, poder aliviarlo...

–No puedes hacer nada; hasta sus médicos son impotentes, incluso ese médico que envió el rey de Naharina, un gran mago, y que sin embargo sólo pudo aliviar un poco al rey, que está perdiendo todos los dientes con gran sufrimiento. Satamón, la niña querida que está siempre a su lado, ilumina su vejez. ¡Pobrecita! Su hijo, el pequeño Tutankhatón, la hace muy feliz.

–También iré a verla, pues mi corazón la aprecia mucho –aseguró Nefertiti.

–Bien, bien. Pero tú, ¿sólo tienes hijas mujeres, nunca un varón? ¿Cuándo darás a mi Ameni un heredero al trono?

–Cuando el dios lo permita, madre –respondió Nefertiti con un suspiro.

–¡Felizmente está el pequeño Tuti! Pues sí, desposará a Baketatón y él llevará la doble corona si tú no le das un varón al rey, tu esposo. Pero, dime, ¿por qué has venido sola a la gran ciudad, sin el rey, mi hijo?

–Su Majestad juró no volver a salir de los dominios de Atón. Desearía que tú y tu augusto esposo fueran a visitarlo a su nueva capital, que es muy hermosa.

–¡Qué ocurrencia! ¡Una idea realmente extraña la de hacer semejante juramento! Iremos cuando mi esposo, el rey, se sienta mejor. ¿Para eso has venido ante mí? ¿Para invitarnos?

–Su Majestad me encargó ver y vigilar a los sacerdotes de Amón, y yo quiero conocer sus verdaderos sentimientos y lograr que cedan más del oro que tienen en abundancia, para continuar la construcción de la Ciudad del Horizonte.

–Está muy bien. No dudo que serás más hábil que mi hijo y no te enfrentarás a ellos sólo por placer. ¿Sabes que Anen, mi pobre hermano, se ha reunido con su alma? Partió el año pasado hacia el Bello Occidente, el país del que no se regresa. Pero fue reemplazado felizmente por Samut, pariente de Ramosé, el visir de Tebas. No es enemigo de Atón, por eso mi esposo, el rey, por sugerencia mía, lo hizo nombrar en ese puesto.

–Es cierto que lo ignoraba. Ameni no me dijo nada.

–Supongo que no lo sabe, porque mi esposo, el rey, no consideró útil avisar a nuestro hijo de una decisión que concierne a gente de la que no quiere oír hablar. Felizmente estamos aquí para velar por sus intereses, ya que en su Ciudad se olvida con demasiada facilidad del resto del mundo.

–Promover el culto de Atón es la razón de su vida –reconoció Nefertiti.

–Eso no justifica que me haya negado su sello para asuntos que me resultaría fácil arreglar. Olvidó pronto que no es más que el corregente de su padre y que, en última instancia, mi esposo es el verdadero amo de las Dos Tierras.

–Sin duda, madre, pero parece que Su Majestad, su padre, se desinteresa totalmente del gobierno del imperio, de manera que todos saben, desde los grandes y los dignatarios de ambas cortes hasta los vasallos y los reyes de las naciones extranjeras, que es Ameni quien posee el poder real.

–Y por eso corre el riesgo de hundir el navío que pilotea, porque, si bien es bueno que un nauta alce de vez en cuando la mirada hacia las estrellas, también es necesario que la baje a menudo hacia la orilla, para no encallar en el limo.

–Madre, no dudes que Ameni tiene los ojos vueltos hacia la tierra, más de lo que parece.

Tras despedirse de Tiyi, Nefertiti fue a visitar a Satamón. Encontró a la princesa en su palacio, en compañía de su hijo, al que rodeaba de constantes cuidados; visiblemente era su única alegría, su única razón para vivir. Nefertiti notó que su rostro estaba cada vez más melancólico y enfermizo; sin embargo, la muchacha se mostró feliz de volver a ver a su cuñada y no formuló ninguna queja. Cubrió de caricias a sus tres sobrinitas y se alegró al saber que Nefertiti iba a quedarse un tiempo en Tebas.

–¡Me alegra tanto tu presencia! –exclamó–. Aquí casi no tengo amigas; estoy sola en este gran palacio.

–Pero por lo menos tienes a tus otras hermanas. ¿Tu padre, el rey, no tiene otras dieciséis hijas de las mujeres de su harén?

–Casi no las veo. Además, ellas no me quieren; me envidian porque tuve derecho a una vivienda para mí sola y porque el rey me eligió para ser su segunda esposa real. ¡Qué locas! ¡Si supieran quién es en realidad sentirían menos envidia! Y desde el nacimiento de mi pequeño Tuti tienen menos razones aún para quererme.

–En verdad no veo por qué ese nacimiento podría ponerlas celosas –se sorprendió Nefertiti mirando al pequeño, que se había puesto a jugar con Meritatón y Maketatón.

–Es el único varón del palacio. Si tú no tienes un hijo, él será el heredero del trono. Mi padre, el rey, me lo ha dicho, y eso fortaleció el amor que siente por mí.

–Las dos debemos alegrarnos por un nacimiento que asegura la continuidad del linaje de Ra –declaró Nefertiti, esforzándose por alejar de sí todo sentimiento de rencor por no lograr dar a luz a un varón.

Dirigió su atención a Tutankhatón, que le pareció encantador, con su rostro diáfano y sus grandes ojos negros llenos de una especie de melancolía que le sorprendía descubrir en un ser tan joven aún. Pensó que se apegaría fácilmente a un niño semejante y que, en todo caso, podría ser un buen esposo para Maketatón, o incluso para Meritatón, aunque esta fuera unos años mayor.

Nefertiti visitó también al viejo rey, pero permaneció poco tiempo en su presencia y apenas tuvo ocasión de hablarle pues sufría tanto de los dientes y otros males que no cesaba de gemir y se mostraba poco interesado en escuchar a su nuera.

La joven reina procuró que su entrevista con los sacerdotes de Amón estuviera acompañada por la mayor pompa. Por intermedio de Ramosé hizo saber a Maya, el primer profeta del dios, que iría al gran templo al día siguiente y que deseaba que todos los miembros eminentes del clero se hallaran presentes para recibirla. Para esa ocasión se puso la tiara adornada con los cuernos y las plumas simbólicas del dios y se hizo transportar en un asiento dispuesto en un palanquín, llevado por ocho robustos nubios, como se hacía con el rey en ciertas ocasiones o con las estatuas de los dioses. Para dar todo su brillo a la ceremonia, se hizo acompañar por flabelíferos, por los más altos dignatarios de la ciudad, encabezados por Ramosé, por escribas y guardias. Hanis abría el cortejo, que terminaba con los portadores de ofrendas.

Los sacerdotes acudieron a recibirla, con gran ceremonia, a las puertas del recinto del templo, que daban acceso al embarcadero cerca del cual amarró el barco real. La posición dominante de Nefertiti sobre su palanquín le permitió permanecer rígida y hierática mientras Maya, los padres divinos y todos los dignatarios del templo iban a inclinarse ante ella.

–Que la Gran Esposa Real sea bienvenida a la casa de Amón, el rey de los dioses –dijo el primer profeta.

–Maya –contestó Nefertiti–, vengo aquí en primer lugar para traer mis ofrendas para los altares del templo de Atón, que es el Único, la vida de Ra.

–¡Qué pena! –se lamentó el sacerdote con un suspiro–. El templo de ese dios sigue inconcluso, porque Su Majestad puso toda su atención en la nueva ciudad, en el dominio que asignó a su dios.

–Que me lleven al templo de Atón –ordenó la reina.

El cortejo se puso en marcha detrás de los sacerdotes. Estos últimos subían la rampa que conducía a los pilones que daban acceso al recinto del gran templo de Amón. Pensaban que, de este modo, podrían obligar al cortejo a pasar por el templo del dios para rendirle homenaje antes de llegar al de Atón, situado al este, más allá del complejo arquitectónico consagrado a Amón; pero Nefertiti ordenó que se desviaran hacia la izquierda, bordeando la alta muralla, para así eludirlo. Por lo tanto, los sacerdotes se vieron obligados a seguir hasta el templo de Montu, situado al norte, en su propio recinto sagrado. Divinidad astral asociada a Ra, Montu había sido, en una época, elevado al rango de protector de la región de Tebas, hasta el día en que fue destronado por Amón, a quien los reyes de la primera gran dinastía tebana, la duodécima, habían elevado al rango supremo. Amenofis III había querido hacer justicia construyéndole un templo, terminado hacía pocos años. Nefertiti quiso que se hiciera una parada allí; la procesión pasó entre los dos obeliscos que flanqueaban la doble muralla y después se detuvo en el vasto patio rodeado de pórticos con columnas de capiteles en forma de flor de loto.

Mientras los portadores bajaban el palanquín, se acercaron los sacerdotes del templo, que hicieron una reverencia para saludar a la reina. Sin abandonar su sitio ni su pose hierática, ella ordenó que se entregara a los sacerdotes las ofrendas que había preparado para el dios a fin de que fueran dispuestas en los altares, y a continuación prosiguió su camino hacia el templo de Atón.

Convocados para la construcción de la nueva ciudad, los obreros habían dejado inconcluso el templo de Atón, cuya muralla rectangular de ladrillo formaba una imponente mole orientada hacia el sol naciente. El cortejo penetró en el amplio patio de acceso, rodeado de pórticos en construcción. El rey había decidido que a los pilares que sostenían las losas del tejado se adosarían estatuas colosales de él mismo, pero nunca se habían realizado. El gran sacerdote del dios en ese templo acudió con su clero ante Nefertiti, que al fin se dignó levantarse.

–Mira, Penthu –dijo la soberana–, traigo ofrendas que agradan al dios. Yo misma quiero consagrarlas en sus altares.

–¡Tu visita nos provoca un gran júbilo, oh reina! –exclamó Penthu–. Podrás ver con tus propios ojos la miseria de los fieles de Atón en este templo, porque Su Majestad parece haberse olvidado de nosotros. Los pintores, los escultores y todos los hombres de manos habilidosas fueron convocados por el rey y dejaron así, sin llevarlas a su perfección, todas las cosas hermosas que habían comenzado.

–Aquí mis ojos son los ojos del rey; velaré por que los artesanos regresen a terminar las obras que les había inspirado el dios.

Avanzó hasta el altar monumental, seguida por los portadores de ofrendas y por Meryre, su chambelán, que llevaba en sus manos un papiro enrollado en el que Amenofis había hecho copiar su himno a Atón. Nefertiti lo tomó y lo entregó al gran sacerdote.

–Este es el himno que Atón inspiró a su hijo, el rey Akhenatón, ¡que viva eternamente! –le dijo–. Su Majestad quiere que cada día se entone este canto para la gloria del dios cuando emerge triunfante de las tinieblas nocturnas.

Penthu recibió el rollo con una inclinación; luego la reina subió al altar para rezar al Sol y consagrar las ofrendas.

Sólo después fue al gran templo de Amón, donde Maya había convocado a todas las mujeres pertenecientes al santuario: sacerdotisas, cantantes, intérpretes musicales y bailarinas.

El cortejo se detuvo en el gran patio y el primer profeta invitó a la reina a que se ubicara a la sombra de un pórtico en el que se habían instalado dos asientos iguales sobre un estrado. Al ver que Maya tenía intenciones de sentarse a su lado, en su mismo nivel, ella declaró que permanecería en su propio sillón, en el lugar donde se encontraba, lo que obligó al sacerdote a permanecer de pie frente a ella.

–Mira –dijo él entonces–, he reunido para ti a todas las mujeres del templo, a todas las servidoras de Amón subordinadas a la reina... –Y añadió con perfidia–: Aunque es cierto que todavía nadie ha podido decirnos cuál de las dos Grandes Esposas Reales, si Tiyi o tú, es la directora de las adoradoras de Amón.

–Entonces te lo diré yo, Maya –le contestó Nefertiti–. Es la reina Tiyi. Pues debes saber que yo he venido en representación de Su Majestad, quien me delegó todo su poder, dado que no quiere tener más trato con los fieles de Amón.

Maya parpadeó, pero tan bien escondió sus sentimientos bajo una máscara de total serenidad, que Nefertiti no supo si recibía la noticia con indignación o con alivio.

–Así pues, por la voluntad del faraón, es a mí a quien deberán rendir cuentas de la gestión de los bienes del dios. He examinado la lista de los recursos de los que dispusieron el año pasado y me quedé admirada al saber que tantas riquezas afluyeran hacia el templo de Amón. Después, también me alegré por Su Majestad. Como conozco bien la fidelidad de ustedes hacia el rey, tengo la certeza de que, en un gran impulso de amor por Su Majestad y por los dioses de Egipto, harán llevar a mi palacio de Djarukha la única suma de mil cuatrocientos *deben* de oro, y nada más, porque Su Majestad no querría privar al templo de sus rebaños y todos los víveres que permiten alimentar tantas bocas. Pues la mansedumbre del rey es tan grande que sólo quiere tomar una ínfima parte de sus propios bienes.

Maya había palidecido al oír esas palabras; no sin cierta insolencia, quiso rectificar:

–Son los bienes del dios.

–De los que el rey es usufructuario –replicó Nefertiti.

–¡Mil cuatrocientos *deben* de oro! –exclamó entonces Maya–. Es una suma considerable, ¡los ingresos de tres años completos!

–¡Su Majestad necesita mucho oro para proseguir sus vastos proyectos! Y ningún otro templo recibe oro, de manera que son los únicos a los que puede recurrir. Además, deben de haber acumulado tanto en el transcurso de los años pasados, que esto representa poca cosa para ustedes, una miseria.

Para poner término a toda recriminación, Nefertiti se levantó y, desafiando a Maya con la mirada, añadió:

–Quiero que ese oro sea llevado a mi palacio en el curso de este mes, pues debo entregarlo a Su Majestad, que lo espera con gran impaciencia.

Seguida por el primer profeta, simuló interesarse por las servidoras del dios; habló amablemente con unas y otras, les preguntó por sus familias y, en fin, hizo todo lo que convenía para crearse una imagen favorable ante los ojos de aquellas mujeres, halagadas por haber atraído la atención de la reina. Después tuvo la audacia de ir a conversar del mismo modo con los sacerdotes, y al fin regresó a su palacio, tras haber invitado a Maya y a los sacerdotes divinos a encontrase allí con ella en los próximos días con el oro reclamado.

Alternando la firmeza con aparentes concesiones, Nefertiti logró obtener todo lo que deseaba de los defensores de Amón, sin necesidad de emplear la violencia y sin ganarse su enemistad, como lo había hecho en un primer momento Amenofis, que por fin parecía haberse dado cuenta del error que representaba semejante actitud, razón por la cual había encargado a su mujer que se ocupara de las relaciones con la gente que le provocaba cólera.

Nefertiti permaneció en Tebas más tiempo del que había previsto. En primer lugar, el oro de Amón se hizo esperar; fue llegando en fracciones, con el pretexto de que no existía una cantidad tan grande en las reservas del templo. Aunque Nefertiti lo dudaba, no tenía forma de verificarlo. Cuando se hallaba a punto de partir, se levantó el viento del desierto que sopla en primavera, a menudo con tanta persistencia que puede durar cincuenta días casi sin cesar. Y fue eso lo que ocurrió. Durante todo ese tiempo, la arena fina acarreada desde el desierto en ardientes torbellinos de viento oscureció el cielo, penetró en las viviendas, tornó desagradable la permanencia al aire libre y peligrosa la navegación por el Nilo. De modo que los nautas reales juzgaron prudente esperar al fin de la estación de bruscos cambios climáticos para trasladar a la reina en absoluta seguridad.

Durante la prolongada estancia, Nefertiti tuvo ocasión de estrechar los lazos que la unían a Satamón; la jovencita manifestaba un placer evidente al estar con ella, pues encontraba en su cuñada una compañera amable, llena de miramientos y tiernas atenciones para con ella. Además, a diferencia de los años que había pasado antaño en el palacio real de Tebas, durante los cuales había mantenido relaciones muy ocasionales con sus suegros –ocupada como estaba con su esposo, del que se separaba sólo excepcionalmente–, ahora la joven reina visitaba casi a diario a la reina madre Tiyi, por quien había desarrollado un verdadero cariño, mezclado con admiración y complicidad, y también al rey, cuando se calmaban sus dolores de dientes. Así, en pocos meses había logrado ganarse la confianza y el aprecio de sus suegros, pese a haberse mantenido tanto tiempo distanciados. Por otra parte, en lo profundo de su ser reconocía que la experiencia de la vida y de los hombres, que había adquirido a lo largo de los últimos años, la inclinaba a procurarse protectores encumbrados y asegurarse aliados que en otros tiempos habría desdeñado; así pues, se felicitaba por partida doble por haberse asegurado un lugar destacado tanto en el corazón de sus reales suegros como en el de Satamón, por la que sentía una ternura llena de compasión.

Nefertiti regresó a la ciudad del Horizonte la víspera de la salida de la estrella Sotis a la luz del sol, que anunciaba el comienzo de la inundación.

Amenofis se hallaba en la sala del trono del gran palacio oficial, donde recibía los informes del visir y de los diversos jefes de los escribas reales, de manera que no acudió a saludarla. No obstante, no bien la reina llegó a sus aposentos en la residencia real, numerosos dignatarios se presentaron ante ella para rendirle homenaje, todos los que no habían sido convocados a la audiencia real. Mahu, uno de los últimos en acudir, le rogó que lo perdonara por no haber ido a recibirla a su llegada, pues no le habían avisado y hasta ese momento había estado ocupado resolviendo diversos asuntos en los puestos de control de las montañas. Nefertiti, que contaba al jefe de la policía entre sus más fieles partidarios, había depositado en él toda su confianza. Por eso despidió a los cortesanos que todavía se encontraban en la sala de recepción y, una vez que se encontraron solos, le preguntó cuáles eran las novedades que le concernían más particularmente y si algún dignatario había intrigado contra ella ante el rey.

–De eso no me llegó ningún rumor –aseguró él–, aunque no pueda asegurarte que nadie haya tratado de perjudicarte en el espíritu de Su Majestad. Pero, según la opinión de Mahu, no tienes que preocuparte por eso, ya que el rey cerraría sus oídos a la calumnia. Sin embargo, por desgracia debo anunciarte una noticia que seguramente va a contrariarte. Habrás notado que Mai no ha venido a darte la bienvenida.

–Lo creía en el palacio, ante el trono del rey, entre los otros mandatarios.

–No está allí, y no vendrá a saludarte. Debes saberlo por mí, ya que nadie se atrevió a decírtelo. La desgracia del faraón cayó sobre la cabeza de Mai. Su Majestad lo había elevado muy alto, y Su Majestad lo rebajó. ¿Por qué? No sabría decírtelo. Pero escucha: hace menos de un mes, en el momento de la luna nueva, Su Majestad me hizo venir ante su trono augusto y me ordenó que fuera a buscar a Mai, lo condujera más allá de los límites del territorio del dios y le prohibiera que vuelva a poner sus pies en él, bajo pena de muerte. Y yo me atreví a sorprenderme; quise defender la causa de Mai, porque sentía aprecio por él y porque, además, tú lo tenías en tan alta estima. Pero el rey levantó una ceja y me preguntó cómo osaba discutir sus órdenes, cómo me atrevía a querer conocer los motivos de sus decisiones. Tuve que retractarme, asegurarle que no había sido tal mi intención y obedecer, porque sentía que la ira de Sekhmet, la diosa leona, estaba en el corazón de Su Majestad. Fui a buscar a Mai y le informé la razón que me llevaba a verlo. Parecía estar esperándome, porque se limitó a decirme: "Vamos". Se disponía a seguirme así como estaba, sin más posesión que su taparrabo. Yo le sugerí que llevara oro y todos los bienes que pudiera tomar, pero él me miró y me dijo más o menos esto: "Mahu, ¿para qué me serviría? Dentro de un mes, dentro de un año, todo eso se habrá ido con el viento, polvo de nuestros deseos, como nuestros cuerpos, que no serán más que polvo incluso antes de que hayamos pensado en vivir. Dejo aquí todas esas riquezas, imagen de la vanidad de las cosas del mundo; se las devuelvo al faraón, que es quien me las ha dado. Además, me dio todo cuando yo no poseía nada, y vuelvo a irme con nada. La Tierra es más grande de lo que piensa el rey, y también él descubrirá la vanidad de su empresa. Me voy por los caminos del mundo, a los países que ilumina el sol, porque en realidad me ahogo en esta ciudad de cortesanos. Mi alma está hecha para los grandes espacios y ahora sé que me equivoqué al creer encontrar un aleatorio descanso en una casa revestida de oro".

Nefertiti, a quien estas palabras afligían a la vez que multiplicaban su admiración por Mai, aprovechó una pausa de Mahu para preguntar:

–¿Es posible, Mahu, que el rey haya echado a un hombre con un alma tan noble? ¡Nunca lo habría hecho si yo hubiera estado aquí! ¿Pero por qué?

–Eso no puedo decírtelo –respondió Mahu–. Pero debes saber otra cosa. Cuando llegó el momento de despedirnos, después de que lo acompañé hasta la frontera del territorio del dios, Mai añadió: "Mahu, amigo mío, cuando veas a la reina, dile que cada vez que yo vea salir el sol en mis nuevos vagabundeos pensaré en ella, la imaginaré avanzando hacia el altar adornada con su belleza, para hacer ofrendas al dios. Porque Atón seguirá siendo el único dios que nos une, pues sólo él es idéntico a sí mismo en todos los países y ante los ojos de todos los mortales. Y en eso Su Majestad está en lo cierto, porque sólo el Sol es único y universal, y sin él toda vida se extinguiría en el mundo". Estas son, mi reina, las últimas palabras que me dijo y que yo guardé cuidadosamente en mi corazón.

–¿Entonces nadie sabe dónde está ahora? –le preguntó Nefertiti con un tono que dejaba traslucir su ansiedad.

–Solo Atón puede saberlo. Me parece que tenía intenciones de dejar la Tierra Negra, sin duda para siempre.

En un primer momento, Nefertiti estuvo a punto de ir a ver al rey en pleno consejo, para preguntarle las razones de su decisión. Pero después de reflexionar consideró que sería un acto poco atinado, que podría hacer pensar a Amenofis que ella experimentaba por Mai sentimientos que habrían podido justificar su exilio. Porque tenía la convicción de que habían sido las libertades que ella había permitido a Mai en la relación entre ambos lo que había perjudicado a su amigo en el espíritu de su marido.

La amargura por la injusticia cometida con Mai arruinó la alegría de su regreso, por lo que Nefertiti recibió a Amenofis con rostro grave y sombrío cuando este se presentó ante ella, a la hora en que se disponía a comer en compañía de sus hijas. Sin, al parecer, prestar atención a su actitud, él se acercó a besarla, le preguntó por el viaje, por la salud de su padre y de su madre, la reina, al igual que la de sus hermanas. Por último le preguntó cuáles habían sido los resultados de las entrevistas con los sacerdotes de Amón. Nefertiti le respondió brevemente, con tono seco, tanto que, cuando las nodrizas fueron a buscar a las niñas para llevarlas a la cama, él se asombró de su frialdad pues esperaba un desborde de afecto tras una separación tan prolongada.

–Ameni –le respondió ella entonces–, entre todos los funcionarios de esta ciudad, entre todos los nobles, que en general son cortesanos de boca mentirosa, había uno sincero, que quería a su soberana. Tú lo habías distinguido entre tus súbditos y lo habías elevado hasta los pies de tu trono; yo misma le había concedido mi favor y, antes de mi partida, le había confiado la tarea de elaborar los planos de un palacio que yo quería que se alzara al norte de la ciudad, opuesto al Maru-Atón. Y ahora me entero de que lo exiliaste, sin que nadie pueda decirme las razones de tu decisión. Infórmame cuál fue su crimen.

Amenofis entrecerró los ojos y su pecho se hinchó en un profundo suspiro. Luego dijo:

–Esa es la voluntad del faraón, que eleva a los humildes y rebaja a los poderosos.

Ella esperaba más detalles, que no llegaron. Entonces dijo sorprendida:

–¿Esa es la justicia de Ra? ¿Así que basta con que alguien te desagrade, sin motivos, para que lo exilies, después de haberlo despojado de sus bienes?

–No me desagradó sin razón.

–Entonces, dímela. ¿O tienes vergüenza de ti mismo y de una decisión tan inicua?

–¡Con cuánta pasión lo defiendes! ¡Cuánta razón tuve al alejarlo de nuestra presencia!

Entonces Nefertiti estalló:

–¡Así que era eso! –exclamó, levantándose de su asiento–. Debiste de pensar que yo sentía por él algo más que afecto, que me gustaba tenerlo cerca de mí, que podía amar a otro además de a ti, que eres para mí padre, hermano, esposo y rey. ¡Oh, Ameni! ¿Es

posible que hayas podido pensar mal de mí, que tengas tan poca
confianza en mi amor, que los celos hayan podido rozarte con sus
negras alas? ¡No, no me digas que esa es la causa de la desgracia de
Mai!

Se volvió para esconder las lágrimas que le empañaban los ojos;
después, súbitamente, corrió a refugiarse en su habitación. Se arrojó
de espaldas sobre el lecho, el pecho sacudido a veces por un largo
sollozo. Dejó encendida una sola lámpara, cuya mecha, consumida
casi por completo, apenas proyectaba un tenue resplandor.

Amenofis entró en la habitación como una sombra furtiva que
tembló en la pared en la que se desplegaba un cielo surcado de flores y follajes, de los cuales surgían miles de aves silenciosas de brillantes colores. Nefertiti, que había cerrado los ojos, apenas lo sintió
acostarse a su lado; cuando él la abrazó, mantuvo los párpados cerrados y posó sus manos finas en su espalda ancha, de piel suave.
Esa noche él le devolvió placer por el amor que ella creía casi haber
olvidado.

A mediados del invierno siguiente dio a luz a su cuarta hija, nuevamente una niña, que recibió el mismo nombre de la madre: Neferneferuatón.

Capítulo XXII

Nefertiti sentía que su antigua alegría se apagaba lentamente y desaparecía a lo largo de los días, como la corriente de un río que erosiona la tierra de la orilla y se la lleva lejos, hasta el mar. No cesaba de preguntarse si Amenofis seguía amándola, porque, desde la noche única en que había engendrado a su última hija, ya no se acercaba a ella. También había percibido la aflicción en que lo había sumido el nacimiento de una cuarta niña, cuando hasta último momento había demostrado la firme convicción de que esta vez iba a ser un varón. Luego, al descubrir que se trataba de una niña, había dicho estas breves palabras:

–¡Nunca, no! ¡Nunca más! –Y se había marchado.

Sin embargo, seguía demostrando la misma atención por su mujer, incluso el mismo cariño que antes; aún le gustaba tomarla de la mano cuando estaban sentados uno junto al otro, tanto en público como en privado. Entonces ella pensaba que su aparente frialdad debía atribuirse a esa impotencia amorosa que parecía haberse apoderado definitivamente de su cuerpo, como un demonio enemigo. En cambio, ocupado como estaba por el servicio a su dios, le cedía cada vez más poderes, le confiaba tareas reales como la recepción del visir, las audiencias con el jefe de la policía, con los funcionarios encargados del fisco y la administración de los dominios reales, e incluso la recepción de oficiales importantes, directores de carros y de reclutas. Por ello, ella había hecho nombrar a su hermano, Nakhtmin, escriba real y general de los ejércitos de Su Majestad en Nubia y había encomendado a Horemheb la vigilancia de las fronteras del lado asiático, en Canaán y Siria. Aceptaba con placer esas funciones reales que ocupaban su mente y fortalecían en ella ambiciones políticas que hasta ese momento habían permanecido ocultas por sus sentimientos hacia Amenofis, que durante tanto tiempo habían dominado su alma. Por otra parte, al nombrar en puestos clave a hombres cuya devoción conocía, afirmaba poco a poco su posición en el trono, volviéndose indispensable para su esposo.

Aquel día había ido de visita al taller de Djeuthimés, tanto para admirar sus nuevas obras como para ver el busto que el escultor había hecho de ella en una caliza blanda que acababa de terminar de pintar. El artista había recreado a la perfección la armoniosa regularidad de los rasgos de su rostro, las negras cejas arqueadas, los rojos labios de dibujo perfecto, la delicadeza de su nariz; la pintura había logrado, además, el claro matiz de su piel; el oro y el azul de su toca, que ocultaba todo su cabello, resaltando de ese modo la pura elegancia de las líneas de su cuello alargado y su rostro; la majestuosidad de su garbo. Ese retrato la perturbó profundamente porque vio en él el reflejo de una realidad que nunca se le había aparecido con tal agudeza: nada quedaba de la despreocupación juvenil, del chisporroteo de la alegría de vivir, de todas esas manifestaciones de los deseos del alma, deseos vagos y jamás satisfechos, de los sueños, a veces empañados por un velo de melancolía, de los locos entusiasmos o de las penas que uno cree eternas, de todos los arrebatos del corazón que animan el rostro durante la preciada juventud. La gravedad de la madurez, la contención en la expresión de los sentimientos que impone el trato con el otro, un resabio de amargura que deja en el fondo del corazón la pérdida de las ilusiones, un cierto desencanto provocado por un conocimiento más certero del alma humana... todos esos nuevos trazos que marcaban su corazón con profundos surcos se expresaban en su rostro y en su mirada.

–Mira –le decía Djeuthimés–, creo que el dios me inspiró más que en mis otras obras. Este busto servirá de modelo para mis discípulos, que reproducirán tus facciones para que cada dignatario pueda tener en su casa una efigie de su reina.

– Djeuthimés, ¿crees que les resultará agradable verme así en cada momento del día?

–Así lo decidió Su Majestad, como quiso que Bek multiplicara sus propias estatuas para que decoren los templos de Atón y, principalmente, el de Tebas.

–Parece que Bek terminó la obra que servirá de modelo. Es lo que me aseguró Su Majestad ayer mismo.

–¿No la has visto?

–Preferí venir a ver mi propio retrato.

–Sin embargo, tienes que ir a visitar el taller de Bek. Realizó una obra imponente y bella, aunque también extraña y terrible. Si lo deseas, te acompañaré allí.

–Acabas de despertar demasiado mi curiosidad para que no arda en deseos de ver esa maravilla. Vayamos a visitar a Bek.

El escultor del rey tenía su taller al este de la ciudad, en dirección al pueblo obrero, a orillas del desierto. Nefertiti iba muy de vez en cuando a ver las obras de Bek, pues no le gustaba mucho aquella visión excesiva de las cosas, que, según su opinión, les confería deformaciones poco agradables a la vista. La reina comprobó que, desde su última visita, el taller se había agrandado y que los discípulos del maestro se habían multiplicado, lo cual testimoniaba la inmensa estima de Amenofis por su escultor. Bek fue a recibir a la reina y la llevó al patio en el que había colocado la estatua colosal del rey, que los asistentes comenzaban a reproducir en numerosos ejemplares.

Nefertiti se detuvo ante la estatua que se alzaba ante ella y la dominaba con su colosal mole de piedra. El rey estaba representado de pie, con los antebrazos cruzados sobre el pecho, sosteniendo el látigo y el cetro; sus nombres reales se repetían en cartuchos repartidos como ornamentos sobre los puños, los brazos, la parte superior del vientre y todo el pecho: esos eran sus únicos ornamentos, ya que el resto del cuerpo estaba completamente desnudo. Sin embargo, a primera vista, la reina quedó impresionada por las formas femeninas de la pelvis amplia, la falta de pene y los senos hinchados, que sugerían en su conjunto un cuerpo de mujer con la cara del rey, que era viril a pesar de una cierta dulzura y la clara intención de suavizar sus facciones. El excesivo alargamiento del rostro y el estiramiento de los ojos, que parecían semicerrados, le conferían una expresión en la que se mezclaban extrañamente la bondad y un visible desprecio, acaso por las grandezas de este mundo. Se tenía la impresión de que su mirada, al tiempo que juzgaba a los mortales en su justo valor, se volvía en realidad hacia el interior de sí mismo, en una incesante interrogación sobre el misterio del mundo, el gran enigma de la creación.

–Bek –dijo Nefertiti después de haber contemplado la estatua un momento en silencio–, ¿el rey te pidió que lo representaras así?

–Mi cincel responde absolutamente a la voluntad de Su Majestad

–aseguró el escultor–. He expresado aquí las formas reales en toda su verdad, sin marcar sus defectos.

–Es cierto que el dios que habita al rey parece remodelar su cuerpo y destacar en él ese aspecto tan femenino que apenas se esbozaba en su juventud. Pero aquí realmente quiso aparecer como si ya no fuera un hombre.

–Porque es macho y hembra. Me aseguró que en él se encarnaban las dos naturalezas de Atón, que es macho y hembra, porque crea todo de sí mismo sin necesitar una esposa, como las otras divinidades y como todos los seres creados. Su Majestad se engendrará a sí mismo para renacer en él y por él, como el fénix, que se quema voluntariamente para renacer de sus cenizas en un ciclo de muertes y renacimientos sin fin.

–¿El rey te habló en esos términos? –se asombró Nefertiti, que todavía recordaba lo que Amenofis le había declarado unos años antes: que ella y él encarnaban la doble naturaleza del dios en una unión indefectible.

–Es lo que afirmó Su Majestad, que también habló mucho sobre ese tema mientras posaba para mí y me daba directivas para que mi cincel modelara su imagen según su deseo.

Nefertiti no agregó ningún comentario pero comprendió que algo se había roto ella y su esposo.

Por esa misma época estuvo de paso por la ciudad de Atón la Ishtar de Nínive. Tushratta, hermano de Gilukhipa, que subió al trono de Mitanni al morir su padre, Shuttarna, había enviado a Amenofis III, a pedido de este último, la estatua de la diosa asiria. Diosa madre, patrona del oráculo de Arbelos, al este de Nínive, capital de los asirios, Ishtar poseía, entre otros, el poder de curar, por su sola presencia, la impotencia y diversos males, como el de estómago y el de dientes. Tushratta había mandado a su real cuñado una carta para avisarle de la partida, desde Washuganni, la capital situada en el alto Éufrates, de la estatua de múltiples atributos. La misiva, redactada en babilonio diplomático en un soporte de arcilla, había sido transmitida a la cancillería de la ciudad del Horizonte, donde Tutu –que, para su enorme placer, había reemplazado a Mai en la jefatura de la oficina de relaciones exteriores– se había encargado de traducirla y responderla. Notificada de la visita, Nefertiti hizo llegar a Horemheb la orden de ubicarse a la cabeza del cortejo en Canaán y escoltarlo hasta Tebas, pero haciendo una escala en la ciudad del Horizonte. Porque, a pesar de su fe en Atón y aunque la joven, al igual que Amenofis, rechazaba toda creencia en los poderes mágicos de los amuletos, en lo profundo de su alma seguía atribuyendo virtudes terapéuticas a la estatua habitada por el espíritu de la diosa celestial asiria, que creía que era la esposa del Sol, el Atón mesopotámico llamado Shamash por la gente de aquellas regiones lejanas. Así, esperaba que la presencia de la diosa devolviera a Amenofis la potencia para engendrar en ella el hijo que su corazón en vano invocaba desde hacía tanto tiempo.

La diosa, esculpida en relieve sobre una gran losa de piedra, estaba representada de pie, con las piernas juntas, los brazos abiertos y flexionados, las manos a la altura de los hombros. Su rostro y su cuerpo desnudo habían sido cincelados por el artista en un afán de belleza, de manera que la esbeltez y la redondez de sus formas, así como la expresión de su rostro, de rasgos plenos y regulares, eran lo que se podía esperar descubrir en una diosa que encarnaba el amor universal y el deseo de los corazones. En su espalda, sin embargo, se desplegaban dos alas que desposaban el contorno de los hombros y los antebrazos, para ensancharse a la altura de las caderas, y sus hermosas piernas terminaban en garras de ave rapaz apoyadas sobre dos leones echados, enmarcados por dos lechuzas en reposo vistas de frente. En la cabeza llevaba una tiara de cuernos de vaca enfrontados y apilados unos sobre otros en cuatro filas que formaban una especie de gorro cónico. En cada mano sostenía un anillo y un bastón corto, que daban al brazo, prolongado por esos dos objetos simbólicos, la forma de una cruz ansada.

La estatua se hallaba fija a un palanquín que cargaban cuatro sacerdotes, acompañados por cantantes, bailarinas e intérpretes musicales que componían un cortejo digno de una diosa tan poderosa. A la cabeza marchaban el gran sacerdote de la diosa y los dos embajadores del rey de Mitanni, Pirizzi y Pupri.

Cuando el barco amarró en el muelle preparado a orillas del río, Nakht fue a anunciar a los viajeros que Sus Majestades recibirían a los embajadores del rey de Mitanni con la Ishtar de Nínive, no bien arribaran a la ciudad del Horizonte de Atón, donde se los invitaba a pasar la noche.

Nefertiti y Amenofis se habían ubicado en dos tronos dispuestos uno junto al otro en la sala de recepción de los príncipes en el gran palacio. Horemheb se había colocado, con la guardia egipcia, a la cabeza del cortejo de la diosa; detrás de él iban los embajadores; después, la estatua de Ishtar bajo su palio, acompañada por los cantos y las danzas de las sacerdotisas y los hieródulos. Avanzaron por el camino adoquinado que comunicaba directamente el embarcadero con la puerta occidental del palacio. El cortejo atravesó una sucesión de patios y salas de elegantes columnas, hasta llegar al inmenso patio de honor, rodeado de pórticos decorados con filas de estatuas, que constituía un conjunto cuya magnificencia daba testimonio del poderío de Egipto. La sala del trono se abría ampliamente a ese patio, en el que se hallaban reunidos los nobles y los personajes importantes que habían acudido a recibir a la diosa extranjera.

Desde el podio en que se habían montado los tronos, Nefertiti contemplaba acercarse el cortejo. Prestó mucha atención a Horemheb, a quien no había vuelto a ver en muchos años. Se había sorprendido al enterarse de que su celo por Atón era tal que hasta había cambiado su nombre por el de Paatonemheb poco después de que Amenofis adoptara el de Akhenatón, en tanto que Mutnedjemet no había modificado el suyo, el cual, no obstante, incluía el nombre de Mut, diosa buitre de Aqueru –lugar cercano a Tebas–, esposa de Amón y, por ende, manifestación de Amonet. También le había parecido a Nefertiti que su antiguo amante era más cortesano que lo que ella había supuesto y, en consecuencia, más hipócrita, pues no podía concebir que fuera sincero. Además, le dio la impresión de que ya comenzaba a engordar, lo cual era más propio de un escriba que de un soldado. Y llegó a preguntarse si no había sobrestimado el deseo de poder de Horemheb, su capacidad para intrigar y, sobre todo, el peligro que podría representar para el trono en el caso de que consiguiera hacerse nombrar a la cabeza de todos los ejércitos reales. Esto la llevó a plantearse si no podría convertirlo en un leal servidor, un hombre capaz de serle fiel, por intermedio del cual ella podría disponer del poder militar. Pero para eso convenía que se estableciera en Ikhutatón, para que ella pudiera controlar en todo momento sus movimientos. Antes del final de la audiencia, su decisión estaba tomada: a su regreso de Tebas, Horemheb y su esposa estarían definitivamente instalados en la ciudad del Horizonte. También haría venir a su padre, Ay, con el fin de tener a su alrededor a la mayor cantidad posible de partidarios, todos dotados de altas funciones.

Horemheb, los embajadores y todo el séquito de la diosa se habían acostado en el suelo, boca abajo, ante el trono, mientras que los portadores del palanquín se habían arrodillado. Pirizzi, que hablaba egipcio, fue el intérprete de Tushratta. Tras dar noticias del rey y de su reino, amenazado por el orgulloso rey de *Kheta*, exaltó la alianza de los dos Estados y prosiguió de este modo:

–Antiguos son los lazos que unen nuestros dos países. El rey Shuttarna envió a su hija Gilukhipa como esposa del rey padre de Tu Majestad, que reside en Tebas; su hijo, el rey Tushratta, te propone desposar a su propia hija, Tadukhepa, a fin de consolidar más aún los lazos entre nuestros pueblos.

Al oír esta proposición, Nefertiti sintió que la mano de Amenofis se ponía rígida en la suya, porque, como de costumbre, había tomado su mano al entrar los embajadores.

–Mi Majestad te entregará una misiva para tu amo el rey –respondió Amenofis–. Pero ya puedes decirle que Akhenatón no posee harén y que tiene una única esposa, Nefertiti, cuya madre era una noble de tu país. Sin embargo, podrá entrar en el palacio de mi padre, el rey, donde será tratada como una reina.

Nefertiti hubiera querido que su esposo tocara el vientre de la estatua Ishtar, para que esta le devolviera su potencia, pero él se negó, declarando que sólo su padre Atón podía darle o negarle el poder de engendrar un varón.

Después de la recepción oficial, Nefertiti mandó llamar a Horemheb ante su presencia, en la residencia real, y, con un tono jovial que recordaba la época de sus primeros amores, le dijo:

–Hori, veo que tu vientre comienza a redondearse suavemente, como el de un escriba feliz.

–Kiya, cierto es que tu hermana me hace feliz y que los ejércitos de Su Majestad tienen tan poca ocasión de abandonar sus casernas que todo contribuye a ablandar a los buenos soldados de Su Majestad –respondió él con el mismo tono de familiaridad.

–Que vivamos en paz no implica que los soldados no deban entrenarse. ¿Qué harás el día en que el rey te mande a combatir contra los enemigos de Egipto?

–Mientras tu esposo esté sentado en el trono de las Dos Tierras, ese día no llegará. Pero en cuanto a ti, Kiya, admiro cómo se afirma tu belleza a medida que pasa el tiempo; es como un escultor que no hace más que afinar sin cesar su obra maestra.

–¡Qué adulador eres, Hori! –respondió ella, al tiempo que tomaba un higo de una amplia canasta–. ¡Realmente eres un perfecto cortesano! Toma, sírvete fruta, si lo deseas. Pero escucha: no te convoqué para conversar de cosas insignificantes. Quiero nombrarte director de todos los ejércitos de Su Majestad.

Él levantó las cejas para denotar su sorpresa, y tomó un racimo de uvas.

–¿No era ese tu secreto deseo? –agregó ella, lanzándole una mirada penetrante.

–¿Por qué esta repentina decisión? –replicó Horemheb, sorprendido; se preguntaba qué ocultaría la inesperada promoción.

–Porque Su Majestad necesita un general joven y emprendedor a la cabeza de su ejército. Y creo que eres la persona ideal para el cargo. ¿No era también la intención de tu amigo Tutmosis confiarte este puesto que ya ambicionabas?

–Entonces estoy dispuesto a servir a Su Majestad.

–Así tu sueño se hará realidad gracias a mí. Y yo también me alegro, pues podré ver con más frecuencia a mi hermana. Por lo tanto, no bien hayas acompañado a los embajadores del rey de Mitanni hasta nuestras fronteras, vendrás con Mutnedjemet a instalarte aquí, donde se ha edificado hace tiempo una casa digna para recibir a ambos.

–Kiya –reconoció él–, eres muy hábil. Te admiro cada vez más, y no he podido alejar de mí toda la ternura que siento por ti. Además, ten la seguridad de la fidelidad de Horemheb, más aún cuanto que aquí me tendrás al alcance de tu mano, pues he visto que el rey te ha cedido los poderes más envidiables.

–En efecto, creo muy poderosa mi influencia sobre el espíritu de Su Majestad. Debemos alegrarnos por ello, ¿no crees?

–Estoy tan convencido como tú.

Capítulo XXIII

Nefertiti abrió los ojos y volvió a cerrarlos enseguida, envolviéndose en la fina sábana de lino que cubría el colchón relleno con lana de oveja y crines de caballo. Salía de un sueño en el que hubiera deseado volver a sumergirse, por lo mucho que la había intrigado, como si se tratara de una historia cuyo relator había dejado en suspenso y cuyo final la urgía conocer. Estaba en un gran parque lleno de pájaros que cantaban en las ramas de hermosos árboles, muy parecido al de Maru-Atón, el bello palacio al sur de la ciudad del Horizonte, lugar de recreación compuesto de pabellones y un lago perdidos en el fondo de vastos jardines; paseaba por los senderos, bordeados de canteros con flores, en compañía de un hombre que primero le había parecido Mai pero que después tenía el rostro de Osarsuf. Y le sorprendía que hubiera podido visitarla en su sueño el compañero de juventud de Amenofis, pues casi no había vuelto a verlo desde su boda, salvo una sola vez, durante su viaje a Menfis.

Él le había hablado con esa mezcla de reserva y familiaridad que solía poner en sus relaciones. Nefertiti guardaba aún en su memoria algunos fragmentos breves de la conversación, algunas de cuyas palabras permanecían en su recuerdo desde los días en que él la había recibido en Busiris. Osarsuf le dijo que su apariencia tan hermosa era el reflejo de su alma, a lo que ella rió y respondió que se equivocaba, pues era ambiciosa y tenía un solo deseo, el de reinar en las Dos Tierras tanto como en el alma de Amenofis; y añadió que la desolaba que su esposo se alejara de ella, porque al cabo de muchos meses no le había dado una verdadera prueba de amor. "Te da lo que le queda –respondió Osarsuf–. Afecto, y también toda su confianza para entregarte tantos poderes, los mismos que hacen de ti la verdadera soberana del reino." También le decía: "Kiya, te conozco, te conozco. ¿No fuimos modelados con la misma arcilla? Tú amas a Ameni como yo lo amo". ¿Por qué había hablado así?, se preguntaba. ¿Qué significaban esas palabras? Cierto era que Amenofis había hablado recientemente de Osarsuf y había hecho alusión a la luz que Atón había puesto en sus corazones para unirlos mejor. Aquel día le había declarado que había recibido una carta de Osarsuf, que se alegraba por la belleza de Pi-Atón, donde se multiplicaban los templos del dios y desde donde su culto se propagaba a través de los campos del delta oriental. También le había anunciado que su amigo había cambiado su nombre por el de Mosatón, "hijo de Atón", con su propio permiso, lo cual había asombrado a Nefertiti.

–¿Cómo pudiste autorizar a Osarsuf a tomar el nombre de hijo de Atón, cuando tú pretendes ser el único hijo del dios? –le preguntó ella.

–Atón es mi padre –respondió Amenofis–, pero Osarsuf es mi otro yo, el que mi corazón amó desde siempre, que es como mi doble.

–Entonces, ¿por qué no te casaste con él? –le espetó Nefertiti, enfadada, herida por una confesión extraña que le provocaba un legítimo ataque de celos.

Él sonrió, siempre tan calmo y sereno.

–Porque me casé contigo –contestó–, porque tú eres mi doble femenino, eres mi complemento, de quien mi alma no puede desprenderse. En cuanto a Mosatón, es otra cosa. No lo comprenderías.

Ella no insistió, pero mucho le habría gustado saber lo que había en el fondo del corazón de Amenofis, pues nunca antes le había hablado así de Osarsuf.

Por eso deseaba volver a su sueño, para preguntarle a Osarsuf qué entendía él por esas palabras: "Tú amas a Ameni como yo lo amo".

La sirvienta encargada de velar el sueño de la reina descorrió la cortina de gruesa tela teñida de azul; por la amplia ventana penetró la luz blanquecina del amanecer, acompañada por una brisa que refrescó el aire pesado de la habitación. La jefa del "harén" –así se traduce el término egipcio *opet*, que designa la parte de la casa en la que vive la esposa con los niños– había hecho entrar a los músicos, que recibieron el despertar de la reina con cantos melodiosos mientras otras sirvientas hacían arder esencias aromáticas y arrojaban sobre la cama y el piso flores de frescos colores que exhalaban sus últimos perfumes.

Nefertiti no tuvo más remedio que levantarse. Se sentó en el borde de la cama, decorada con placas de oro y plata en forma de hojas que formaban elegantes motivos entrelazados, y movió los pies entre la mullida alfombra formada por los pétalos. Se desperezó un buen rato mientras escuchaba a la directora de las nodrizas reales que le informaba sobre el sueño de las cuatro princesas. Después pasó a su sala de baños, cuyo suelo estaba cubierto de lozas de caliza y en cuyo centro la bañera tallada en un inmenso bloque de alabastro se hallaba llena de agua tibia y perfumada en la que flotaban pétalos de flores de loto. Una criada entró con ella en la tina para ayudarla a lavarse, mientras otras mujeres se quedaban en el borde para echarle cántaros de agua tibia.

Decidida a ir de visita al palacio que había ordenado construir en el norte de la ciudad, ese palacio que hubiera querido que construyera Mai, Nefertiti se apresuró a terminar su baño, por lo que no permitió que le hicieran masajes y apenas aceptó que la friccionaran vigorosamente. Después fue a sentarse en una butaca sin respaldo para que la encargada del maquillaje le pusiera un toque de verde de malaquita en los párpados y le alargara los ojos con *mesdnet*, fabricado con negro de galeno. La cuidadora de las pelucas y las coronas acudió a su orden para colocarle una peluca corta de base redondeada, que adornó sobre la frente con la serpiente ureo, símbolo de su poder real. Como el día prometía ser caluroso, se puso un vestido corto y muy liviano; luego comió rápidamente unos higos de Siria y una galleta de miel y sésamo en forma de espiral. Fue a besar a sus hijas y pidió información sobre Amenofis a su chambelán, Meryre, que le hizo saber que Su Majestad ya había partido al río con la barca real, tras haber rendido el culto a su padre Atón. Aunque la intrigaba este paseo fluvial, que no debía de llevarlo muy lejos porque había hecho el juramento de no cruzar los límites del dominio de Atón, Nefertiti no procuró saber más y mandó que engancharan su carro sin demora.

En poco más de un año, el nuevo palacio del norte parecía haber emergido del suelo. Ya estaban terminadas las murallas y las monumentales puertas; ahora comenzaban a levantarse los diversos edificios, cuyos basamentos estaban dibujados en medio de áreas libres destinadas a convertirse en jardines. Allí se atareaba un ejército de peones que acarreaban desde la orilla del Nilo la tierra negra, apisonada en sólidos serones, para fertilizar ese rincón del desierto. Otros obreros cavaban un canal destinado a alimentar el pequeño lago que Nefertiti había querido situar en el corazón del parque, para que se plantara alrededor un bosque de juncos y papiros; otros aún cargaban, en pesadas carretillas, árboles y plantas provenientes no sólo de todas las regiones de Egipto sino también de Nubia y Asia, de manera que allí se hallaran representadas las principales esencias del imperio.

Guiada por el director de trabajos y escoltada por Hanis, Nefertiti recorrió la obra, alentó a los hombres que fabricaban ladrillos oscuros con la tierra arcillosa y a los que levantaban, lentamente, las gruesas paredes.

–Dentro de un año –le aseguró el jefe de la obra–, todos estos edificios estarán terminados y los pintores podrán comenzar su trabajo.

–Me alegro y tengo la convicción de que este palacio será una gran maravilla. Creo que ya es tiempo de pensar en ir a buscar a Nubia, y más lejos aún, todas las bestias exóticas que me gustaría tener en los jardines. Las que son peligrosas habrá que ubicarlas en el fondo, en grandes espacios aislados del parque por vallas altas. Iremos a visitarlas en carro, como cuando iba a cazar en el desierto.

–Se hará según tu voluntad, pero no quisiera tener que temblar por la vida de mi reina.

–No tendrás razones para temblar. Quiero ver panteras de Nubia y leones, y tendrán que estar bien alimentados, porque los animales son como los hombres: es el hambre lo que los vuelve agresivos.

El sol estaba en el cenit cuando Nefertiti regresó a la residencia real. Después de su sueño había decidido pasar el resto del día con sus hijas en la fresca umbría del Maru-Atón, el palacio sur, de modo que ordenó a Meryre que hiciera preparar todo rápidamente para esa estadía. Cada una de las nodrizas fue con su hija de leche; Nefertiti llevó a las dos mayores consigo, en su propio carro; después, nodrizas y mujeres del palacio ocuparon un lugar en otros carros, mientras que los hombres de la escolta corrían delante y detrás de la caravana.

El Maru-Atón estaba cerrado por una elevada muralla de nervaduras verticales en las que parecía demorarse la luz del sol. Por una puerta monumental penetró el cortejo en un primer parque, contiguo a otro rectangular, más vasto aún y encerrado en su propia muralla. Tras dejar los carros en el primer jardín, donde los palafreneros se ocuparon de los caballos, Nefertiti se dirigió con sus hijas y el séquito hacia el gran parque, al que sólo se podía acceder por una única y estrecha puerta, como si los arquitectos hubieran querido salvaguardar la intimidad de ese lugar destinado a los placeres y las fiestas. La entrada se hallaba en el fondo del parque, de manera que daba directamente al conjunto de pabellones dispuestos sobre uno de los muros. Aquellos edificios ligeros, de líneas rectas y sobrias pero abiertos ampliamente sobre el jardín por una serie de columnatas y aberturas, se alzaban sobre una ancha terraza que dominaba el inmenso parque, cuya parte central estaba completamente ocupada por un gran lago rectangular y cuyas aguas claras se renovaban en forma permanente. Un espigón estrecho y más elevado unía esa terraza con el lago y avanzaba sobre las aguas de manera que constituía un pontón, al que se amarraban ligeras barcas de papiro.

Apenas llegaron, las tres niñas mayores se despojaron de sus ropas, se quitaron las sandalias y corrieron por el espigón para ir a jugar en las barcas, bajo la vigilancia preocupada de las nodrizas y de Hanis, excelente nadador; Nefertiti, por su parte, no se inquietaba mucho pues sabía que ya nadaban bien, como todos los niños de la Tierra Negra.

También la reina se quitó el vestido y, después de haber ordenado que se sirviera una comida en el gran cenador al borde del agua, se reunió con sus hijas para compartir un momento sus juegos y bañarse con ellas. Como pronto las pequeñas bocas reclamaron comida, las cuatro subieron al esquife más grande, Nefertiti empuñó el bichero y así atravesaron el gran lago en toda su extensión, espejo del sol en el que flotaban largas hojas de loto desplegadas. El pabellón a orillas del agua se hallaba en una pequeña isla artificial, cuadrada, encajada en un lago de la misma forma que se extendía en el extremo opuesto del parque. Dos puentes de madera pintada cruzaban el brazo de agua que rodeaba al islote, en el que había tres cenadores abiertos. Las sirvientas habían dispuesto en el más grande las mesas cargadas de comida. Como la brisa del norte refrescaba la atmósfera, a Nefertiti le pareció inútil hacer accionar los grandes abanicos de plumas.

Cuando, después de la comida velozmente devorada, las niñas regresaron deprisa a sus juegos, Nefertiti despidió a las criadas, deseosa de quedarse a solas. En aquel pabellón tenía material de escriba e instrumentos de música, todo lo que necesitaba para disfrutar de la soledad a su antojo. Sólo lamentaba el alejamiento de su hermana, que había regresado al norte junto con su esposo, pues, aunque a veces la fastidiaba, su compañía le resultaba agradable. Y sobre todo se irritó por la ausencia de May, que se había reunido con su marido en Abidos. Decidió obsequiar a la pareja una residencia permanente, para que May pudiera estar siempre a su lado.

Se recostó en los almohadones, presa de un repentino cansancio. Más allá de las pequeñas columnas del pabellón y de los canteros de flores rodeados de sicomoros y perseas podía ver la extensión del lago, sobre cuyas aguas se irisaban los rayos del sol, y la pequeña embarcación tripulada por sus tres hijas. Meritatón, orgullosa de sus siete años y de la autoridad que su edad le confería sobre sus hermanas, manejaba el bichero con destreza, mientras Maketatón se inclinaba en el borde para tratar de arrancar flores de loto al pasar; sus gritos llegaban hasta Nefertiti, en una lejanía sofocada por la luz, que parecía tejer sobre el agua un velo de hilos de plata. Ese espectáculo transportó a la reina a los días despreocupados de su propia infancia, cuando paseaba por los pantanos con Mutnedjemet.

Una bola morena, mata viva de pelos, le saltó a las rodillas: era uno de los monitos domésticos que vivían en el parque en libertad y que habían ido a buscar algo de alimento a los cestos de frutas dejados en la mesa vecina. Cuando Nefertiti quiso atraparlo, el animal se escabulló. Pensó entonces en Nebet, la perrita de su juventud que había muerto hacía tres años, atropellada por los caballos de un carro una de cuyas ruedas le había fracturado el cráneo. Pensó que Nebet se había llevado consigo, a la tumba que ella le había hecho preparar, toda la radiante juventud de Nefertiti; poco después de esa desgracia, Amenofis se había alejado de ella a causa de su propia impotencia.

Ahuyentó esos tristes recuerdos y su mirada se perdió en uno de los senderos del parque, un sendero similar a aquel en el que se había visto en su sueño, en compañía de Osarsuf. También él era un personaje extraño, que para ella brillaba con un aura de misterio. ¿No era sorprendente que nunca hubiera tomado una esposa y que viviera tan lejos de la corte y de Amenofis, quien, al parecer, había sido su único amigo? Mientras esto se preguntaba, Nefertiti creyó experimentar una suerte de espejismo, una de esas visiones que habría atribuido a los demonios del mediodía de haberse encontrado en un lugar desértico: por el sendero hacia el cual todavía dejaba errar una mirada distraída, veía avanzar a un hombre, y ese hombre –no podía dudarlo– era Osarsuf. Sacudió la cabeza y parpadeó como para alejar la aparición, pero cuando volvió a mirar, Osarsuf seguía avanzando con paso vivo y decidido. Evidentemente se trataba de él en persona, y se encaminaba hacia el pabellón donde ella se encontraba.

Al principio quiso enfadarse por la audacia que lo llevaba hacia allí sin haber solicitado audiencia, sin siquiera haberse hecho anunciar, en la intimidad de aquel palacio al que sólo tenían acceso algunos pocos privilegiados invitados por el rey o la reina. Pero tan estimuladas estaban su sorpresa y su curiosidad por esa insólita aparición, que deseaba con impaciencia que el visitante llegara a su lado y se explicara. Casi no tuvo que aguardar. Pronto cruzó Osarsuf el puente y poco después se presentó en la sala abierta del cenador. Nefertiti intentó recibirlo con severidad:

–Osarsuf, ¿quién te ha permitido la audacia de penetrar en esta finca real sin haber sido invitado? –lo increpó.

Él se limitó a inclinar el torso a manera de saludo.

–Perdóname, Kiya –le dijo sin más preámbulos–, por sorprenderte así en medio de tus meditaciones. Debes saber que estoy aquí a instancias del rey, tu esposo. Él me dijo dónde estabas y quiso que vinieras a hablarte sin dilación, aprovechando que en este jardín a menudo te encuentras sola, sin toda esa corte de doncellas y de gente que tan difícil tornan el acercarse a ti en la residencia real.

–¿Acaso tienes cosas tan secretas y personales para decirme, que quieres hablarme sin ningún testigo?

–Así es. Por eso Ameni me confió su sello real, para permitirme llegar hasta ti sin ser importunado por los guardias y por todas esas mujeres que chismorrean a la sombra de los pórticos del pabellón de acceso.

–Si es así, te escucho.

Para mostrar aplomo, tomó una granada partida, cuyo jugo succionó mientras miraba a Osarsuf, que se instaló en los almohadones sin haber sido invitado.

–Kiya –le dijo él entonces–, todavía nos conocemos poco, a pesar de aquel encuentro, hace más de ocho años. Sin embargo, creo conocerte bien, aunque sea a través de todo lo que Horemheb, y después Ameni, me dijeron sobre ti. Pero tu matrimonio con Ameni, en lugar de acercarnos, contribuyó a alejarnos, pues debes saber que yo abandoné por propia voluntad la corte, es decir, tu presencia y la suya.

Estas palabras hicieron que Nefertiti levantara las cejas, pero no quiso interrumpirlo para demostrarle su asombro. Prefirió examinarlo mejor, y descubrió que, con el paso de los años, su rostro se había suavizado, quizá se había iluminado con una especie de ternura por los mortales y las creaciones de dios, algo que le había faltado en su juventud, acaso también por falta de práctica de la vida. Entonces lo miró con un interés nuevo y reconoció que, mientras que Amenofis había perdido gracia con la edad y los rasgos de su rostro y su silueta se habían ensanchado y robustecido, Osarsuf, en cambio, había adquirido una especie de serenidad, que le confería un encanto del que carecía.

–Sí, quise permanecer lejos de ti y de Ameni –continuaba él–, y si me ves hoy aquí, ante ti, es porque el rey en persona me escribió para pedirme que viniera. Esta mañana, enterado de mi inminente llegada, fue al río a recibirme para decirme todo lo que quería hacerme saber, incluso antes de amarrar, antes de llegar a esta hermosa ciudad del Horizonte, que nunca antes mis ojos habían podido admirar.

–En efecto, es una ciudad muy hermosa, digna del rey que la hizo construir –reconoció ella.

–Tanto, que hubiera lamentado morir sin haberla visto… Luego llegamos al palacio, donde el chambelán nos dijo que estabas aquí, y Ameni me envió a verte de inmediato.

–Mosatón… ya que, según dicen, ese es tu nuevo nombre… Me intrigas.

–Kiya, ¿recuerdas lo que te dije en Busiris? ¿Que una enorme ternura me unía a Ameni?

–No he olvidado ninguna de las palabras que pronunciaste en aquel momento.

–Entonces debes saber lo siguiente: lo que nos unía, a Ameni y a mí, era una especie de amor, pero un amor que queríamos que estuviera despojado de todo obstáculo carnal, un amor de dos almas que debieron unirse en alguna existencia pasada. Antes de ti, él no había conocido jamás a una mujer, y sus padres habían renunciado a constituirle un harén, como se hace con los hijos de los dignatarios y, sobre todo, con los príncipes. Te vio y te amó, y es algo maravilloso pues, conociéndolo, se habría negado a unirse a una mujer por la que no sintiera nada, simplemente para que le diera un hijo. Pues las mujeres no excitan su deseo, sino todo lo contrario: le provocan una especie de desagrado. Tú eres, sin duda, la única mujer con la que habría podido procrear, pero parece que el dios no quiere que engendre un hijo varón.

—Eso que me dices me aclara de pronto muchos rasgos incomprensibles del comportamiento de Ameni —dijo Nefertiti después de un silencio.

—Debes saber que no me ocultó nada de lo que concierne a ambos y que está desesperado al verse sin heredero varón al cabo de tantos años de matrimonio. No sabía cómo explicarte lo concerniente a su propia conducta, y por eso me rogó que te lo dijera yo.

—Podría habérmelo dicho él. Creo que lo habría comprendido.

—Una especie de pudor se lo impedía. Pudor y orgullo.

—¿Entonces te ha hecho venir desde tan lejos únicamente para decirme que ya no le atraen las mujeres? Lo cual, por otra parte, parecería explicar su alejamiento de mi lecho desde hace tantos meses.

—Era útil que lo supieras. Pero también debes saber que, en adelante, voy a vivir aquí, en Ikhutatón. Las obras se están terminando en Pi-Atón y en las otras ciudades de la tierra del Norte; mi presencia allá ya no es indispensable.

—¿Eso significa que Ameni espera recuperar la potencia de Min entre tus brazos? —se burló Nefertiti.

—No estés celosa, Kiya. No. Entre Ameni y yo sólo habrá una amistad pura; no haremos ahora lo que no hicimos hace diez años. Ameni necesita un sostén, consejos, la oreja de un amigo que lo quiere, para proseguir la tarea formidable que se impuso. Yo seré ese amigo, porque no tiene otro más que yo.

—Sigo sin comprender por qué huiste de la corte y de nuestra presencia. ¿Temías sentir celos de mí? No puedo creerlo, ya que no pareces sentirlos ahora. Y si, como pretendes, tu amistad por Ameni seguirá siendo pura, no podría haber sido de otra manera durante estos últimos años. ¿En qué cambiaron las cosas para ti, entonces?

Porque, ¿qué importancia tiene para ti que Ameni se uniera o no conmigo?

–Importa mucho más de lo que puedes suponer.

Sin continuar la frase, como si se sintiera incómodo de tener que exponer más claramente su pensamiento, cayó como en un profundo ensueño. Nefertiti posó su mirada en él, a la espera de una explicación que no llegaba.

–¿Por qué has callado de repente? –le preguntó al fin, exasperada por su silencio.

Él, a su vez, levantó los ojos hacia ella.

–Kiya –prosiguió entonces–, sin duda alguna divinidad... poco importa que la llamemos Atón o Hathor... habita en tu pecho y lanza sus redes sobre los que se te acercan. Pues debes saber que también yo, durante tu estancia en Busiris, sentí crecer en mí la gran llama de la Dorada. Durante esos escasos días en que tuve la dicha de verte y oírte todo el tiempo, o casi, sentí que ese amor se apoderaba por completo de mí, pero no le dije nada a nadie, ni siquiera a Amenofis, pues sabía que estaba enamorado de ti y también me había dado cuenta de que tú lo amabas. Ahora bien, yo lo amaba más que a mí mismo y nunca hubiera querido ensombrecer su felicidad confesándole mis sentimientos por ti. También por eso quise indagarte, averiguar si eras digna de él, si sabrías amarlo como él lo merecía. Después lo exhorté a que te pidiera en matrimonio, a que hiciera de ti el ama de su casa, porque había comprendido que eras la única mujer capaz de hacerlo feliz. ¿Pero por cuánto tiempo?

–Mucho menos del que tenía derecho a esperar –respondió Nefertiti, agobiada por tamaña confesión–. Pero tú, Mosatón, ¿qué puedes aguardar? ¿Qué esperas de mí? ¿Crees que soy sensible a ese amor que me revelas de pronto y a ese sacrificio que consentiste? Soy la esposa de Amenofis y la reina de Egipto... y, además, sigo amando a mi marido.

–De eso no me caben dudas... ni a él tampoco, por otra parte. Y, sin embargo, me atrevo a esperar todo de ti.

–¿Qué locura es esta?

–La locura que posee a un hombre lleno de un amor desesperado y que, de pronto, descubre que su amor no es tan imposible como suponía.

–¿Qué dices? ¿Cómo te atreves a aprovecharte del derecho que te dio Ameni para venir a verme, para tratar de sobornarme y abusar de su confianza?

–No creas que busco engañar a un amigo que también es mi rey, ni tampoco sobornarte. No oculté por mucho tiempo a Ameni el amor que siento por ti. Poco después de su coronación, él quiso que viniera a establecerme cerca de él. Me dijo: "Así mi felicidad sería perfecta: yo viviría en la adoración de mi dios, junto a mi único amigo y a la esposa que amo". Pero yo me negué, y, como él insistía, se sorprendía y se afligía pensando que yo había llevado mi amistad a otra parte, le dije la verdad, le confesé el amor que sentía por ti y que ensombrecería mi felicidad y la suya. Comprendió perfectamente que en esas condiciones era mejor que permaneciera lejos de ustedes, para no aumentar mi pesar con la visión de su dicha, ni, teniéndome cerca, arruinar su alegría pensando en mi pena. Si ahora me pidió que acudiera a su lado, es porque sabe que mi amor por ti sigue viviendo en mi corazón, a pesar del paso del tiempo, y fue tu recuerdo lo que me impidió tomar una mujer, como lo hacen todos los hombres, para tener hijos. No deseaba otra esposa que no fueras tú, ni otra amistad que no fuera la de Ameni.

–Mosatón, todavía no me atrevo a comprender la razón de tu presencia aquí, ni cuál es la voluntad de mi esposo.

–Lo único que hay que comprender es su deseo, ante todo, de devolverte la alegría que te abandonó, la alegría que, según dijo, los abandonó a ambos desde el momento en que fue incapaz de darte todo el amor que deseas y de concebir un hijo tuyo.

Osarsuf se había arrodillado cerca de Nefertiti, que se sentía tan dominada por su mirada que estaba como paralizada, incapaz de liberarse. Cerró los ojos pensando en el sueño de la noche anterior: ¿qué otro dios, sino Atón, había podido enviarle aquel sueño anunciador de la venida de Osarsuf? ¿Cuál era la verdadera voluntad del dios? Porque debía de tener una razón bien definida para preparar de ese modo la llegada de Osarsuf, al que Amenofis consideraba como su doble, como otro hijo de Atón.

Cuando él se acostó contra su cuerpo, Nefertiti se puso rígida y se preguntó, una vez más, si rechazarlo con ira, si echarlo con un escándalo, o abandonarse a él, porque no podía imaginar esos términos medios, esos rechazos que no eran más que permisos enmascarados, esos plazos destinados a inflamar aún más los deseos del amante. Muy pronto se sintió tan absolutamente sumergida entre caricias tan intensas y ardientes, entre besos tan apasionados, todo un placer olvidado desde hacía tanto tiempo, que lo abrazó sin atreverse a abrir los ojos y se abandonó con desesperación a una voluntad imperiosa que le hizo olvidar el mundo y su propia existencia. Cuando volvió en sí, abrió los ojos, húmedos por aquellos gozos de amor, para encontrarse con el rostro de Osarsuf muy cerca del suyo, y en él descubrió una belleza que había querido ignorar hasta ese instante. De nuevo los cerrarlos, colmada de inefable felicidad.

Aquella noche, cuando entró en el comedor, iluminado con lámparas de piedra elevadas en altos pies de gres rosado, y se sentó en el sillón dispuesto ante a su mesa, frente a Amenofis, sintió una especie de vergüenza. El rey se mostró atento y extrañamente elocuente. Sin embargo, apenas si mencionó, como por casualidad, la noticia de la llegada de Mosatón a Ikhutatón.

–Le di la casa de Mai. Estaba desocupada, lo cual es una lástima porque una casa vacía se deteriora pronto.

Hizo una pausa y lanzó una mirada tierna a las tres niñitas sentadas en sus sillas bajas, cerca de su madre. Entonces, de pronto, como si su reflexión le hubiera sido inspirada por la visión de sus hijas, dijo:

–En realidad me enojaría mucho no tener un heredero varón capaz de continuar la obra que me inspiró Atón. Sólo está ese pequeño Tutankhatón, que me resulta un extraño; mi hermana Satamón ni siquiera lo educa en el amor de Atón y, además, se negó a cambiar su propio nombre.

Parpadeó y luego se inclinó hacia Nefertiti, mirándola con intensidad.

–Kiya –le dijo–, tienes que darme un varón en la gracia de Atón, un varón que nacerá en este palacio y será educado en la luz y el conocimiento del dios para que, después de mi partida hacia el Sol, defienda a su padre Atón y reine sobre las Dos Tierras y sobre el universo unificado bajo el nombre del dios y por la adoración del Único.

Una tácita complicidad se estableció entre Amenofis, Nefertiti y Osarsuf. Cuando la joven reina se encontraba con Osarsuf en público o en presencia de Amenofis, ambos se trataban con una suerte de indiferencia apenas matizada por una estima recíproca. Asimismo, Amenofis nunca hizo alusión a las relaciones de su mujer con su amigo, a quien él mismo había empujado a los brazos de la soberana. Los dos amantes se encontraban en el parque de Maru-Atón, en ese mismo pabellón propicio a sus amores, de manera irregular, por la tarde. Cuanto más conocía a Osarsuf, más enamorada de él se sentía Nefertiti; sin embargo, no dejaba de sentir un indefectible cariño por Amenofis, una necesidad de verlo, de oírlo hablar de todo lo que concernía a su vida y recibir sus confidencias. Sabía que, a pesar de todo, él seguía amándola, de una manera diferente que en el pasado, con un amor hecho tal vez de costumbres pero también de ternura y alimentado por el deseo de encontrar en ella un alma fuerte en la cual descansar.

En los tiempos que siguieron, Nefertiti conoció un período de felicidad. Una vez cumplida su misión, Horemheb fue a establecerse a Ikhutatón para asumir allí sus nuevas funciones. Se instaló con su esposa en una vasta residencia asistida por numerosos servidores, incluidas dos enanas, regalo de un mercader venido por mar desde Siria, por las que a Mutnedjemet se le había antojado hacerse escoltar. Así, con la cercanía de su hermana, Nefertiti recuperaba a una amiga, al mismo tiempo que May, que había recibido una gran residencia en la Ciudad, también iba a establecerse allí con su esposo.

Por esa misma época Nefertiti tuvo la certeza de que estaba embarazada por quinta vez. El descubrimiento la llenó de alegría, aunque también de una cierta confusión, ya que el silencio que rodeaba sus relaciones con Osarsuf la ponía en un gran aprieto para anunciar la noticia a Amenofis. Sin embargo, tuvo que decidirse. Cuando se lo informó, sin volver la cabeza pues no se sentía culpable, él exhaló un profundo suspiro, como si le quitaran un gran peso que le oprimía el corazón.

–Un dios te ha fecundado. Será un varón; no puede ser de otra manera.

Fue otra vez una niña. Recibió el nombre de Neferneferure, ya que Nefertiti no quiso añadir a la composición el nombre de Atón, que con tanta obstinación se negaba a darle un hijo. Entre tanto, también Ay había ido a establecerse a Ikhutatón con Ti, quien se lamentó más que nadie por la llegada de una quinta niña. Amenofis no pronunció una sola palabra al respecto; ni siquiera notó que la integración de Ra en el nombre pudiera significar una falta de afecto por Atón en el corazón de su mujer.

El décimo año del reinado de Akhenatón estuvo marcado por un acontecimiento que los habitantes de la ciudad del Horizonte consideraron importante: por primera vez la Gran Esposa Real Tiyi fue a visitar a su hijo en su capital. Llevaba consigo a la pequeña Baketatón, que tenía nueve años, como Meritatón. Se organizaron grandes festividades para celebrar la llegada de la reina, que se quedó casi un mes en la ciudad. Fue instalada con su séquito en la residencia real y, mientras que consagraba los días a recepciones oficiales, banquetes y visitas guiadas a los monumentos de la ciudad, por la noche cenaba en familia, en la más estricta intimidad. Tiyi se sentaba en un alto sillón, con los pies apoyados en un taburete; su hija, a su lado, frente a Amenofis y Nefertiti, cada uno ante su mesa cargada de platos; las cuatro hijas mayores de la pareja real, a los pies de su madre, ya que Neferneferuatón, la anteúltima, ya había alcanzado la edad de comer con sus padres.

Ya la primera noche, mientras Amenofis comía de a pequeños bocados una gran broqueta de carne de vaca y cordero, Tiyi lo atacó enérgicamente:

–Ameni, aquí estamos los tres reunidos sin toda esa corte de moscas al acecho; es la primera vez desde mi llegada. No sé si me darás otra ocasión para hablarte sin testigos de los asuntos del país. Ya no sales de los dominios de Atón, hace años que no pones los pies fuera de la Ciudad y veo que tu mente sólo se ocupa de tu dios. ¿Pero piensas de vez en cuando en tu pueblo de la Tierra Negra? Un ejército de escribas y funcionarios te rodea de almohadones mullidos que te impiden sentir los sobresaltos del país, te tapan los oídos con miel para que no oigas los gritos de los campesinos despojados por tus agentes del fisco, que buscan sin cesar medios para financiar tus locas construcciones. ¡Ah!, pero los sacerdotes de Amón triunfan. Porque, si bien los has despojado ampliamente de sus riquezas, les has dado todos los medios para demostrar al pueblo que Atón es un dios digno de ser odiado, porque sólo trae miseria, mientras que Amón, ya desde antes defensor del huérfano y del oprimido, ahora aparece como el protector de todo el pueblo de Egipto contra las exacciones del rey y su dios.

–Madre, ¿qué palabras pronuncias ante Mi Majestad? –exclamó Amenofis, estupefacto por el tono virulento de Tiyi.

–Son las palabras que hay que decirle a un hijo incapaz de administrar los bienes que su padre dejó imprudentemente en sus manos. Los agentes del rey les quitan todas sus cosechas a los campesinos, aunque estos se las ingenian para disimular todo lo que tienen, y los que ya no tienen nada van a buscar refugio entre los sacerdotes de Amón, que los consuelan y les distribuyen alimentos y bebidas en nombre del misericordioso Amón. Así, crece en los corazones el odio por Atón mientras tú, creyendo destruir a Amón, no haces más que consolidar su poderío.

–¡Destruiré a Amón en los corazones, haré arrestar a los sacerdotes, me apoderaré de sus territorios y de sus rebaños, suprimiré el nombre de Amón para que muera para siempre!

Amenofis hablaba con un tono tan exaltado, después de haber arrojado su broqueta, que comenzó a salirle espuma por la comisura de su boca.

–¡Ya basta, hijo! –prosiguió Tiyi con autoridad–. No tocarás al clero de Amón.

–¿Quién me lo impedirá?

–Tu padre y yo. No olvides que no eres más que el corregente y que la palabra de tu padre está por encima de la tuya.

–¿Cómo, madre? ¿Me traicionarás? ¿Tú, que siempre me alentaste en mi amor por Atón; tú, que fuiste la primera en empujarme a tomar el camino que con tanta constancia he seguido?

–Con demasiada constancia. Has ido demasiado lejos, hijo. Deja que tu esposa se ocupe de los asuntos de Amón; ella lo ha hecho con mucha habilidad. Pero deja de dar con una mano para quitar con la otra. Dejaste en manos de Nefertiti y luego, en parte, también en las mías, diversos departamentos de la administración, pero en realidad somos como visires, porque en secreto exigiste a funcionarios del palacio que te avisaran de todos los actos de cierta importancia que pudiéramos realizar, de todas las decisiones tomadas que pudieran tener cierto alcance, para que dieras tu consentimiento, lo cual vuelve inútil nuestra intervención. Y, para colmo, lanzas a tus escribas fiscales sobre los campos y las ciudades como una nube de ratas, como una lluvia de saltamontes que devora todo a su paso, dejando un desierto detrás. En estas condiciones, ¿para qué sirven nuestros actos moderadores, si redujiste a todo tu pueblo a la miseria?

–Si es así, me han mentido, porque aquí todos vienen a declarar que los hombres están felices bajo el sol de Atón, que todos los días el pueblo de Egipto se levanta para adorarlo en un mismo impulso.

–Los que te han dicho eso no cruzaron los límites de esta ciudad, y si no es así, son viles aduladores cuyo corazón pesará mucho en la balanza de Osiris.

–Sabré la verdad. Mi padre Atón iluminará mi corazón con su verdad, que es la Verdad.

Tras decir esto, Amenofis se levantó y se retiró en un estado de extrema agitación.

–Mi querida hija –dijo entonces Tiyi–, temo que mi hijo cometa aún muchas locuras. No dudes en utilizar toda tu autoridad, todos los medios de tu ingeniosa mente para moderar a Ameni, para mostrarle los peligros del camino, porque temo que, si persiste en esa vía, conduzca a la Tierra Querida a una catástrofe. Esta no es la forma de imponer a un pueblo un dios que se pretende lleno de amor por los mortales. Debes saber algo: me han informado que un hombre oscuro, al que aseguraron que Atón amaba a los humildes, y por lo tanto a él, respondió que, en esas condiciones, prefería que el dios lo odiara y que deseaba que lo liberaran de un amor tan funesto.

En varias oportunidades, en el transcurso de su estancia en Ikhutatón, la reina Tiyi volvió a hablar a su hijo de la miseria en que sus gastos desconsiderados habían sumido a su pueblo. Amenofis replicaba que su verdadera felicidad estaba a punto de comenzar, porque Atón ya tenía sus templos y sus ciudades. La mayor parte de las construcciones se hallaba terminada, el esfuerzo exigido al pueblo recibía su recompensa en esos monumentos y, en adelante, la presión del fisco iba a aflojarse. También prometió dejar actuar a Nefertiti y a su madre en las áreas que les había encomendado.

Sin embargo, Tiyi parecía dudar acerca de que los problemas del país pudieran mejorarse. No porque sospechara de la buena fe de su hijo, sino porque tenía la certeza de que los funcionarios –que con todas esas exacciones habían encontrado un medio fácil de enriquecerse, desviando en su provecho una parte de los ingresos del fisco– no iban a aflojar la presión de buena gana y podrían durante mucho más tiempo mantener al rey en la ignorancia de una realidad que resultaba demasiado fácil ocultarle.

–Hija mía –dijo Tiyi a Nefertiti en el momento de despedirse–, vigila a tu esposo y manténte alerta sin flaquear. Su Majestad, el rey padre, está cada vez peor y temo que pronto vaya a unirse con sus antepasados, los dioses buenos. Él es la última barrera para contener los excesos a los que sé que mi hijo es capaz de llegar. En nosotras recae la responsabilidad de sujetar la brida para que no siembre la discordia y la ruina en este bello reino, creyendo instaurar la paz, el amor y la opulencia.

Conmovida por estas verdades, Nefertiti contempló alejarse a la reina, lentamente invadida por una sorda inquietud ante un futuro que se esperaba radiante y que, sin embargo, se anunciaba singularmente sombrío.

Capítulo XXIV

La pesada barcaza sobrecargada de pasajeros encajó profundamente su proa redondeada en el limo de la orilla. Desde la primera catarata, junto a la isla de Elefantina, bajaba por el río llevada por la corriente tranquila, sin vela, porque el viento subía por el valle desde el norte. La navegación había durado días y días, ya que el ancho barco se detenía en cada ciudad y en cada aldea para descargar pasajeros, pero por lo general para recibirlos. De tal modo que, después de Sauti, el capitán dejó de embarcar a nuevos clientes, por falta de espacio, ya que hombres, mujeres y niños se amontonaban, acuclillados o hasta de pie, en la barcaza.

La embarcación comenzó a vaciarse en medio de los gritos y chillidos de las mujeres. Los más impacientes saltaban a tierra desde la borda, corriendo el riesgo de caer al agua o hundirse en el limo; los otros hacían equilibrio en la plancha tendida entre la cubierta y la elevada orilla.

Un solo hombre permanecía apartado en la popa, acompañado por un adolescente de cuerpo esbelto y rasgos tan delicados y suaves que se lo podría haber confundido fácilmente con una niña. Había embarcado desde el inicio, en la parada de Siena, y mientras tanto había trabado relación con el capitán, junto al cual se encontraba, dejando pasar la oleada de pasajeros.

–Bueno, Khay –dijo el patrón del barco–, esta es la ciudad del Horizonte. Tendremos que despedirnos.

–¿Toda esa gente también baja aquí? –se sorprendió el hombre.

–Todos los días llegan a Ikhutatón barcos repletos de gente proveniente del norte y del sur. Todos desempleados, campesinos que lo perdieron todo, gente pobre que huye de la miseria y de la hambruna en la esperanza de encontrar aquí trabajo para poder subsistir. Pero ignoran que el faraón necesita cada vez menos brazos porque las obras se cierran; ya no hay grandes trabajos, todos están terminados. El último palacio en construcción es el que la reina está haciendo construir al norte de la ciudad, pero parece que escasean los medios para emprender otras obras importantes.

–¿Entonces crees que tengo pocas posibilidades de que me contraten en alguna parte?

–¡Bah, uno nunca sabe! ¡Mira, puedes encomendarte a Atón! Este es su dominio, y dicen que favorece a los que lo adoran...

–Si hace falta, lo adoraré. ¡Qué me importa Amón o Atón!

El marino le lanzó una mirada de conmiseración.

–Te lo vuelvo a repetir: si quieres, te llevo hasta Menfis, sin costo suplementario. Allá tendrás más posibilidades de encontrar empleo.

–Gracias, amigo. Pero antes prefiero probar suerte aquí. Está el rey, la corte y todos los funcionarios de Egipto; tal vez necesiten un pintor hábil o un escultor. ¿Acaso no hacen cavar tumbas en la necrópolis? Puedo tanto tallar estatuas en la piedra como pintar las paredes de sus tumbas, o las de sus casas.

–Es que artesanos como tú también hay muchos, y vinieron aquí antes que tú. Tienen su clientela desde hace largo tiempo.

–Me pondré bajo la protección de Atón. Debe de ser poderoso, para que Su Majestad le haya consagrado esta ciudad. Consérvate en el favor de Ra.

Después de haber saludado así al capitán, se volvió hacia el adolescente, su hijo, que miraba con aire soñador cómo la corriente doblaba los juncos ligeros que avanzaban sobre el río.

–Vamos, Smenkhkaré –le dijo, tomándolo del brazo.

Su equipaje consistía en dos bultos, únicos bienes que poseían, cada uno atado a un palo, que cargaron al hombro. Fueron los últimos en saltar a la orilla y tomar el ancho camino que conducía a los suburbios del sur de la ciudad, atravesando campos y palmares. Pronto se encontraron en una calle angosta bordeada de casas cuyas fachadas blanqueadas comenzaban a agrietarse; en algunos lugares, el revoque manchado se había resquebrajado, dejando a la vista el ladrillo marrón de las paredes. Delante de las puertas bajas, cerradas únicamente por una estera de juncos, había mujeres acuclilladas que preparaban la comida en hornillos portátiles de arcilla o rompían panes de sorgo, que luego arrojaban en jarras con agua para preparar cerveza. Cerca de ellas había niños pequeños, sentados o acostados; iban desnudos, tenían el cráneo afeitado, los labios y ojos cubiertos de moscas, que espantaban de vez en cuando con un gesto cansado. Así padre e hijo llegaron a una vasta plaza, en la que se hallaba el mercado. Delante de las fachadas de las casas que la rodeaban se veían toldos extendidos que dispensaban sombra a los comerciantes acuclillados tras sus mercaderías, exhibidas sobre esteras colocadas directamente en el suelo. En el centro de la plaza se había reunido una gigantesca y ruidosa asamblea que mugía, cacareaba y balaba; eran los bueyes, las ovejas, los perros, las ocas y los patos que los campesinos de los alrededores iban a vender allí.

Los dos viajeros bordearon a la plaza para no quedar atrapados en medio del ganado. A su paso, los mercaderes los invitaban a detenerse:

–¡Miren –decía uno–, qué hermosas sandalias de cuero! O estas, de junco trenzado. No es bueno andar así descalzos en esta ciudad.

–Aquí –aseguraba otro– tengo esencias perfumadas, esencias de lis, de casia y de benjuí, de madera de terebinto y todas las resinas del Ponto, un olor delicioso para usarlo en la cabeza o la ropa.

–Cómpreme ajos, hermosas cebollas rosadas, lentejas, todo lo que desee en legumbres.

Smenkhkaré habría querido detenerse para verlo y comprarlo todo, pero su padre caminaba adelante, insensible a las ofertas, y el joven lo seguía por miedo a separarse o perderse. Sin embargo, el hambre comenzaba a retorcerle el estómago; decidió retener a su padre por el brazo, ante un puesto en el que se exponían panes de formas muy variadas y pasteles de almendras y miel. Khay se detuvo y examinó el escaparate, detrás del cual se hallaba sentada una anciana. Señaló dos panes y sacó de su bolsa un rollo de hilo de cobre, que tendió a la mujer; ella cortó un trozo, muy corto –algo que Khay juzgó un precio honesto– y le devolvió el rollo.

Mientras el muchacho mordía con ganas uno de los panes, Khay aprovechó la ocasión para interrogar a la vendedora.

–Mira, mujer, mi hijo y yo acabamos de llegar y busco trabajo.

–¡Por la vida del rey! No eres el único.

–¿Puedes aconsejarme?

–Si quieres un consejo, deja esta ciudad y vete a cualquier otra parte. Todos los piojosos de la Tierra Negra, todos los que fueron reducidos a la miseria por los preceptores de Su Majestad, todos vienen aquí con la esperanza de encontrar un empleo a cualquier precio.

–Padre –dijo el joven mientras se alejaban–, creo que este no era el lugar al que teníamos que venir. Más valía quedarse en Siena, donde por lo menos teníamos un techo.

–¿De qué sirve, si es para morirse de hambre? Deja que yo me ocupe; ya encontraré un trabajo. Ven.

Se internaron en una calle más ancha cuyas casas presentaban fachadas más espaciosas y mejor mantenidas; algunas, incluso, tenían un pequeño jardín. Allí seguía reinando una gran animación: mujeres que iban a recoger agua del Nilo en largas procesiones, con cántaros al hombro; mensajeros que llevaban misivas de un extremo al otro de la ciudad; vendedores ambulantes con sus asnos o mulas cargados de bolsas, canastas o jarras; saltimbanquis en busca de una vivienda hospitalaria donde exhibirse; paseantes desocupados y, por todas partes, niños turbulentos y gritones, perros y ocas que andaban libremente en busca de desperdicios abandonados a lo largo de la calle. Pasó una silla llevada por dos mulas al trote y rodeada por servidores que corrían abriéndose paso a gritos y, si era necesario, a palos. Un hombre corpulento cuyo vientre sobresalía en pesados pliegues por encima del taparrabo, con el cuello y las extremidades adornadas con collares y brazaletes, se hallaba tendido en ella, mientras que un flabelífero agitaba sobre él un amplio abanico.

Khay y su hijo tuvieron el tiempo justo para saltar a un lado y asomarse para ver pasar al personaje reluciente de sudor y ungüentos.

–Ése corre delante de su amo como un perro bien alimentado –murmuró un hombre que se había parado junto a Khay.

–¿Quién es? –le preguntó este último.

–Seguramente acabas de llegar, para no haberlo visto nunca. Es Nakht, el visir de la Ciudad. Siempre está corriendo: ya cuando acompaña a pie al faraón, ya cuando galopa junto al carro real. Y, sin embargo, es tan glotón que no logra perder la grasa.

Los dos viajeros reanudaron su camino. Así llegaron a la gran avenida real, que comenzaron a remontar. Allí la circulación era más reducida y sólo se veían fachadas de hermosas casas nobles, templos y palacios. Pronto pudieron ver, a lo lejos, las tres aberturas del puente que unía los dos palacios, hacia donde avanzaba deprisa una multitud de curiosos.

–Parece que se prepara una fiesta –observó Khay al ver los mástiles de los templos adornados con largos estandartes y a los guardias, que mantenían a los espectadores a cierta distancia del puente coronado por el balcón de las apariciones, a su vez decorado con banderolas y guirnaldas.

Se detuvieron cerca de una casa abierta, delante de la cual había unos jóvenes y unos hombres armados con lanzas.

–¿Qué pasa? ¿Para quién son estos festejos, muchacho? –preguntó Khay a uno de los jóvenes.

–Son en honor de Ay, el padre divino, y de Ti, la Gran Nodriza Real –respondió el muchacho–. Mira, Su Majestad y la reina se muestran en el balcón de las apariciones.

Uno de los hombres armados se acercó a su vez:

–Esta es la casa del señor Ay –informó–. Ve hacia allá y verás que es algo bueno lo que hace el faraón por Ay y por Ti. ¡Su Majestad los colma de oro y les da toda clase de riquezas! Fueron nombrados "gente de oro", y ese es un inmenso favor. Y la dama Ti también es honrada; nunca antes se había visto a una mujer así elevada por el rey. Y hay más: todo el pueblo de aquí está feliz porque es la primera vez que la reina reaparece en público después de dar a luz a su sexta hija. Esta vez tuvo dificultades en el parto y se temió por su vida, pero felizmente la niña nació. Por eso todos se alegran, aunque otra vez sea una niña, a la cual nombró Setepenre. Y aquí todos estamos llenos de júbilo porque, además de todo esto, el amo es generoso y recibimos nuestra parte de todos esos bienes.

–¡Si pudiéramos tener una parte, por pequeña que fuera! –comentó Khay con un suspiro.

–¿Por qué habrías de tenerla? ¿Qué has hecho para merecerla? –preguntó el guardia con un tono que mostraba su descontento.

–Debes saber que la familia de mi mujer, la madre de este muchacho, es originaria de Khentmin y está emparentada con tu señor Ay.

–Eso no lo justifica. ¿Y qué hiciste con tu mujer?

–Hace unos meses que se reunió con su alma. Por eso nos fuimos de Siena, donde estábamos establecidos: porque yo ya no amaba esa ciudad. Y además ella nos ayudaba a vivir asistiendo a las mujeres en el parto, porque yo no tenía trabajo.

–Viniste aquí a buscar trabajo, ¿eh?

–Tú lo has dicho. Mira, sé esculpir en tierra y en piedra, y también sé pintar. Si me dices adónde puedo dirigirme, te estaré enormemente agradecido.

–Puedes ofrecerte en el taller de Djeuthimés. Es el escultor favorito de la reina y sé que estaba buscando ayudantes, porque Su Majestad le pasa pedidos sin cesar y obtuvo la obra del palacio norte que hizo construir la reina.

–¡Gracias, muchas gracias! ¿Pero dónde puedo encontrar a ese Djeuthimés?

–Tiene su casa en el barrio de los artesanos, muy cerca de aquí, hacia el templo chico. Ve hasta el palacio y toma el camino a la derecha. Después dobla otra vez a la derecha, y allí tienes que preguntar. Todo el mundo lo conoce por aquí. –Tras decir esto, el guardia posó la mirada en Smenkhkare y, en el momento en el que Khay se disponía a alejarse, añadió–: Realmente te creo que seas pariente de Ay, que es el padre de la Gran Esposa Real. Ve hacia el balcón de las apariciones, donde verás a la reina y verás también cómo tu hijo se le parece. Estoy asombradísimo.

Padre e hijo se apresuraron a llegar al palacio y, al aproximarse, vieron a la familia real que acababa de aparecer en el balcón: Akhenatón, adornado con su corona azul; Nefertiti, con la alta toca decorada por tres ureo de oro; y las tres princesas mayores. La reina sostenía a una de ella con una mano, pues estaba de pie sobre la balaustrada, mientras en la otra aferraba collares de oro en forma de media luna, que arrojaba a Ay y a Ti. El rey y las otras dos niñas se divertían de igual modo, cubriendo de oro a los padres de la reina. De pie bajo el balcón, los felices elegidos amontonaban las joyas y los objetos de oro frente a sí, mientras que detrás se alineaban servidores, dignatarios, flabelíferos, representantes de las provincias, nubios, libios, cananeos, sirios, oficiales con sus carros y escribas. Todos se inclinaban en adoración ante Sus Majestades, a las que Atón iluminaba con sus rayos. Más atrás, bastante cerca de los guardias que contenían al pueblo, se habían reunido los servidores de la casa de Ay, que manifestaban un júbilo exuberante, cantaban, bailaban y levantaban los brazos hacia el cielo alabando a la familia real y a sus amos.

Khay y su hijo contemplaron en silencio, por un instante, aquella lluvia de oro que caía del balcón y suspiraron al ver la alegría de los servidores, una alegría que les hubiera gustado mucho compartir. Khay se preguntó si no podría presentarse ante Ay, decirle que era su pariente y mendigarle un lugar entre sus servidores, pero enseguida rechazó la idea, que le resultaba demasiado humillante. Era preferible que utilizara sus talentos y se ganara la vida gracias a ellos, conservando la frente alta y su libertad. Puso toda sus esperanzas en ese Djeuthimés que, tal vez, sabría reconocer sus cualidades y le permitiría expresarlas confiándole trabajos en el palacio de la reina.

–¡Qué hermosa es! –murmuró Smenkhkare.

–¿Qué? ¿De quién hablas? –preguntó el padre.

–De la reina. ¡Mira! Y también la princesa, la más alta de las tres; sin duda es la mayor.

–¡Es verdad que te pareces a la reina! ¡Qué sorprendente! Esa es una buena prueba de que eres de la misma familia que ella.

–¡Ojalá fuera mujer, para que un rey me distinguiera entre todas las otras! –murmuró el adolescente.

–Cállate; dices tonterías. Vamos, que ese oro no es para nosotros. Tenemos que encontrar un lugar para pasar la noche… pero antes iremos a lo de ese Djeuthimés. Si también te contratara como aprendiz, bastaría con que te diera alimento y entonces yo podría reunir un pequeño peculio para los dos con lo que ganara por mi lado. No, no lamento haber venido a la ciudad del Horizonte.

Capítulo XXV

La muerte de Nebmare Amenofis, acaecida en el cuadragésimo año de su reinado, pasó inadvertida. Después de doce años de haber sido asociado al trono, Akhenatón se había adueñado por completo del poder en su propio provecho, hasta tal punto que todos se habían olvidado de la existencia del viejo rey. Sin embargo, Akhenatón procuró dar un brillo particular a su duodécimo año de reinado, que lo recibía como único amo de las Dos Tierras. Así pues, envió emisarios por todo el imperio y hasta las naciones extranjeras para anunciar su gran jubileo, que debía llevarse a cabo en la ciudad del Horizonte. La fiesta marcaría el comienzo de su reinado sólo para los soberanos aliados o vasallos que seguían dirigiendo cartas a su padre. A esto siguió una gran actividad diplomática y Horemheb fue encargado de garantizar la seguridad de los embajadores a través de todo el imperio.

Esa mañana, después de participar con Amenofis en el culto divino cotidiano, Nefertiti decidió hacer una visita al palacio norte. Se impacientaba por la lentitud de los trabajos y su prisa por verlo terminado y poder ir a ocuparlo cuando tuviera ganas se tornaba más intensa día tras día. Hacía varios meses que no tenía ocasión de ir, a causa de contratiempos que se habían sucedido con regularidad: su embarazo avanzado, el período posterior al parto, tan agotador que había debido permanecer mucho tiempo en cama, los asuntos del Estado que tenía a su cargo y que se habían retrasado en exceso. Eso, además de la atención de sus hijas y los momentos que consagraba a su esposo y a Osarsuf, al que seguía terriblemente apegada tanto física como intelectualmente.

Se disponía a subir a su carro, enganchado en el jardín y rodeado de guardias encabezados por Hanis, cuando Horemheb fue a su encuentro. Con el rostro enrojecido, caminaba con paso rápido y golpeaba furiosamente el suelo con su bastón.

–Hori –le dijo ella, riéndose de sus manifestaciones de enojo–, pareces poseído por la misma Sekhmet. ¿Qué sucede?

–Debes concederme una audiencia –declaró él con autoridad.

–Qué linda forma de pedir una audiencia a tu soberana.

–Se trata de la seguridad del imperio.

–Entonces sube conmigo a mi carro, si no temes que te haga caer, y podré escucharte.

Sin dudar, saltó detrás de ella en el carro. Nefertiti agitó de inmediato las riendas para poner los caballos en marcha.

–Acabo de ver al faraón –comenzó Horemheb sin rodeos–. Me enteré, por intermedio de los oficiales que envié por todo imperio, de que el rey de Mitanni, Tushratta, ha muerto asesinado. Su hijo, en lucha contra sus hermanos, recurrió al vil *kheta*, que ahora es amo de ese reino. Perdemos un valioso aliado allí, pero no sería nada si esos mismos *kheta* no se hubieran metido en Siria, donde el príncipe de Amurru, Aziru, hijo y sucesor de Abdeshirta, se ha aliado en secreto con esos vencidos *kheta* y trata de conquistar Babilonia, cuyo rey pide en vano el socorro de Egipto. Fui a hablar de esto con Tutu, quien recibió misivas importantes de los reyes aliados. También fui a informar de estos hechos al rey, pero no quiso escucharme y dijo que no quería oír hablar de guerra.

–¿Le sugeriste mandar tropas a Siria?

–Le dije que estaba listo para dirigir personalmente una campaña allá. En cuanto a Tutu, estoy seguro de que traiciona al faraón en provecho de esos príncipes extranjeros.

–No me sorprendería más que a ti. Créeme que muchas veces intenté abrirle los ojos a Ameni, pero es tanta la determinación con que él quiere cegarse, que sé que es vana cualquier intervención en ese sentido.

–¿Cómo? ¿Tampoco tú quieres hacer nada?

–No puedo hacer nada… por el momento.

–¿De qué sirve que sea el jefe de todos los ejércitos de Egipto, si no puedo actuar, si tengo que quedarme aquí como un simple escriba?

Ella volvió la cabeza hacia él y le dirigió una gran sonrisa.

–Sirve para que no tengas la tentación de traicionar a tu rey… pero quédate tranquilo, Hori. Llegará el día en que podrás comandar los ejércitos de Su Majestad en Asia y adquirir allí la gloria con la que sueñas.

El gran palacio norte alzaba tras sus muros blancos la mole de sus elegantes edificios de amplias columnatas, dominadas por el follaje de los árboles de variadas esencias que, plantados algo más de un año atrás, ya habían echado profundas raíces en la gruesa capa de tierra vegetal acarreada del Nilo. El carro pasó debajo de la alta puerta monumental y avanzó por los senderos de los jardines hasta el palacio central, ante el cual Nefertiti detuvo sus caballos. Horemheb bajó del carro en primer lugar y ofreció su mano a la reina, que, sin tomarla, saltó junto a él al tiempo que le decía.

–Hori, ¿ya te parezco tan vieja que crees que necesito tu ayuda?

–Era sólo una demostración de respeto de un fiel súbdito a su reina.

–Nunca creeré en la sinceridad de tu lengua. Ven, vas a ver el palacio que mandé construir para mí y para los que amo.

Avanzaron por una sucesión de salas y patios con peristilo, con paredes cubiertas de pinturas en las que aparecían todos los grandes paisajes que amaba la reina, ya fuera porque los había conocido, como los pantanos de densa vegetación verdosa y sus pájaros de vivos colores, ya porque era una manera de volar con la imaginación a esas lejanas orillas donde se extendían mares espumosos al pie de blancos acantilados, o en los que se alzaba el sol sobre montañas coronadas de nieve, o árboles desconocidos en Egipto se inclinaban sobre ríos de aguas claras.

Encontraron a Djeuthimés en una de esas salas, donde dirigía el trabajo de sus obreros, indicándoles los colores que había que utilizar para dar vida y relieve a los dibujos que él mismo había trazado en las paredes blancas. Al ver aparecer a la reina, el maestro escultor fue a arrodillarse ante ella, al tiempo que los discípulos se arrojaban al piso boca abajo.

– Djeuthimés –le dijo Nefertiti mientras él volvía a erguirse–, veo con agrado que el trabajo avanza con rapidez y como place a mi corazón. En este palacio viviré contemplando las cosas hermosas que me gustan. Dime, ¿cuánto tiempo más tendremos que esperar antes de poder tomar posesión de estos tesoros?

–Todos estamos trabajando con fervor, mi reina. Creo que antes de que termine el invierno el palacio estará listo para recibirte.

–¡Qué alegría! Hace tanto tiempo que espero ese día...

Su mirada se posó en las pinturas de la sala; después, de pronto, quedó en suspenso, detenida en un jovencito que trituraba los colores con una torpeza conmovedora. Lo que le había llamado la atención no era tanto la gracia del adolescente como el parecido que tenía con ella. El muchacho había clavado los ojos en la reina, lo cual podía explicar su descuido en el trabajo. Las miradas de ambos se cruzaron, y él agachó la cabeza, sonrojado.

– Djeuthimés –dijo Nefertiti–, ven a mostrarme las otras salas recién pintadas, para explicarme lo que quisiste representar.

–Enseguida, mi reina.

El escultor siguió deprisa a Nefertiti, que, no bien salieron de la habitación, se volvió hacia él preguntándole:

–Dime, ¿quién ese muchacho que machacaba los colores? No creo haberlo visto antes.

–Trabaja para mí desde hace un tiempo, pero es cierto que no tuviste ocasión de conocerlo. Se llama Smenkhkare. Vino a presentarse en el taller con su padre, hace cerca de un año. Vi que el padre era un pintor experimentado y lo tomé, un poco por lástima, porque me dijo que había perdido a su mujer y que estaba sin trabajo, con un hijo que alimentar. También contraté al niño para que cumpliera tareas pequeñas, pero no sé si podré lograr algo de él. Es soñador, torpe, no entiende nada de lo que le digo y hace todo al revés. Lo habría despedido con gusto, pero su padre partió a la ciudad del Señor del Silencio, bruscamente, dejándolo huérfano, hará ya tres meses. Entonces lo conservé en el taller para que pudiera comer, porque de haberlo echado habría terminado mendigando.

–Es un acto honorable de tu parte, Djeuthimés. ¿No percibiste que se parece notablemente a mí?

–Eso me sorprendió, y, para confesarte todo, por eso lo contraté con su padre. El hombre me dijo que era originario de Khentmin y pretendía que su esposa estaba emparentada con el padre divino Ay y con tu familia. Es un niño desdichado, sin nadie en el mundo. Tu Majestad quizá pueda encontrarle un empleo, pues no creo que tenga futuro en las artes que yo enseño.

–Voy a pensarlo, Djeuthimés. Por el momento, consérvalo a tu lado.

El octavo día del segundo mes del año XII del reinado de Akhenatón comenzaron las ceremonias del gran jubileo del rey. Nunca
antes la Ciudad del Horizonte había visto tal afluencia de gente;
nunca tampoco había visto desfilar tantas riquezas, ya que llegaban
tributos y regalos de todo el imperio y de los países vecinos. Para la
recepción de los embajadores de las naciones extranjeras y de los enviados de las provincias que llevaban sus tributos, se había construido especialmente un edificio formado por cuatro salas, separadas
por dos amplias galerías que se cortaban en forma de cruz, y montado sobre la muralla norte del gran templo de Atón.

Las ceremonias se iniciaron al amanecer. En el fresco del alba, el
rey, vestido con un inmaculado taparrabo largo y adornado con la
corona azul, la única que se dignaba usar, y Nefertiti, coronada con
la toca que se había convertido en el símbolo viviente de su realeza,
subieron al carro de ceremonia, todo revestido con placas de oro cincelado. Los siguieron las seis princesas y todos los personajes importantes del reino, encabezados por el visir Nakht: Ay, Horemheb, Ramosé y Amón Hotpé, todos con sus esposas. Se dirigieron hacia el
gran templo, rodeado por una cerca viviente formada por el pueblo,
contenido con gran dificultad por una multitud de guardias. Un
pueblo siempre lleno de esperanza que pensaba que ese día todas las
dificultades de Egipto se resolverían por la gracia de Atón y que co-
menzaría así una era de felicidad sin fin. Por otra parte, esa deliran-
te ilusión era alimentada por las promesas de que aquel día correría
vino y cerveza en cantidad, que gracias a las vituallas acumuladas
en las tres mil mesas de ofrendas del gran templo el pueblo iba a darse un festín, y que cada uno de los habitantes de la ciudad recibiría
una parte de los tributos llevados por los extranjeros y los vasallos.

Las mesas de ofrendas estaban repartidas en tres inmensos patios rectangulares separados por pilonos, un conjunto denominado
Gem-Atón. Cuando los soberanos bajaron de sus vehículos, el cortejo real penetró en la gran sala de columnas, la "Casa del Regocijo".
Esta servía de vestíbulo de acceso al Gem-Atón, en el que luego in-
gresó acompañado por los himnos entonados por las sacerdotisas, al
ritmo de golpes de címbalos, castañeteos de sistros y de crótalos y la
música grave de arpas y cítaras.

Los jefes de las delegaciones extranjeras fueron introducidos en
el recinto sagrado para asistir a los ritos de saludo al Sol. De este mo-

do pudieron ver a la pareja real subir al altar con sus hijos, cantar el
gran himno a Atón y proceder a las ofrendas, espectáculo en el que
nunca antes había participado oficialmente un extranjero. Y todos
quedaron sorprendidos por esa mezcla de solemnidad y familiaridad, gracias a la presencia de las princesas, que sacudían los sistros
con unas manecitas temblorosas por el frío, y también a las demos-
traciones de ternura que intercambiaban el rey y la reina.

Una vez cumplidos esos ritos, los soberanos fueron al vestíbulo
de los Tributos Extranjeros. Pasaron con las princesas a la sala vecina para tomar allí una colación antes de ir a instalarse bajo el gran
baldaquín, instalado en un alto podio construido en el extremo norte de la galería en forma de cruz. Los nobles, los cortesanos y los flabelíferos se habían distribuido, según una estricta etiqueta, desde el
pie del estrado real a lo largo de la galería. Amenofis se sentó al lado de Nefertiti, cuya mano tomó como en los primeros días de su
matrimonio, mientras que las seis princesas se colocaron detrás de
ellos. Entonces todos pudieron descubrir cómo los caprichos de las
princesas primaban sobre el rigor del decoro. Neferneferuatón y Neferneferure tenían en sus brazos un cervatillo, al que Setepenre se divertía molestando con un dedo, las tres indiferentes al grandioso ce-
remonial que se desarrollaba a su alrededor. Después de ver desfilar
durante más de dos horas a los portadores de ofrendas, y a pesar de
la novedad y variedad del entretenido espectáculo que presentaban
esos hombres de rostros a veces tan graciosos, vestidos con ropas tan
diversas y de tan brillantes colores, las niñas ya estaban cansadas, y
lo manifestaban mediante un exceso de agitación, risas y gritos.
Durante un rato habían cautivado su atención todos los animales extraños destinados, según se comentaba, al parque del palacio de su
madre: leopardos esbeltos, panteras y leones de poderosa muscula-
tura, diversas bestias con cuernos que casi nunca se veían en Egipto,
curiosos caballos de pelaje compuesto por grandes rayas blancas y
negras alternadas, monos de todos los tamaños y aves de coloridos
plumajes. Pero ya estaban fatigadas de ver tantas cosas en tan poco
tiempo, de modo que hubo que llamar a las nodrizas para que se las
llevaran al palacio. Sólo se quedaron las dos mayores, Meritatón y
Maketatón, que, ya adolescentes, no usaban más el mechón a un costado y el cabello corto, sino su cabellera más larga, sin cubrirla con
peluca.

Las fiestas duraron varios días, en el transcurso de los cuales se alternaron banquetes, ceremonias religiosas, recepciones a los embajadores que iban a asegurar al faraón la amistad de su rey, espectáculos de lucha entre jóvenes y danzas. Durante todos esos días afluyeron los regalos y los tributos, pues los soberanos independientes y los vasallos tenían ocasión de manifestar, a bajo costo, sentimientos que no experimentaban en absoluto pero que dejaban tranquilo al rey en cuanto al pacifismo de sus intenciones y la realidad de su sumisión. Esto les permitiría luego actuar por sus propios intereses con total seguridad y, en consecuencia, en detrimento de los de Egipto. Akhenatón estaba más contento aún cuanto que los extranjeros iban todos los días a llevar ofrendas a los alteres de Atón, a participar como espectadores en las ceremonias del culto y a alabar al dios a viva voz. Ante esto, el rey quedó convencido de que se habían convertido a la nueva religión y Atón había iluminado sus corazones con su luz. Por esta razón, sólo pronunciaban palabras de paz y amor al rey de las Dos Tierras, aunque en el fondo sólo pensaban en la guerra, en independizarse o en apoderarse de algunas provincias del imperio.

El último día se consagró a la inauguración del palacio de Nefertiti, al que acababan de dar las últimas pinceladas mientras se instalaban tapices, cortinas, alfombras, muebles, se encerraba a los animales obsequiados por los tributarios, y el servicio doméstico tomaba posesión de sus cuarteles y sus funciones.

Primero llegó la reina, con el rey y las princesas, para que Su Majestad tuviera la primicia de descubrir las maravillosas elegancia y gracia del palacio norte. Después, los personajes ilustres y los embajadores recibirían la autorización para visitar las salas de recepción y los jardines. Djeuthimés y Meryre, el chambelán de la reina, acudieron a recibir a la pareja real a fin de guiar y comentar la visita. Parecía como si la reina hubiera querido hacerse construir no sólo una residencia de recreo, sino un complejo monumental que pudiera servir también de centro administrativo, ya que había una gran cantidad de salas preparadas para servir de oficinas a altos funcionarios. El rey se habría percatado de ello si hubiera prestado alguna atención a los planos diseñados por su esposa, al ver que los trabajos se continuaban al oeste de la muralla, del lado del Nilo. La misma Nefertiti le informó que allí se alzaría "la casa de los guardias", que debía

desplegarse en terrazas sucesivas hasta el río y en donde se dispondrían almacenes. Aquel conjunto edilicio estaba concebido para albergar no sólo a la guardia personal de la reina, a las órdenes de Hanis, sino también depósitos y delegaciones administrativas. Además,
la soberana anunció que había decidido hacer construir un palacio
más pequeño al sur del principal, otra residencia de placer, también
encerrada por una muralla espesa y centrada en un inmenso patio
doble y rectangular. En la parte oriental de este patio debía construirse un gigantesco estanque, un verdadero pequeño lago interior;
todo alrededor se dispondrían las salas de gala, la sala del trono, las
salas y galerías de múltiples columnas, y una mínima parte se consagraría a las habitaciones.

Akhenatón prestó muy poca atención a todo lo que le explicaban
la reina y su gran chambelán, ya que de pronto su interés recayó en
otra cosa: entre los servidores y sirvientes, tan numerosos como un
enjambre de abejas, su mirada había distinguido a un adolescente
cuya belleza lo había perturbado como nunca antes le había ocurrido. Quizá se debiera a que presentaba una curiosa semejanza con
Nefertiti, pensó. Quiso volver a pasar por la sala donde lo había visto y, una vez más, se asombró de que su corazón se dilatara en su
pecho. Cuando abandonaron la habitación, interrogó a Nefertiti esforzándose por aparentar indiferencia. Ella le explicó que era un pariente lejano, huérfano, que ella había empleado en ese palacio como
copero.

–Se llama Smenkhkaré –concluyó la reina.

–¿Smenkhkaré?

–Habrás notado que se parece un poco a mí.

–Impresionante… Sin duda fue eso lo que me… sorprendió. Pero vamos. Que entren los dignatarios, los nobles y los embajadores
de las naciones extranjeras.

Unos meses después de las fiestas del gran jubileo, que habían
sellado la gloria de Akhenatón, llevándola a su apogeo, una desgracia tan cruel como brutal sacudió a la pareja real y todos sus allegados: la pequeña Maketatón partió, en pocos días, al país del que no
se regresa, a causa de un mal que se abatió sobre ella como un halcón sobre el jerbo, como el gran viento del desierto sobre un fresco
oasis.

Inmenso fue el dolor de Nefertiti; a pesar de las exhortaciones de

su esposo, que le aseguraba que la tierna almita de la niña se apron-
taba a volver a animar otro cuerpo sin duda destinado a una vida
más plena y gloriosa, no conseguía consolarse de una pérdida que la
presencia de las otras cinco niñas no podía compensar en absoluto.
Durante varios días permaneció postrada, rodeada por los cuidados
y el afecto de Mutnedjemet y de May, y en menor medida de Ti, que
lloraba tan ruidosamente y con tal abundancia de lágrimas que rea-
vivaba la pena de Nefertiti cada vez que comenzaba a apaciguarse.

Así pasó el tiempo de la inundación, en medio del duelo y la
aflicción.

Capítulo XXVI

Desde su llegada a Ikhutatón, convocado por Amenofis, Osarsuf no había vuelto a dejar la ciudad. Lo retenía esa pasión que lo había atado más sólidamente a Nefertiti al haber encontrado su expresión carnal. Sin embargo, se sentía desgarrado entre la satisfacción de esa pasión y los escrúpulos que ello le provocaba, a la vez que por la sensación indefectible de estar traicionando una amistad a pesar del consentimiento tácito de Amenofis. No sabía si debía despreciarse por su complacencia hacia su real amigo o, por el contrario, felicitarse por un cúmulo de circunstancias que le permitía colmar su deseo y, al mismo tiempo, servir a los intereses de su rey. Un rey que, por su parte, declaraba su desconsuelo por no tener todavía un heredero, porque ningún niño nacido de la Gran Esposa Real, nutrido desde su más tierna infancia con sus reales pensamientos y criado en el culto de Atón, iba a sucederlo en el trono de las Dos Tierras para continuar su obra grandiosa en la luz del Sol.

Los sucesivos nacimientos de las dos niñas engendradas por Osarsuf habían tornado más pesada la parte de remordimiento y vergüenza en los platillos desequilibrados de la balanza de Maat. La muerte de Maketatón desencadenó en él una verdadera crisis, durante la cual se encerró en su residencia durante varios meses negándose a salir, a ver el sol, a Akhenatón y a Nefertiti, que representaban para él los tres polos de su existencia.

Por fin, un cálido día de finales del verano se hizo anunciar ante la reina. Esta lo recibió de inmediato pues estaba muy ansiosa y disgustada al cabo de tanto tiempo sin verlo.

No bien apareció, Nefertiti corrió a arrojarse en sus brazos.

–¡Mosatón! ¡Oh vida de mi alma! –exclamó con exaltación–. ¿Por qué desapareciste así de mi vista? ¿Por qué te negaste a recibirme, a mí, tu reina y amante, cuando me trasladé hasta tu casa para verte?

Él la estrechó un instante contra su pecho y luego, empujándola suavemente y tomándola de los hombros, contempló un momento su rostro emocionado, que le pareció más hermoso que nunca por la gravedad que le habían aportado la pena y los golpes de la vida.

–Kiya –dijo al fin–, sol de mi corazón, tienes que escucharme sin hablar, sin gritar, sin llorar.

Este preámbulo la inquietó tanto que quiso protestar, pero él apoyó una mano sobre sus labios y prosiguió:

–Escúchame, escucha las palabras de mi corazón. Por mi amor hacia ti y hacia Ameni acepté actuar como nunca lo hubiera hecho en otras circunstancias. Pero debes saber que no puedo seguir amándote así, a espaldas de todos, como un ladrón que roba un bien a un propietario consentidor. No, Kiya, si hubieras sido libre te habría hecho entrar en mi casa como la dueña de mis bienes y enorme habría sido mi alegría; pero resulta que no sólo no eres libre, sino que además eres reina y, para colmo, sé que en el fondo de tu corazón sigues amando a Ameni...

–¡No, no! ¡Cómo hubiera podido entregarme a ti si todavía lo amara...!

–No digas nada. Tus palabras no son el espejo de tu corazón y puedes desearme, incluso puedes haberme amado, sin que Ameni abandonara tu alma. Eres una mujer ardiente y sensual, y su retirada, que no era falta de afecto, te hizo creer que ya no te amaba y que lo mismo te ocurría a ti. Y pensaste que podías amarme, más aún cuanto que yo supe, por mi parte, amarte con toda la pasión que podías desear, y todo ello sin correr el riesgo de que te acusaran de adúltera y perder una corona que en el fondo de tu corazón aprecias.

–Mosatón, estoy dispuesta a abandonarla para conservarte.

–Te arrepentirías demasiado pronto, y tampoco tienes derecho a hacerlo. Ameni te necesita, Egipto te necesita; sería un crimen abandonarlos, así como serles infiel. Porque si bien tu cuerpo, simple morada transitoria del alma, pudo ser infiel a Ameni, las almas de los dos siguen unidas, eternamente unidas. Él lo sabe bien. Él, que te permite actuar a tu antojo en su nombre; él, que no sólo sigue asociándote a todas las manifestaciones de su vida pública y del culto de Atón, sino que te deja arrogarte poderes que ninguna mujer ha poseído en este país, salvo tal vez la reina Hatshepsut. ¿Por qué el dios le concedió sólo hijas mujeres? ¿Por qué le quitó el poder de crear en la carne? Es un misterio insondable y un drama que desgarra su existencia. Muchas veces hablé de ese tema con él. Ahora está convencido de que Atón le quitó esa facultad de procrear porque lo quiere macho y hembra, porque sólo su espíritu debe ser creador, y ya no su carne. Inventa mil razones para justificar las desgracias con que el dios lo golpea, para convertirlas en signos que él desearía que fueran felices y favorables. Pero para mí son presagios funestos. Atón no quiso que tuvieras un varón, ni siquiera conmigo, y nuestra última hija casi te costó la vida. Desde entonces, también tú te volviste estéril y, como para castigarnos por haber creído que podríamos transgredir su voluntad de no darte un hijo varón, te quitó una de tus hijas, quizá la que más amabas. Todo esto tendría que haber iluminado nuestras almas, todas esas decepciones tendrían que habernos hecho entender que seguimos un camino que disgusta al dios.

–¡No! ¿Qué quieres decir?

–Nada, sólo que no puedo seguir viviendo así. Me dijiste que por medio de un sueño Atón te indicó el lugar en el que debería construirse tu capital, y te dio la corona que llevas a todas partes. Pues bien, también a mí me envió un sueño. Un sueño en el cual yo estaba entre los khabirú del país de Gesén y ellos me indicaban la gran pista que se pierde en el desierto de la sed, en las soledades de Farán. He decidido ir allá para encontrar el camino que debe ser el mío propio, el camino que me indica el dios con sus manos de luz.

–¡Mosatón! ¡No vas a dejarme! ¡No, no vas a abandonarme cuando te necesito tanto! –exclamó ella, arrojándose en sus brazos.

–Tengo que dejarte, pero no te abandono. Mi corazón permanecerá cerca de ti y de Ameni. Ya le hablé, y le pareció buena mi decisión; me exhortó a buscar al dios en las soledades radiantes del desierto. Tú debes acercarte a Ameni, amarlo más que nunca, pues cada uno necesita el amor del otro.

–¡No! ¡No te dejaré partir!

Lo abrazó con más fuerza, cubriéndole de besos ardientes el cuello, que al mismo tiempo inundaba con sus lágrimas. Él la alejó con suavidad pero con determinación.

–Kiya, sé fuerte. Eres reina, no lo olvides; eres la soberana de las Dos Tierras, no cualquier mujer. El dios te eligió con Akhenatón; muéstrate digna de ellos, digna de la grandeza del alma que habita tu cuerpo. Y un día me darás las gracias por haberte liberado de mí, de ti misma y de un amor que no eleva nuestras almas, que nos vuelve prisioneros de nuestros sentidos y de una pasión sin grandeza. Kiya, sé fuerte, sé noble, sé grande y que Atón te conserve en su luz, que conserve tu nombre por los siglos de los siglos, eternamente.

La dejó bruscamente pues sentía que su determinación comenzaba a flaquear ante la pena de la joven reina. Cuando cerró la puerta, Nefertiti se derrumbó entre lágrimas sobre su lecho, como la niña que seguía siendo y que cada uno lleva en su interior hasta el umbral de la vejez.

Aquel mismo día, abandonando todos sus bienes, llevando sólo un poco de oro, unos taparrabos de recambio en un morral, un puñal con hoja de hierro, regalo de un mercader hitita, metido en su taparrabo corto, un carcaj de piel al hombro con un arco tirio y una jabalina en la mano, Osarsuf se embarcó rumbo al norte. El nauta, que había reconocido al gran amigo del rey, quiso prosternarse ante él, pero él se lo prohibió y se empeñó en pagar su pasaje. Menos de diez días después se hallaba de regreso en la tierra de Gesén.

Durante los numerosos años que había pasado en esa región había tenido muchas ocasiones de trabar relaciones con los asiáticos, los *khabirú*, los *shasu* y otros nómadas establecidos cerca de Pi-Atón para construir allí la ciudad. Entre ellos se había hecho algunos amigos, y en particular había trabado amistad con Aarón, que le había enseñado a hablar la lengua de la gente de Canaán, que era la que usaban para comunicarse los beduinos del este del delta. Al verlo llegar tan pobremente vestido pero armado como un pastor del desierto, a Aarón le costó reconocer al gran sacerdote de Atón, el hombre del que se sabía era amigo del faraón en persona, quien lo había delegado en la tierra del Norte para predicar el amor de Atón y hacerle construir ciudades y templos.

–¡Mosatón, mi señor! –exclamó Aarón, inclinándose y levantando los brazos–. ¡Con qué atavíos apareces ante mis ojos! ¡Mi corazón se regocija tanto de volver a verte después de estos largos años de ausencia!

–Aarón –respondió Mosatón al tiempo que lo ayudaba a incorporarse–, ya no soy tu señor, ¡pero puedes llamarme hermano!

–¿Qué? ¿No habrás perdido el favor del faraón?

–No busco el favor de Akhenatón, sino el verdadero conocimiento de dios. Él me envió un sueño para indicarme su voluntad y comprendí que debía ir al desierto, entre los beduinos, rumbo a las regiones que recorren los *shasu*, a fin de buscar allí lo que no encontré en el templo de Ra en Heliópolis, ni en los misterios de Osiris en Busiris, ni en los secretos de Amón el oculto, ni en la luz de Atón, en la gran ciudad que el rey le consagró.

–Mosatón, lo que me dices no me sorprende, pues yo sabía que el dios, el Señor que reina en el mundo, te había designado para una tarea más importante que la de construir templos. Si se te manifestó en sueños después de haberte hablado en la oscuridad de sus santuarios, ve al desierto, hacia el país donde se levanta el sol, ya que sin duda es allí donde debe de terminar el itinerario que te hizo seguir, es allí donde debe de manifestarse su suprema revelación. –Dejó escapar un profundo suspiro antes de proseguir–: No obstante, te aseguro que te echaré de manos, como te extrañé durante tu larguísima ausencia. Debes saber que, después de tu partida, un hombre te reemplazó; es arrogante y se sabe poderoso. Declaró que nosotros, todos los obreros que trabajamos para la gloria de Atón en esta ciudad, no éramos más que unos perezosos. También dijo que no era de sorprender que los trabajos avanzaran tan lentamente ya que sin duda tú favorecías nuestra pereza, pues no habías tomado ninguna medida para que progresaran las obras, y que el faraón había tenido razón en quejarse de tu incapacidad y tu impericia. Entonces nos obligó a trabajar más deprisa y durante más tiempo, hasta el agotamiento, y quiso que se empleara el látigo y la vara para desentumecer los pies y las manos de los obreros, que para él eran todos holgazanes. ¡Mira el amo que nos dio el faraón para reemplazarte!

–Aarón, tendrías que haberme escrito a la ciudad del Horizonte; no dudes que habría hecho castigar a ese funcionario indigno. Creo que todavía tengo crédito ante el rey, así que deseo ir a hablar con ese hombre.

–Podrás hacerlo, podrás hacerlo. Ha de venir mañana o en los próximos días, porque no vive aquí, sino en Bubastis.

Mosatón se instaló en la casa de Aarón, pues quería ver a ese nuevo director de obras. Entre tanto, paseaba por la ciudad, que cada día crecía un poco más por la afluencia de gente que llegaba de

Asia escapando de la anarquía que se había instalado en Canaán y en los países de Fenkhu. Se hallaba en Pi-Atón desde hacía ya unos días, cuando una mañana vio llegar a un hombre en un carro. El individuo se apeó y avanzó entre los obreros, gente de la tribu de Aarón, que prensaban la tierra mezclada con paja para fabricar ladrillos. Aunque no habían cesado de trabajar, los interpeló, gritándoles que fingían mucho empeño en sus tareas cuando él aparecía, pero que se echaban a dormir no bien lo veían marcharse; de eso estaba seguro porque el trabajo progresaba con una lentitud que demostraba cuán perezosos eran. Uno de los obreros quiso protestar y mostró la masa de tierra transformada en ladrillos moldeados que se secaba al sol. En lugar de apaciguar al egipcio, esta respuesta no hizo más que atizar su cólera; levantó su bastón y golpeó al imprudente tratándolo de mentiroso, de hijo de Seth con lengua bifurcada. Entonces intervino Mosatón, indignado por tanto afán puesto al servicio de la injusticia.

–¡Así es como enseñas el amor de Atón! –exclamó, asiendo por el brazo al egipcio–. ¡Deja de golpear a este hombre si no quieres sufrir los efectos de mi cólera!

El hombre se soltó brutalmente y volvió hacia él una mirada furiosa:

–¿Cómo? ¿Qué dices? ¿Quién eres tú para atreverte a hablarme así? ¿No sabes que soy el director de las obras de esta ciudad? ¿Ignoras que Su Majestad me ha dado todo el poder sobre la gente de aquí?

–No tienes poder para pegarles injustamente. Y si quieres saberlo, mi nombre es Mosatón.

–No te conozco, y te aconsejo que te alejes de aquí cuanto antes si no quieres recibir una paliza también.

–No me alejaré antes de…

No pudo decir más. Con un gesto brusco, el hombre levantó el bastón y lo golpeó en pleno rostro. Mosatón, que no se esperaba tal acto de violencia, cayó al suelo viendo las estrellas; de inmediato otros golpes cayeron sobre sus hombros y sus costillas mientras el hombre lo insultaba y le gritaba.

Mosatón logró levantarse; nunca antes alguien lo había golpeado y humillado de ese modo, y una inmensa cólera se apoderó de su corazón, que hasta ese día había sabido controlar. Al verlo avanzar hacia él, con el rostro contraído y los puños cerrados, el egipcio retrocedió un paso y levantó la vara. Pero antes de que la bajara, Mosatón se arrojó sobre él con la fuerza de un toro y ambos rodaron por el polvo. Mosatón consiguió aferrar a su adversario por la garganta, que apretaba entre sus poderosos dedos mientras le golpeaba la cabeza con fuerza contra la dura tierra. De pronto sintió que el hombre se aflojaba, y lo soltó; entonces se dio cuenta de que había dejado de vivir, que ya se había unido con su alma. Sin embargo, no sintió remordimientos por haberlo matado, él, que hasta ese momento jamás había infligido la muerte. Aarón, que estaba cerca, miraba con consternación el cuerpo que yacía en el polvo, con los ojos desorbitados y el rostro enrojecido.

–Aarón –le dijo Mosatón tras recuperar la calma–, dirás que fui yo, el Gran Vidente de Atón, el compañero de Su Majestad, el que mató a este hombre, y también dirás que fui hacia el país de Farán y de Edom. Que vengan a buscarme si se atreven, pero que no olviden que sigo teniendo el favor del faraón y que con esto realicé un acto de justicia.

Tomó sus armas y su magro equipaje y emprendió el camino al desierto, rumbo al país donde se levanta el Sol.

Al parecer, nadie había tratado de perseguirlo, y durante días siguió las pistas de las caravanas, las que tomaban los beduinos *shasu* y que conducían al país de los *kenitas* y más allá, bien al sur, hacia esas regiones fabulosas que los egipcios llamaban el Tonutir, el "país del dios", donde cada mañana renacía el sol, eterno fénix. Mosatón llevaba un odre de agua que no olvidaba llenar en cada pozo y en cada charca de los oasis habitados por pastores pacíficos que vivían de la cría de cabras y ovejas y la recolección de dátiles. Su conocimiento de la lengua de los cananeos le permitía hacerse entender por los beduinos que veían sin temor ni desconfianza a ese hombre errante y solitario.

Al cabo de una larga caminata de varios días por sendas rocosas, en un paisaje atormentado por montañas erosionadas por los vientos ardientes del desierto, peñascos gigantescos que parecían abandonados tras un combate de gigantes, bajo un cielo semejante al bronce cuando el calor lo transforma en un líquido ardiente, llegó a una elevada meseta pedregosa salpicada de hierbas tupidas, matorrales espinosos y grupos de palmeras. A lo lejos, las colinas se escalonaban hasta el horizonte, cerrado por abruptas montañas.

La vida parecía renacer en el límite de aquel mundo desolado del que venía. A la sombra de un grupo de acacias pacía una familia de antílopes que, al verlo acercarse, huyó precipitadamente y se detuvo a una buena distancia para vigilar al inoportuno y juzgar sus intenciones, lista para regresar a su festín en cuanto se hubiera alejado.

Mosatón avanzó hasta las primeras elevaciones, donde se multiplicaban las palmeras bajas, de hojas en forma de abanico, semejantes a inmensas manos abiertas. Unos balidos y unos gritos atrajeron su atención, y apresuró el paso en esa dirección. Del otro lado de una alta cabaña de piedra vio a unos beduinos con sus ovejas; empujaban sin miramientos a unas muchachas que acompañaban a un rebaño de cabras, mientras uno decía a las dos jovencitas:

–¡Despejen, despejen! Nuestros animales tienen sed; primero para ellos y después para nosotros el agua de este pozo.

Una de las jóvenes, sin duda la mayor, quiso protestar:

–Este pozo está en nuestro territorio y nos pertenece. Quieres apoderarte de él por la fuerza. Nuestro dios te castigará pues reina sobre este país y no soporta que perjudiquen a los suyos.

–Deja tranquilo a tu dios, que el nuestro vale más y no tiene miedo. Y alégrate de que no usemos la violencia con ustedes.

El pozo estaba en una cavidad profunda de las rocas y formaba un arco en la parte superior, mientras que los costados se hallaban cerrados por muros de piedra seca, levantados por manos humanas, de manera que el agua quedaba protegida de los vientos cargados de arena. Uno de los beduinos se había introducido en él seguido por otro, ambos cargados con odres, mientras otros dos esperaban afuera para vaciar los odres en un barreño de piedra en el que podían saciarse los animales. Por su cabellera corta ceñida con una cinta de cuero, por el taparrabo bordeado por una fimbria y adornado con borlas, por el amuleto circular colgado del cuello y el sable corto ensartado en el cinturón anudado sobre el vientre, Mosatón reconoció a los beduinos *shasu* que practicaban el nomadismo en el sur de Canaán, hacia Edom y Seir.

Se acercó, arrojó al suelo su odre y golpeó al jefe de los beduinos con el mango de su lanza, gritándole:

–Hablas con tanta insolencia porque ante ti sólo hay unas muchachas temerosas como gacelas. Yo te digo: vete de aquí y deja que estas jovencitas den de beber a sus animales.

El beduino quiso defenderse, pero de nuevo Mosatón le pegó con la dura madera de su vara y, como su compañero empuñaba su espada, le perforó el brazo y lo arrojó al suelo. Alertados por los gritos, los otros dos *shasu* salieron del pozo, dispuestos a arrojarse sobre Mosatón, pero este los enfrentó y se lanzó sobre ellos gritando tan fuerte que se asustaron y huyeron junto con sus ovejas.

Entonces Mosatón se volvió hacia la mayor de las muchachas. Era alta, de rostro agradable; llevaba un vestido largo hasta las rodillas que le dejaba un hombro al descubierto, la cabeza envuelta en cintas decoradas con caracoles, el cuello y las muñecas adornados con collares y brazaletes de piedras de colores y cobre de ígneos reflejos.

–Haz beber a tus bestias –le dijo Mosatón en la lengua de Canaán–. Esos pastores no te molestarán; yo sabré alejarlos si regresan por aquí.

Ella le respondió en una lengua tan similar que él pudo comprender sus palabras:

–Bienvenido al país de Madián. Me llamo Séfora y esas son mis hermanas, todas menores que yo.

Él las ayudó a sacar agua del pozo y transportar los cántaros que iban a vaciar en el abrevadero. Una vez que los animales terminaron de beber, volvieron a agradecerle y se alejaron. Mosatón, que encontró el lugar propicio para un descanso, se acostó a la sombra de un grupo de palmeras. Se quedó inmóvil mirando el sol que bajaba lentamente hacia el horizonte del poniente y su alma alzó vuelo rumbo a Ikhutatón; pensó en Nefertiti y en las dos hijas nacidas de su carne.

Soñaba despierto de ese modo cuando oyó ruido de pasos, pues en el desierto había aprendido a desconfiar de los agresores que, como los chacales, se deslizan en la penumbra para sorprender al viajero solitario y despojarlo de sus bienes. Empuñó su lanza y se irguió con aire tan determinado y feroz que Séfora, que había regresado con una de sus hermanas tomada de la mano, retrocedió.

–Extranjero –le dijo–, nuestro padre nos envía a verte. Le dije lo que habías hecho por nosotras y nos preguntó: "¿Dónde está? ¿Por qué no lo trajeron?". Y yo le respondí que sólo somos unas muchachas y que no estaba bien que lleváramos a casa a un extranjero de paso. Ahora escucha: nuestro padre, Jethro, nos envió ante ti para pedirte que vengas a su tienda para compartir su comida.

Mosatón aceptó la invitación con alegría y siguió a las muchachas. Jethro había establecido su campamento a poca distancia de
allí, al resguardo de una franja del acantilado y a la sombra de unas
palmeras, en un lugar en el que crecían abundantes hierbas para las
cabras y los siete asnos que representaban lo esencial de sus riquezas. Tres tiendas de pieles y telas bastamente cosidas entre sí, colgadas en estacas con ayuda de cuerdas de tripa, servían de refugio a
Jethro y sus siete hijas, pues había perdido a su mujer y vivía separado de su tribu, cerca del santuario de la divinidad ancestral de la
cual era sacerdote. Su carácter sagrado le permitía vivir en aquel desierto en absoluta seguridad, ya que ningún beduino ni ningún ban-
dido se habría atrevido a violentarlo por temor a sus poderes y a la
ira del dios al que servía. Era un hombre venerable, de rasgos cincelados por el sol y los vientos de aquellas soledades, de tupida barba
que se había vuelto blanca como el pelaje de sus cabras.

Recibió a Mosatón con calidez. Le ofreció el cabrito sacrificado y,
mientras caía la noche y el cielo vestía su manto de estrellas, habla-
ron del dios que habita en el mundo y fuera del mundo, del dios cuyo nombre no se puede pronunciar. Al día siguiente, Jethro propu-
so a su huésped que se quedara un tiempo junto a él. Mosatón
aceptó pues sentía vagamente que había llegado al final de su recorrido, al abra que esperaba en su huida al desierto.

Mosatón ayudó a las hijas de Jethro a guardar y cuidar las cabras,
y poco tiempo después acompañó a su anfitrión al santuario de los
madianitas, que consistía en un vasto círculo de piedras, construido al
pie de la montaña más alta de la región, que era el monte Horeb.

–Mira –dijo Jethro a Mosatón después de untar las piedras del
santuario con aceite perfumado–, aquí se manifestó el dios; su casa
está en esta montaña. Muchas veces por año, en luna nueva, vienen
las tribus vecinas que adoran al dios al que sirvo, y me traen regalos
junto con ofrendas destinadas al dios. Son los kenitas que viven al
norte y al este; y el territorio vecino, al sur, es el dominio de Yavé en
tierra de los *shasu*, y Yavé es también el nombre que esa gente da al
dios que reside en la montaña de Horeb. Pero nosotros no le damos
nombre, porque es el innombrable, y cuando queremos designarlo lo
llamamos Adón, que en la lengua de los cananeos y de la gente del
desierto significa "Señor".

–Jethro, Adón es el nombre revelado del dios, y debes saber que en Egipto nosotros le damos el mismo nombre, que es Atón, y el sol que brilla en el cielo es su manifestación sensible.

–Él es luz y fuego, vida y calor, todo lo que hace que podamos existir –añadió Jethro.

–Pero dime otra cosa. Acabas de decir que ese es el desierto de Sin. ¿Se trata de un dios?

–Sin es el dios Luna, el dios que se manifiesta en la Luna, pero no es más que el reflejo del Sol, la sustancia luminosa de las tinieblas, y todos los desiertos de los alrededores están consagrados a él. Pero el dios de luz se alza en el monte Horeb.

Antes de que terminara ese año, Mosatón se casó con Séfora, y antes de que transcurriera otro año ella le dio un hijo que recibió el nombre de Gersam.

Hacía más de tres años que Mosatón había llegado al país de Madián, cuando llevó el rebaño de su suegro a pacer al pie del monte Horeb. Dejó que las cabras blancas y negras corrieran al pie de la montaña sagrada sobre la que se alzaba el sol, y él se acostó a la sombra de un peñasco y se adormeció bajo el calor del mediodía. Y ocurrió lo siguiente: vio una luz en el flanco de la montaña, como llamas que parecían salir de un arbusto de espinos, pero la madera no se consumía ni lanzaba humo. Quiso ir a ver de más cerca ese extraño fenómeno, pero cuando comenzó a subir la pendiente pedregosa una voz le dijo:

–Antes de acercarte, quítate las sandalias. Avanza descalzo, porque este lugar es santo.

Mosatón obedeció y subió hasta el arbusto ardiente y se detuvo a cierta distancia, porque el calor era intenso y la luz resplandecía como si proviniera del sol.

–¿Quién eres tú, que me hablas y que mis ojos no pueden ver? –preguntó entonces.

–Mosatón, ya me conoces, y sabes que no puedo ser percibido por los sentidos porque no soy materia sino espíritu, fuerza y brillo. Y no tengo nombre, porque soy el que soy, la esencia de la vida. Aquel por el cual existe todo lo que es. Ahora escucha, porque quiero revelarme a ti, porque por mí has nacido, eres mi hijo, el hijo que elegí para que se cumpla mi voluntad.

Y Mosatón escuchó la voz que provenía del arbusto, o de otra parte, no lo sabía, pues sólo veía la luz que inundaba el arbusto.

Cuando regresó a la tienda de Jethro se sentía otro hombre, pero era incapaz de saber si lo que había sucedido lo había vivido en sueños o en la realidad. Fue a ver a Jethro y le dijo:

–Debo regresar a Egipto, porque el dios se manifestó ante mí y debo cumplir su voluntad. Pero regresaré, porque aquí está mi familia, aquí está mi vida.

–Mosatón –respondió su suegro–, no me corresponde oponerme a la voluntad del dios. Ve y recibe mi bendición.

–Te agradezco, padre. Pero en adelante mi nombre será simplemente Mosé, pues no nací de Atón, no soy el hijo de nadie, sino que nací a la vida a través del dios que no se puede nombrar, del dios oculto en el fondo de nuestro corazón y al que no podemos encontrar fuera de nosotros porque está en nosotros.

Capítulo XXVII

Cuando Mosé pisó el suelo de la Ciudad del Horizonte se dio cuenta de que hacía cuatro años que se había ido, con el corazón apesadumbrado por la pena y agitado por pensamientos amargos. Aunque su rostro había cambiado poco, pues el sol y el aire del desierto habían apenas marcado un poco más profundamente sus facciones, otra alma lo animaba, tanto que bajo la misma apariencia era otra la persona que avanzaba por la gran calle real de Ikhutatón.

Se detuvo frente a la doble puerta del gran palacio y pidió a los guardias que llamaran al oficial de servicio pues quería ser llevado ante Su Majestad. El jefe de los guardianes de la puerta miró de arriba abajo, con una mezcla de desdén y conmiseración, a ese hombre vestido con un taparrabo gastado, sin peluca, que parecía uno de esos pordioseros que, cada vez más numerosos, vagaban por la ciudad, y después exclamó:

–¡Por el favor de Atón! Vete de aquí antes de que te dé tantos palos que te deje la frente azul.

Mosé levantó la cabeza con orgullo e insistió con un tono cuya autoridad mal se correspondía con su aspecto. El guardia quedó más molesto que impresionado y, poniendo en práctica su amenaza, alzó su lanza y golpeó con el mango el rostro del desvergonzado. Como Mosé trató de defenderse y de arrebatarle su arma, los guardias lo molieron a palos y lo abandonaron jadeante en el medio de la calle. No obstante, cuando hubo recuperado sus fuerzas se levantó y se dirigió a la orilla del río para lavarse el rostro manchado con la sangre que le había brotado de la piel destrozada de la frente. Había allí unas mujeres que lavaban ropa cantando una canción que evocaba a Hapy, el dios del río, y a Sobek, el dios cocodrilo, lo cual hizo pensar a Mosé que en el alma popular Atón estaba muy lejos de haber destronado a los otros dioses.

Caminó río arriba, hacia el Norte, a lo largo de la orilla, hasta que se topó con una sucesión de depósitos y edificios que se escalonaban tierra adentro. Siguió caminando y descubrió que se encontraba cerca del palacio de Nefertiti; así había hecho ella erigir todos esos almacenes y edificios administrativos que debían prolongar su residencia personal. Se detuvo frente a la puerta monumental cuya doble batiente estaba abierta. Pero también allí había muchos guardias, no egipcios, sino mercenarios extranjeros con cascos de bronce y armados con lanzas y espadas. Mosé dudó: ¿iba a pedir que lo recibiera la reina, ya que creía que debía de encontrarse en su palacio? Aunque deseaba volver a verla, temía el reencuentro, pues sabía que la pasión contenida en el fondo de su pecho seguía allí, como brazas tapadas por ceniza tibia. Se alejó con paso lento hacia el otro palacio, que alzaba a poca distancia sus macizos muros blancos, y se detuvo ante la puerta para admirar el magnífico monumento. A un lado se había dispuesto una gran abertura enmarcada por dos columnas, que debía de servir de balcón durante las apariciones reales. Toda la pared de la parte de abajo del balcón estaba cubierta de relieves pintados en los que se veía, no al faraón, como era habitual, sino a la propia Nefertiti, coronada con su toca azul, a veces rematada con los cuernos y las plumas de Amón, que, de pie en su carro, arrojaba flechas a los enemigos de Egipto. Un poco más lejos, se la veía representada, también de pie, vestida con el taparrabo real y blandiendo una maza en la mano derecha, con la que amenazaba a un nubio arrodillado, al que sostenía por los cabellos con la otra mano. En otras escenas se la veía cazando un león con una lanza, desde un carro magníficamente decorado. Pero en ninguna parte aparecía el rey.

–Si eres extranjero en esta ciudad, puedo guiarte, puedo indicarte buenos hospedajes, todo lo que tu corazón desee.

Mosé se volvió hacia el hombre que le había hablado. Tenía la cintura ceñida por un harapo mugriento, por lo que debía de ser un pordiosero que esperaba alguna limosna por su complacencia. Como la respuesta que esperaba no llegaba, el hombre prosiguió:

–Mira, es Su Majestad, la Gran Esposa Real, que es como un rey. El dios le dio belleza en un envoltorio de mujer y el corazón firme de un hombre. Aquí ella reina por su lado, mientras que el faraón reina por el suyo en el gran palacio. Pero cuídate de levantar tus ojos hacia ella, pues es como Sekhmet, la diosa leona. Hace poco, estaba festejando con sus cortesanos y otros personajes ilustres en una casa de cerveza, y el maestro de ceremonias, que había bebido demasiada cerveza y vino de Siria, se le acercó, ¡y quiso seducirla y violentarla, el desgraciado! Además, se vanagloriaba de ser amado por la reina y reemplazar a su esposo en su lecho… ¿Y sabes lo que pasó? Fue capturado por los guardias, que lo ataron a una carretilla llena de piedras y lo abandonaron así en el desierto. Tenía que traer la carretilla hasta la ciudad, pero era demasiado pesada y no pudo hacerlo. Al cabo de diez días fue a reunirse con su alma.

–¿No recibió el castigo que su audacia merecía? –le preguntó Mosé con un tono que confundió a su interlocutor, que no supo si bromeaba o hablaba en serio.

Sin embargo, no tuvo ocasión de responderle, porque se acercaba una pequeña tropa, hombres armados que rodeaban un carro de guerra en el que iba Nefertiti. A su paso, la gente se inclinaba profundamente o se echaba boca abajo en el polvo. Mosé se admiró al ver que en el transcurso de esos últimos cuatro años ella no parecía haber ganado una sola arruga ni haber envejecido un mes, y notó que había adoptado un aire altivo que no mostraba en el pasado. La contempló con tanta insistencia que ella dirigió hacia él su mirada; a su vez, él curvó el torso y levantó los brazos. La reina no dio muestras de reconocerlo, pues se volvió enseguida y pasó, soberbia e indiferente. Mosé se dijo que era mejor así. El cortejo se introdujo bajo la elevada puerta del palacio, cuyas pesadas hojas se cerraron.

–¡Qué mujer! –suspiró el mendigo.

Sin responderle, Mosé le dio la espalda; había decidido regresar al palacio y esperar a que saliera el rey para arrojarse ante él y hacerse reconocer. Ya se alejaba, cuando un hombre armado salió del palacio y corrió hacia él.

–¡Espera, detente! –exclamó el guardia.

Mosé se volvió para mirarlo.

El hombre se detuvo ante él y jadeante le preguntó:

–¿Eres Mosatón?

–Y tú eres Hanis –contestó Mosé.

–Ten la amabilidad de seguirme. Su Majestad desea verte.

–¿Es necesario, Hanis? Creo que es preferible no volver a verla.

–Mosatón, ella se enojaría mucho.

Mosé dudó un breve instante y luego dijo, suspirando:

–Te sigo.

Se alejaron bajo la mirada estupefacta del hombre que había conversado con Mosatón, que prudentemente se había alejado cuando vio que lo interpelaba el jefe de la guardia del palacio. Mosé siguió a Hanis por el vasto patio de recepción, desde el cual pasaron al patio del gran estanque rodeado de árboles y arbustos en flor.

Nefertiti estaba en una sala contigua, sola, sentada en un asiento de alto respaldo cuadrado taraceado en oro, marfil, lapislázuli, coral y ébano. Cuando entró Mosé, se levantó y fue hacia él. Y cuando él se inclinó y levantó las manos, ella las tomó entre las suyas.

–¡Mosatón! –exclamó con calidez–. De veras eres tú. ¡Has regresado!

–Soy yo, Kiya, pero ya no soy el que era y no he vuelto para quedarme. Te pido tu ayuda; deseo que me lleves con Akhenatón.

Ella le soltó las manos y fue a sentarse nuevamente en su sillón. Luego le señaló un asiento con gesto cansado:

–Te comprendo. Nuestro amor sólo fue un sueño imposible, incluso cuando se hacía realidad.

–Al igual que el triunfo de Atón en el amor de los mortales –respondió él al tiempo que se sentaba.

–¿También tú piensas eso?

–Kiya, no podía ser de otra manera. Porque Egipto es un país demasiado antiguo, porque los dioses están establecidos en él con demasiada solidez, porque Amón es demasiado poderoso y goza de demasiado prestigio en el corazón del pueblo.

–En vano Akhenatón intenta quebrarlo. ¿Sabes que mandó tomar los bienes del clero, que echó a los sacerdotes del templo de Amón, que hizo martillar los nombres de Amón y de Mut en todos los sitios en los que estaban inscriptos, en las paredes de los santuarios, en los palacios y hasta en las tumbas? Una verdadera locura se apoderó del rey, pero persigue a Amón en vano. Porque este dios sigue viviendo una vida secreta.

–De eso estoy convencido, y ahora sé también que Akhenatón jamás debería haber sacado a la luz del día lo que debió seguir siendo una enseñanza secreta.

–¡Entonces Akhenatón habrá luchado en vano para que triunfe

su dios, para que la verdad sea revelada a todos los mortales! Porque los hombres están ciegos y la verdad no puede verse en todo su esplendor, ya que es como el Sol, insostenible a las miradas. Mira, Mosatón, yo recogí en mi palacio al pequeño Tutankhatón. Cuando murió Tiyi, hace tres años, su madre vino a instalarse conmigo, porque ya no podía soportar la vida en el palacio de Tebas. Pronto Satamón fue hacia el Bello Occidente a reunirse con sus ancestros, los buenos dioses justificados, y yo me ocupé de Tutankhatón, porque él es el heredero legítimo, el único heredero del trono. Y debes saber que me acerqué en secreto a los sacerdotes de Amón para restituir al dios su esplendor, pues Atón sólo trajo miseria al país.

–Kiya, tú eres la única que puede salvar a Egipto, y tienes que seguir actuando así. Mira, vengo de la tierra del norte y en todo el camino sólo encontré miseria, enfermedad, muerte y la ira del pueblo. Akhenatón no supo defender a su dios como convenía. Pero quiero verlo. Pasé todos estos años en los desiertos que se extienden al este de la tierra del Norte, cerca de la montaña en la que se alza el Sol, y el dios se reveló a mí. En el país de Gesén viven tribus de asiáticos, los *khabirú*, los *shasu* y también los *israelu*, que trabajan por la gloria de Atón. Quiero llevarlos fuera de Egipto, hacia el desierto, rumbo a Canaán, y allí les revelaré la naturaleza del dios, la verdadera naturaleza del que aquí llaman Atón. Y cuando Amón haya triunfado y todos se hayan olvidado del nombre de Atón, el dios oculto sobrevivirá en las almas de esa gente venida de Asia y será su único dios.

–Esa es sin duda una gran esperanza, ¿pero esa gente entenderá mejor el mensaje que los egipcios? Y con respecto a Akhenatón, ¿crees que te permitirá conservarlo para esos únicos pueblos? Porque Akhenatón ya no es el hombre que conociste. He alimentado a una serpiente en mi seno, un muchachito al que había distinguido porque decía ser un lejano pariente de mi padre, Ay. Se llama Smenkhkaré; Akhenatón lo vio porque yo lo llevaba a la residencia real cuando todavía vivía allí, y se apasionó locamente por él. No me habría provocado celos de no haber representado un poderoso y temible rival. La pasión de mi esposo por Smenkhkaré es tal que al fin lo convirtió en su corregente, le dio mi titulatura y lo declaró "el amado de Akhenatón". Así que ambos reinan en el gran palacio y ahora es Smenkhkaré quien lo acompaña a todos lados y procede con él al culto de Atón en los templos del dios. Pero eso no le basta

a Akhenatón: hizo coronar a ese Smenkhkaré y le entregó a Meritatón en matrimonio. Ven a ver la verdad de mis palabras.

Mosé la siguió a una sala contigua en donde la reina le mostró
una estela de piedra.

–Mira, Hanis la trajo del taller de Bek; por eso no está terminada
y los nombres reales no están inscriptos en sus círculos.

Grabados en la piedra, se distinguía a dos personajes sentados
uno al lado del otro en dos asientos, ante una mesa cargada de ofrendas. Ambos se hallaban completamente desnudos y no se sabía si se
trataba de hombres o de mujeres, pues sus pechos formaban ligeras
protuberancias similares a senos incipientes. Uno llevaba la corona
azul, la que agradaba particularmente a Akhenatón, y el otro, la doble corona blanca y roja de los faraones, que Akhenatón nunca había
ceñido excepto el día de su coronación. Y este último personaje estaba en actitud de volverse a medias hacia su compañero y acariciarle
el mentón, mientras que el primero apoyaba con confianza una mano en el hombro del otro. Sobre ambos planeaba el disco solar con
manos radiantes.

–Mira cómo Akhenatón se atreve a hacerse representar con su
corregente usando la doble corona.

–Pero tú reinas por tu lado en este palacio, y también tomaste los
atributos reales.

–¿Debía permitir que me despojaran y me ridiculizaran? Es verdad, sigo gobernando, pero a menudo de una manera ilusoria. No
obstante, los sacerdotes de Amón se pusieron de mi parte y lograré
hacer que Tutankhatón suba al trono. Le daré por esposa a Ankhsenpaatón y reinaré en su nombre, porque no creo ni temo que
Smenkhkaré, esa hembra, dé alguna vez un hijo a Meritatón. Mis
partidarios son numerosos y tengo de mi lado a mi padre, Ay, a Ramosé, a mi hermano Nakhtmin, que es el jefe de los ejércitos de Nubia, y a Horemheb. Con el apoyo del clero de Amón, mi posición es
fuerte.

–Sin duda, pero no puedes entrar en una lucha abierta contra
Akhenatón, porque él es el rey legítimo. Y porque es tu marido y sigues amándolo, aunque lo niegues.

–Mosatón, no lo niego y justamente porque tus palabras acaban
de pintar la realidad las cosas están como están.

–Llévame ante Akhenatón. Le hablaré.

Nefertiti salió del recinto, seguida por Mosé, y se detuvo frente al gran estanque cuyas aguas eran tan claras que se veía nadar a los peces del Nilo que allí vivían.

–Horemheb te conducirá; es el único lazo entre Ameni y yo.

Horemheb, al que habían ido a buscar a su residencia, de inmediato condujo a Mosé al palacio, ya que este quería evitar quedarse cerca de Nefertiti.

–Osarsuf –le dijo Horemheb mientras dirigía el carro–, te envía algún dios, pues creo que eres el único hombre capaz de conjurar la locura de Amenofis, de hacerle entender que el imperio se encamina a la ruina, que el pueblo muere de hambre y los vasallos se independizan. Tiene que abdicar en favor de Nefertiti, que ya posee grandes poderes, y de Tutankhatón. Después de todo, para él nada cambiará, porque lo único que le importa es poder pasar sus días adorando a Atón y componiendo himnos en su gloria. Que siga haciéndolo, pero que entregue el sello real a su Gran Esposa.

–Horemheb –le respondió Mosé–, hablaré de eso con Ameni, pero temo que no quiera escucharme, sobre todo si le confirió el poder real a ese muchacho al que parece amar con tanta pasión.

–Creyó encontrar en él a otra Kiya, pero ya se echará atrás, porque Kiya no puede ser reemplazada en su corazón.

–¿Y en el tuyo?

–Mutnedjemet supo apoderarse por completo del mío. Yo, por mi parte, sé separar las cosas y echar fuera de mi corazón todo lo que pueda perturbar su serenidad.

Los mismos guardias que habían golpeado a Mosé se inclinaron ante el director de los ejércitos de Su Majestad, que se dirigió a la sala en la que podía encontrar al chambelán que los conduciría hasta el faraón. Lo encontraron, sí, pero sumido en una profunda aflicción.

–No sé si Su Majestad querrá recibirlos. No quiere ver a nadie, porque una inmensa pena se ha apoderado de él.

–Dinos qué ha pasado, la razón de esa pena –lo apremió Horemheb.

–Esta mañana el joven rey Smenkhkaré desapareció del palacio, y hace un rato encontraron su cuerpo entre los matorrales de la orilla, río arriba. Se arrojó allí por su propia voluntad.

–Entonces llévanos ante el rey –intervino Mosé–. Soy Mosatón, el gran amigo de Su Majestad, su primer compañero.

Akhenatón estaba en una terraza del palacio, junto a un altar de Atón en el que había unas ofrendas florales. El chambelán le había anunciado el regreso de Mosatón y el rey había ordenado de inmediato que lo hicieran entrar.

–¡Mosatón, mi buen compañero, mi hermano! –exclamó el soberano, cayendo en los brazos de su viejo amigo–. ¿El dios que me quitó a un ser tan querido quiere tal vez, en su misericordia, devolverme a otro más querido aún?

–Akhenatón, no sabemos cuál es la voluntad del dios, pues sus designios son secretos. Me apena encontrarte en semejante duelo, cuando esperaba volver a verte lleno de alegría, en la luz de Atón.

–La luz de Atón sigue brillando, pero toda la alegría se ha ido de mi corazón y mi alma está triste hasta la muerte. Creyendo cumplir la voluntad del dios, traje la desgracia a Egipto, y también la desgracia de los dos seres a los que, además de ti, más amaba en este mundo: mi Kiya y ese pequeño Smenkhkaré. Lo amé y creí que correspondía a mi amor, pero en realidad no era así.

Tomó un rollo de papiro que tenía junto a él y se lo entregó a Mosé, que lo desenrolló y leyó:

"Del Soberano de las Dos Tierras Neferneferuatón Smenkhkaré, por la gracia de su rey y amo, el que lo ama, Akhenatón, a Su Majestad, rey del Alto y el Bajo Egipto, el hijo amado de Atón, Neferkheperure, hijo de Ra que vive en Maat, Amo de las Coronas, Akhenatón, que viva por la eternidad. Tu Majestad me vio y Atón puso un gran amor en el corazón de Su Majestad por Smenkhkaré. Y yo te amé, pero respetaba aún más al faraón, pues yo sólo era su esclavo. Me convirtió en dignatario, me elevó hasta su altura, hasta su trono, y yo acepté desposar a tu hija Meritatón, que es muy hermosa. Pero aquella a la cual mi corazón amaba más que a mi propia vida, aquella que se convirtió sin saberlo en la soberana de mi alma desde que mis ojos fueron encendidos por su mirada, es la Gran Esposa Real, Nefertiti. Pero ella ignoró mi amor y, mientras que mi único deseo era permanecer junto a ella, en la luz de su presencia, adorándola en silencio sin que jamás lo supiera, tú me viste y me alejaste de ella, y yo no me atreví a decir nada pues eras mi amo, eras el rey. Entonces comencé a sufrir por hallarme lejos de su vista, pero sufrí más al ver que cada vez que tú me elevabas, cada vez que me dabas un título o un poder, yo era la causa de una herida en el corazón de aquella a que en secreto amaba. Quise amarla a través de su hija, mi querida esposa Meritatón, pero vi nuevamente que también con eso la dañaba, porque le había quitado el afecto de Meritatón. Cada uno de mis actos, que deberían haberle dado alegría, era un nuevo motivo de aflicción, y mi corazón sufría por partida doble. Y ahora comprendí que no podía soportar más la vida y el único medio que me quedaba para traerle algo de alegría a quien amo, de devolverle una felicidad que le quité, a pesar mío, arrebatándole su hija y su esposo, era dejar este mundo en el que sólo respiraba el perfume de la muerte. Akhenatón, mi Señor, mi padre, si alguna vez sentiste amor por mí, olvídame y regresa con aquella a quien no dejaste de amar en el fondo de tu corazón y que, según creo, te sigue amando, pues son el uno para el otro por la eternidad. Regocíjate y consérvate en el favor de Ra y en la luz de Atón."

Mosé enrolló el papiro y lo dejó en una mesita. Pensó que en casos así toda palabra es en vano, y su sentido, insignificante; que sólo el silencio convenía.

Durante todo aquel día y la noche siguiente se quedó junto a Akhenatón, sin atreverse a mencionarle la razón que lo había llevado a dejar su desierto para ir a verlo.

–Mosatón, hermano –le decía el rey–, el dios te trajo de nuevo junto a mí, en el momento en que más te necesitaba. No quiero que vuelvas a dejarme, quiero que de ahora en adelante vivas en mi sombra, que seamos como en el pasado, amigos a los que nada puede separar, como el alma y su doble.

Akhenatón no cesaba de decirle cosas por el estilo, con tal exaltación en la voz que Mosé comprendió que sería tan vano como insensato confesarle que su intención era, por el contrario, regresar al país de Madián y llevar consigo a la gente que trabajaba para el rey en la tierra de Gesén, con el fin de que conservaran la enseñanza que el dios había revelado a su hijo Akhenatón.

Así pues, tomó coraje para ir a encontrarse con Nefertiti, a la que ya había informado de la razón del suicidio de Smenkhkaré y revelado ese amor desesperado, que había modificado por completo la opinión de la reina sobre el joven al que tan abiertamente había condenado.

–Akhenatón nunca te permitirá partir –le aseguró ella–. Sólo te resta prescindir de su autorización. En lo que respecta a la gente que

quieres llevar contigo al desierto para revelarle la verdadera naturaleza de Atón y hacer que conserven su mensaje, voy a darte una orden que tendrá autoridad gracias a mi sello. Así podrás partir con todos los que quieran seguirte.

Así habló Nefertiti porque sabía que Mosatón ya no podría
amarla como lo había hecho. Además, al no estar ya Smenkhkaré entre ella y Akhenatón, albergaba la esperanza de recuperar la intimidad de antaño, ese vínculo basado en el amor que le permitía compartir las cosas de la existencia con su esposo.

Mosatón partió al día siguiente, sin volver a ver a Akhenatón para no tener que mentirle. Cuando el rey se enteró de su partida –varios días más tarde, pues lo creía junto a la reina–, entró en cólera como nunca le había sucedido, como nadie hubiera esperado de parte
del rey. Gritaba que Mosé había traicionado su amistad y su confianza, que había que llevarlo de vuelta ante Su Majestad para que él decidiera si debía concederle su perdón. Convocó a Horemheb para ordenarle que se embarcara rumbo al norte con una buena tropa a fin
de detener al fugitivo.

–Ya debe de estar muy lejos, quizás en el mismo desierto –señaló el general, que no tenía mucho interés en llevar a la corte a un
hombre cuya autoridad podía hacerle sombra.

–Es lo que quiero. Tráemelo –replicó Akhenatón.

–Haré todo lo posible, pero será necesaria toda la inspiración de
Atón para encontrar a un hombre en esos desiertos en los que sin duda se ha refugiado.

Akhenatón le clavó una mirada penetrante y entrecerró los párpados.

–Atón me iluminará a mí –dijo entonces–. Haz que tus hombres
se preparen; iré contigo y marcharé a la cabeza de esa tropa. De lo
contrario, Paatonhemeb, ¿cómo puedo estar seguro de que llevarás
la persecución hasta el final?

–¿Tu Majestad olvida el juramento que hizo, de no salir del territorio de Atón?

–No romperé mi juramento, porque el territorio de Atón es el
mundo entero, los mares, los llanos, las montañas, los desiertos y los
bosques. Vé a dar las órdenes. Partiremos mañana, después de que
haga las ofrendas a mi padre Atón.

El navío en que embarcaron Akhenatón y Horemheb se impulsaba a remo, ya que habían tenido que cargar la vela porque el viento del norte soplaba con una violencia fuera de lo común. Horemheb había prevenido a Nefertiti de la decisión del rey de acompañarlo, y ella le había pedido que hiciera todo lo posible para obstaculizar la persecución, de manera que no lograran encontrar a Mosatón.

Horemheb prometió actuar de ese modo, pero Akhenatón no cesaba de apresurar a los remeros, prometiéndoles recompensas si hacían un esfuerzo desmedido. Así llegaron a Per Sopdu mucho antes que lo previsto por Horemheb. Siguiendo las órdenes de Akhenatón –que, entre tanto, se había enterado de las verdaderas intenciones de Mosatón–, Horemheb convocó a los jefes de reclutamiento y al comando de carros de la región y les ordenó que se pusieran a disposición del rey con todas sus fuerzas.

Cuando Akhenatón llegó con su ejército a la tierra de Gesén, se enteró de que Mosatón había partido, junto con la mayoría de los obreros y los nómadas de la región, sus familias y sus bienes. El rey subió a un carro, empuñó en persona las riendas y se lanzó tras la huella de los fugitivos a la cabeza de la tropa de carros, dejando que Horemheb lo siguiera a pie con el resto de los hombres. Al cabo de una larga y penosa marcha, Horemheb llegó al mar de las Cañas, nombre que se daba a los estanques profundos de márgenes cubiertas de cañas que se extendían hasta el mar Rojo y separaban el delta del desierto de Farán. Aquel era el sitio al que se había dirigido Mosé, a la cabeza del pueblo que lo acompañaba en su apresurada huida, ya que sospechaba que, cuando Akhenatón se enterara de su partida, enviaría gente a perseguirlo. Sin embargo, no había pensado que el mismísimo soberano fuera a desplazarse hasta allí.

Horemheb vio, al borde de esas márgenes desoladas adonde iban a morir las arenas del desierto, a algunos de sus hombres que permanecían inmóviles en sus carros, como pasmados, y a lo lejos, más allá de la orilla opuesta, a través de un espeso polvo levantado por un viento en extremo violento, a los *khabirú* y las otras tribus, que se alejaban con sus animales, sus asnos y sus rebaños.

–¿Y el rey? ¿Dónde está el rey con su buena tropa de carros? Dime, ¿qué ocurrió?

Así interrogó Horemheb a uno de los oficiales, que cayó de rodillas en el suelo, diciendo:

–¡Señor, es algo inaudito, nunca antes visto! Llegábamos a toda la velocidad de los caballos, y a la cabeza iba Su Majestad. Habíamos distinguido a lo lejos a los fugitivos, a los que perseguía el faraón, que se puso a gritar el nombre de Mosatón. Y vimos que los asiáticos apresuraban el paso, que huían de Su Majestad y de su ira. Pero, aunque nos habían visto, no podían oírnos porque el viento soplaba más fuerte que ahora. Entonces Su Majestad impulsó su carro hacia las aguas, que estaban muy bajas, ya que se podía ver que a los últimos de esos viles fugitivos ni siquiera les llegaban a las rodillas. Sin embargo, nuestro comandante había advertido al faraón, le había dicho que en el lago había agujeros pérfidos y que los carros corrían el riesgo de atascarse en el lodo. Pero Su Majestad no quiso escucharlo y se metió en el agua, y los otros carros lo siguieron. Y entonces el viento que soplaba hacia el sur cambió de pronto y empezó a soplar hacia el norte y, al mismo tiempo, las aguas del lago, empujadas por las del mar, se hincharon como nunca nadie lo había visto antes. Les gritamos, al rey y a los que lo seguían, que regresaran, pero no nos oyeron, y de pronto la ola inmensa llegó y lo tragó todo: a Su Majestad y a los oficiales con sus carros y sus caballos. Sólo nosotros, que tuvimos la prudencia de dar media vuelta y regresar a tierra firme, salvamos la vida.

Horemheb se sorprendió de no sentir pena ni tristeza por la noticia, sino todo lo contrario, y pensó que Akhenatón había encontrado la misma muerte que aquel al que había amado con tanta locura y pasión, en el seno de la onda, madre primitiva de donde provenía toda la vida y de donde se había alzado el Sol en los antiguos días de la creación, en la época en que sólo existía el dios creador cuyo espíritu flotaba sobre las aguas.

Epílogo

Todos saben lo que ocurrió con Mosé, nombre que nosotros traducimos por Moisés. Poco más de un siglo después, hacia 1230 antes de nuestra era, un faraón, Mineptah, hijo del célebre Ramsés II, realizó una campaña hacia el sur de Canaán, más tarde llamada Palestina, y sabemos, por una inscripción triunfal, que destruyó "la semilla de Israelu". Por lo tanto, los hebreos (o *khabirú*) habían logrado llegar al final de su éxodo.

No se sabe cuándo ni cómo murió Nefertiti. Hizo lo que había planeado: Tutankhatón se casó con Ankhsenpaatón y subió al trono de las Dos Tierras. Poco después, sin duda instigado por Nefertiti, se reconcilió con el clero de Amón, al cual se devolvieron sus bienes. El joven rey tomó entonces el nombre de Tutankhamón y la corte volvió a instalarse en Tebas. Ikhutatón fue abandonada precipitadamente y los palacios y las bellas residencias de los nobles fueron ocupadas por los pobres, que se quedaron en el lugar y conocieron la ilusión de la magnificencia en palacios que se deterioraron con suma rapidez, mucho más aún porque, al irse, sus propietarios no sólo llevaron consigo su mobiliario sino hasta las maderas talladas de las puertas, las columnas y todos los ornamentos que consiguieron sacar. Efímera fue la vida de Tutankhamón, que murió a los diecinueve años, después de nueve de reinado. Ya no había heredero legítimo en el bello linaje de los reyes de la XVIII dinastía, que había hecho la grandeza de Egipto. Fue Ay quien sucedió a Tutankhatón en un giro inesperado del destino. Su reinado fue breve y transitorio. Murió pocos años después. Entonces llegó por fin la hora de Horemheb, sin duda por intercesión de Nefertiti. Durante los dos reinados precedentes él había comandado gloriosas campañas, haciendo realidad su sueño de juventud de restablecer el prestigio de Egipto en Siria y Canaán. Mutnedjemet legitimó su asunción al trono. No se sabe si Nefertiti todavía vivía, pero parece que es posible responder afirmativamente. Por cierto, murió poco después; fue en ese momento cuando Horemheb, al verse finalmente libre, dejó estallar su odio contenido contra Akhenatón, al que llamaba "Malvado". Hizo buscar su nombre por todas partes para destruirlo a martillazos y hacer desaparecer su memoria, para que muriera por segunda vez en el más allá. No obstante, devolvió a Egipto todo su poderío y su prosperidad y dejó a su sucesor un Estado en que se había restaurado el antiguo orden. Dicho sucesor, sin duda designado por él, fue un tal Ramsés, fundador de la XIX dinastía, que sólo reinó dos años. Le sucedió su hijo Sethi, que fue el padre de Ramsés II.

La cronología de la época de Amenofis IV o Akhenatón es discutida. Según parece, nació hacia 1378 antes de nuestra era y fue asociado al trono a los diecinueve años de edad. Reinó diecisiete años y, por lo tanto, murió en 1362 a.C.

Desde antes de la muerte de Horemheb, hacia 1329 a.C., Ikhutatón había caído en ruinas y lentamente la arena comenzaba a cubrir los restos abandonados de la ciudad de Atón, nacida del sueño loco de un hombre iluminado. Pero vanos fueron los esfuerzos de Horemheb por hacer desaparecer definitivamente de la memoria de los mortales el nombre de Akhenatón. Treinta y dos siglos después, la ciudad inspirada fue encontrada cerca de los pueblos de Et Till y Amarna. Este último dio su nombre, por uno de esos anacronismos que los arqueólogos cometen voluntariamente, al período amárnico, que representa uno de los episodios más brillantes y más originales, no sólo de Egipto sino del mundo entero. Y cuando el viajero moderno va al sitio de Amarna, siempre resplandeciente por la luz de Atón, podría, si quisiera soñar, ver la sombra de Akhenatón pasando en su carro, abrazado a Nefertiti, a la que convirtió, por la fuerza de su amor, en la reina del Nilo.

Y tenemos derecho a pensar que fue Nefertiti la que hizo inscribir –a menos que lo haya hecho con sus propias manos– en la tumba vacía de Akhenatón aquel poema que le había enviado por intermedio de Horemheb para declararle su amor:

Quisiera respirar el perfumado aliento de tus labios,
Deseo contemplar tu belleza,
escuchar el sonido de tu voz, semejante a la suave brisa del Norte.
Por tu amor mis miembros recuperan su vigor.
Dame tu mano; por ella recibiré tu espíritu
y por él viviré.
Llámame por mi nombre, para que viva eternamente.

Nota final

No hay en la historia personajes más ilustres, y sin embargo peor conocidos, que Nefertiti y Akhenatón. ¿Quién no vio, al menos en fotografía, el bello torso en piedra caliza de la reina, encontrado en el taller de Djeuthimés en Amarna y ahora expuesto en el Museo del Estado de Berlín Oriental? ¿Quién no oyó hablar de ese rey reformador o herético, que instauró un culto al Sol, prefiguración del monoteísmo judeocristiano e islámico? No hay faraón o reina de Egipto del que se posean más retratos, relieves y estatuas. La vida íntima de la familia nos llegó por una cantidad considerable de bajorrelieves. Sin embargo, ambos permanecen sumidos en el misterio, y en particular Nefertiti, tanto que hasta se ignora su verdadero origen. Algunos quisieron hacer de ella una princesa de Mitanni e identificarla con esa Tadukhipa que entró en el harén de Amenofis III; otros la identificaron como hija de Amenofis III y de su esposa principal, Tiyi. No obstante, muchas son las presunciones de que era hija de Ay, su "padre divino", y se sabe con certeza que Ti, la esposa de Ay, fue su nodriza pero no su madre.

Así pues, al escribir la novela sobre la vida de esta reina, estudié con suma atención la documentación iconográfica de la que dispone el historiador y a menudo fui llevado a interpretarla de una manera nueva e hipotética. A mi juicio, el origen en parte extranjero de Nefertiti proviene de la morfología de su rostro, pero también de ese sobrenombre, Kiya, que conocemos a partir de los jeroglíficos, a veces rodeados por el cartucho real. Se ha comprobado que ese apodo es de origen asiático; por lo tanto, sería inverosímil que se aplicara a una mujer puramente egipcia. También podemos estar seguros de que designaba a Nefertiti; de lo contrario, habría que admitir que Akhenatón tenía otra esposa real además de Nefertiti, una mujer que nunca habría figurado en bajorrelieves. Por otra parte, se ha notado que ese nombre, más corto, se puso en lugar del de Nefertiti, más largo, en inscripciones en las que faltaba espacio. Con ello tenemos una de las pruebas más seguras del origen en parte asiático de la reina. Y como parece indiscutible que su padre fuera Ay, la sangre asiática debía de provenir de su madre. Esta no podía ser una de las dos princesas de Mitanni convertidas en reinas por su matrimonio con Amenofis III (Gilukhipa y Tadukhipa), porque de ser así Nefertiti habría sido llamada "hija real" en las inscripciones, que no es el caso. Por eso pensé en buscar a su madre entre las mujeres nobles que siguieron a Gilukhipa, conocidas por una inscripción en escarabajo de Amenofis III. El parentesco de Ay con la familia de la reina Tiyi también parece establecido. Sin embargo, es difícil admitir –como se ha sostenido– que haya sido hijo de Yuya y Thuya, lo cual lo habría convertido en hermano de Tiyi, cuando sólo Anen es designado como hermano de la reina.

Las escenas de la adolescencia de Nefertiti en el sur del delta se basan en pinturas de caza, en papiros fechados durante el Nuevo Imperio y, sobre todo, en esa XVIII dinastía de la que Amenofis III es uno de los últimos faraones. También conocemos la vida de los boyeros por numerosas representaciones; así hemos llegado a saber que solían quitarse su ligera vestimenta para bañarse (de ello nos dan testimonio las cucharas para maquillaje con "nadadoras"), pero también para navegar en los pantanos, como se puede ver, por ejemplo, en una pintura de alfarería recogida en las excavaciones del palacio de Málgata (nombre moderno del pueblo cerca del cual se encuentran los restos del palacio de Djarukha, en las inmediaciones de Medinet Habu). Representa a una jovencita desnuda, de pie en una barquilla de papiro que dirige con ayuda de un bichero, rodeada de follaje y patos que alzan vuelo. En la otra parte de la jarra aparecen representados unos terneros saltando entre lotos. Esa vasija se encuentra en el Museo de Brooklyn, Nueva York. Al parecer, esa tendencia al naturalismo en el arte surgió bajo el reinado de Amenofis III, tal vez bajo la influencia de la Creta minoica, para alcanzar su apogeo en la época amárnica. La moda todavía imponía que las mujeres usaran vestidos tan ligeros que transparentaban la forma del cuerpo. La propia Nefertiti parece haber usado sólo vestidos así, a menudo completamente abiertos en la parte delantera.

También Akhenatón alentaba esa tendencia, no tanto al naturalismo como al nudismo; es el único faraón que se hizo representar desnudo en la estatuaria oficial. Durante la entrega del oro a Ay y a Ti desde el balcón de las apariciones, ni el rey ni la reina ni sus hijas, representados en un relieve famoso de la tumba de Ay en Amarna, llevan ropas.

Numerosas escenas, en las que describo a la pareja real abrazada en un carro, o la corte de Tiyi y a su hija Satamón llevando el taparrabo típico de las jovencitas, las comidas de la familia real, las ofrendas a Atón, la visita de Tiyi a Ikhutatón en compañía de su última hija, Paketatón, y otras semejantes, se basan en representaciones figuradas de la época. Una de ellas, que muestra una escena de ofrenda a Atón, en la que Nefertiti aparece llevando la corona de Amón con las dos altas plumas y los cuernos de carnero, me hizo elaborar la hipótesis de una influencia de la reina sobre el clero de Amón. Por otra parte, es curioso que ningún egiptólogo –por lo que sé– se haya interesado en este destacable relieve, grabado sobre un peñasco de la montaña arábica, para sacar conclusiones insoslayables.

Asimismo, elaboré la descripción de la mayoría de los personajes a partir de estatuas o bajorrelieves.

Tutmosis, el hijo mayor de Amenofis III –el "joven capitán", como lo llama una inscripción jeroglífica–, sólo nos es conocido por la alusión que a él hace ese mismo texto. Parece seguro que era el príncipe heredero; por lo tanto, según la costumbre, debió de ser educado y formado en Menfis. Murió antes de subir al trono, no se sabe en qué circunstancias. Horemheb, originario de Hatnub, también vivía en Menfis o en la región, como lo testimonia en particular la tumba que se hizo construir en Saqqara.

Ignoramos cómo conoció Amenofis IV a Nefertiti y la tomó como esposa real. Sí podemos estar seguros de que ella debía de poseer una personalidad singular para haber seducido a ese hombre a tal grado que le concediera lo que ninguna reina había conseguido hasta ese momento, exceptuando a Hatshepsut, aunque esta había confiscado el poder en su provecho.

Las fiestas de Osiris en Busiris se han reconstruido a partir de dibujos realizados en papiros de la época, así como del relato que de ellas dejó Heródoto. En cuanto a la iniciación de Amenofis en el templo de Heliópolis, se reconstituyó a partir de textos del Libro de los Muertos y sobre la base de las investigaciones de Max Guilmot (*Les Initiés et les rites initiatiques en Egypte ancienne*, Laffont, París, 1977).

Ignoramos las causas de la desgracia de Mai, al que Akhenatón había sacado de la pobreza, como lo dice el mismo Mai en inscripciones de la tumba que había comenzado a hacerse preparar en la montaña vecina a Amarna.

La ruptura entre Nefertiti y Akhenatón, hacia el decimocuarto año del reinado, permanece inexplicada. Intenté dar razones plausibles, fundadas en elementos a menudo poco discernibles históricamente. Sin embargo, no caben dudas de que siguió reinando en su propio palacio, situado al norte de la ciudad. Un relieve que muestra a Nefertiti vestida con el taparrabo, blandiendo una maza con la que amenaza a un enemigo arrodillado al que sujeta por los cabellos, es único en los anales de Egipto (se encuentra en un bloque proveniente de Heliópolis). Allí la reina tiene todos los atributos de un faraón guerrero; esa representación permite, por ende, pensar que en ese entonces gozaba de un poder real. También sabemos que Tutankhamón se refugió a su lado.

Paralelamente aparece Smenkhkaré, al que Akhenatón confirió los títulos reales femeninos de Nefertiti. Se ignora el origen de este personaje, pero parece inverosímil que haya sido un hermano de Akhenatón, como se supuso. Resulta evidente que tuvo relaciones muy íntimas con el rey. Una estela en la que se ve a dos hombres sentados uno junto al otro, los dos desnudos –Akhenatón apoyando el brazo izquierdo sobre el hombro de su compañero, y este último acariciando el mentón del rey– es en extremo explícito. Smenkhkaré (que no se disgusten los que ven en la homosexualidad un defecto redhibitorio) reemplazó por completo a Nefertiti al lado del rey, sin que por ello este último se separara francamente de la reina, mediante un repudio que la habría enviado de regreso a la casa de su padre. Se ignora cómo murió Smenkhkaré, después de dos o tres años de corregencia.

Todos los personajes que he puesto en escena en este libro existieron en realidad. Sólo hay uno del que no tenemos documentos contemporáneos a esa época: se trata de Osarsuf, alias Moisés. La hipótesis del origen amárnico del monoteísmo hebraico no es nueva, ya que fue formulada por Freud *(Moisés y el monoteísmo)*, aunque los historiadores no lo tomaron en serio. En parte porque él no era historiador, pero también porque tal hipótesis molestaba tanto a los judíos rigoristas como a los cristianos, que con inquietud veían amenazado el dogma de la revelación. ¡Por cierto!

Flavio Josefo, que vivió en el siglo I de nuestra era y se ilustró como historiador de las guerras judías contra los romanos en la época de Nerón y de Vespasiano, nos dejó un tratado dirigido contra el historiador alejandrino Apián. En esa obra, *Contra Apián*, Josefo se hace eco de una tradición conservada por Maneto, un sacerdote egipcio que vivía en Sebenito en el siglo III antes de nuestra era. En una *Historia de Egipto* algunos de cuyos fragmentos llegaron hasta nosotros, en parte gracias a Josefo, Maneto informa que Moisés era un sacerdote egipcio de Heliópolis llamado Osarsyf. Habría "cambiado" de religión, tomado el nombre de Moisés y hecho salir de Egipto a asiáticos leprosos, lo cual habría realizado contra la voluntad de un faraón que él llama Amenofis. Esta tradición ha sido confirmada por otros dos historiadores de la época alejandrina, citados también por Josefo, Queremon y Lisímaco, excepto que estos hacen de Amenofis el padre de Ramsés.

Ahora bien, ¿es una postura científica el no tener en absoluto en cuenta testimonios que, aunque muy divergentes de la tradición bíblica, pueden, por otro lado, completarla? Todos los especialistas concuerdan en reconocer que Moisés, *Moshé* en hebreo, es un nombre egipcio que significa "nacido de" (o hijo de), que se encuentra, por ejemplo, en los nombres de Ahmosé (o Ahmés), el primer rey de la XVIII dinastía, y Ramosé (o Ramsés). Así pues, en la Biblia, Moisés es el único hebreo que llevaría un nombre egipcio. Por otra parte, Osarsyf (pronunciado en griego, Osarsuf) podría traducirse por "Osiris es misericordioso". Fuera de la Biblia, sólo disponemos de esa única tradición sobre Moisés, y data de una época en que los textos bíblicos solo eran conocidos por los judíos, aunque un relato legendario haga remontar a comienzos del siglo III a.C. la primera traducción al griego del Antiguo Testamento, con el nombre de *Septante*. Una comparación entre la leyenda de Moisés, tal como aparece en el libro del Éxodo (el segundo de los libros que componen el Pentateuco, es decir, los cinco primeros libros del Antiguo Testamento), y el relato greco-egipcio de Maneto permite tener la certeza de que Maneto no conoció el texto bíblico. Hay que buscar en otra parte su documentación, tal vez en Heliópolis. En todo caso, parece impensable que Maneto haya inventado semejante historia, sobre todo en una época en que los griegos y los egipcios mantenían muy pocas relaciones con los judíos y no albergaban ninguna animosidad contra ellos. Así pues, resultan muy superficiales los historiadores que se niegan a tomar en cuenta esta tradición.

¿No es curioso que ese Osarsuf haya sido sacerdote de Heliópolis, es decir, de la ciudad donde Ra, el Sol, era la divinidad suprema, y que el faraón del Éxodo sea llamado Amenofis? Ahora bien, conociendo el profundo conservadurismo de los sacerdotes egipcios, ¿cómo imaginar que un sacerdote de Heliópolis, perteneciente a uno de los cleros más antiguos y prestigiosos de Egipto, haya podido de pronto "cambiar" de religión? A menos que fuera durante una época revolucionaria. Hubo una sola en el Egipto de aquella época, y fue la de Akhenatón. ¿Y qué faraones llevaron el nombre de Amenofis? Conocemos bastante las tumbas y la historia de los tres primeros Amenofis para estar seguros de que no puede tratarse de ellos. Únicamente puede tratarse de Amenofis IV, no sólo a causa de su acción religiosa, sino también porque es el único cuya tumba en la montaña arábica, cerca de Amarna, quedó inconclusa y vacía. También se ignora por entero cuál fue su fin. Por otra parte, tampoco hay que descuidar los testimonios de Queremon y de Lisímaco, que lo vinculan directamente con Ramsés. Ahora bien, si exceptuamos a Tutankhamón, cuyo reinado fue tan breve como poco destacado, Amenofis IV es el último soberano legítimo de la XVIII dinastía, a la que sucedió la XIX, que se inició con Ramsés I, sin duda confundido con el gran Ramsés (II), su nieto.

Osarsuf, sacerdote del Sol, amigo y discípulo de Amenofis IV, recogió la tradición atoniana y la transmitió a los hebreos después de cambiarse el nombre, como lo hacía la mayoría de los fieles de Atón. Esta es la hipótesis más verosímil entre todas las que se han propuesto hasta ahora. Por otra parte, ¿también es una casualidad que el tetragrama sagrado, es decir, el nombre de YaHWeH, escrito en los textos bíblicos, nunca sea pronunciado por los judíos cuando lo leen, sino reemplazado por "Señor", es decir Adoné, cuya forma antigua era Adón?

Se plantea luego la cuestión acerca de las relaciones entre Osarsuf y Nefertiti. Algunos autores llegaron a negar a Akhenatón la paternidad de las seis hijas de Nefertiti. Eso es excesivo, pero lo que sí resulta perturbador es que las cuatro primeras llevaran un nombre atoniano (terminado en –*atón*) mientras que las dos últimas tuvieran un nombre terminado en –*ra*, dios de Heliópolis. Algunos autores quisieron hacer de Djeuthimés el amante de Nefertiti y padre de las dos últimas princesas. Pero ello no explica la ruptura con Atón en provecho de Ra. Por el contrario, si Nefertiti hubiera tenido esas hijas de un amante secreto, más bien habría tendido a no marcar esa infidelidad con la sustitución del nombre de Atón por el de Ra. Me pareció que mi hipótesis de las relaciones entre Nefertiti y Osarsuf, a sabiendas de Akhenatón, reflejaba mejor la realidad.

En lo que respecta a la vida de Osarsuf/Moisés en el desierto y la salida de Egipto de los hebreos, recurrí a la tradición conservada en el libro del Éxodo, una vez despojada de sus aspectos legendarios y edificantes. Porque no hay que tomar al pie de la letra la tradición manetoniana, según la cual Moisés hizo salir de Egipto a asiáticos "leprosos". Más bien parece que Maneto no hizo más que traducir al griego una expresión común entre los egipcios. En efecto, en los textos, los asiáticos son a menudo calificados de impuros por los egipcios, y aparece un término que se traduce generalmente por "la peste" de los asiáticos. Eso significa, en boca de un egipcio, que era gente detestable, porque era enemiga, mientras que una interpretación literal podría significar gente enferma de peste o de lepra.

En mi texto llamo *khabirú* o *shasu* a esos asiáticos. Los *khabirú*, nómadas bien conocidos por los textos mesopotámicos y designados con el término "ibr" en los textos egipcios, parecen ser los propios hebreos. No obstante, al parecer, los hebreos de los textos bíblicos representaban apenas una fracción de esos *khabirú* que se encontraban desde Babilonia hasta Egipto, incluyendo Palestina. En cuanto a los *shasu*, los conocemos bien gracias a las inscripciones egipcias y sabemos que eran beduinos que practicaban el nomadismo al este del Sinaí. Uno de esos textos, fechado en el reinado de Amenofis III, menciona *"ta shsw yhw"*, que puede traducirse como "Yavé en tierra de *shasu*" o "la tierra de los *shasu* de Yavé"; es posible situar esta zona hacia Seir, al este del Sinaí, lo que corresponde a una región vecina del país de Jethro, donde Moisés va a conocer a Yavé. Pero ese Yavé todavía no es más que una divinidad, ya sea tribal, ya territorial, entre muchas otras. Moisés le confirió algunas de las características que tomó de aquel dios que tan bien conocía, revelado a Amenofis IV bajo el nombre de Atón.